Wolfgang Hafer

Die anderen Mautners

Wolfgang Hafer

Die anderen Mautners

Das Schicksal einer jüdischen
Unternehmerfamilie

Inhalt

VORWORT

Erwähnt man in Wien den Namen Mautner, denkt dort jeder sofort an die Unternehmerdynastie Mautner Markhof, eine jüdischstämmige Familie, die in der ersten Hälfte des 19. Jahrhunderts aus Böhmen nach Wien zog und zunächst mit einer Brauerei, später auch mit anderen Konsumgütern außerordentliche unternehmerische Erfolge feiern konnte. Adolf Ignaz Mautner konvertierte zum Katholizismus und wurden 1872 zum Ritter von Markhof geadelt. Die seitherige Familie Mautner von Markhof spielte eine bedeutende Rolle im Wiener Kultur- und Geistesleben, trat als wohltätiger Stifter auf und wurde ein so integraler Bestandteil der Wiener Gesellschaft, dass es die Nazis nicht wagten, sie wegen ihrer jüdischen Herkunft zu drangsalieren. So überstanden die Mautner Markhofs die Nazizeit unbehelligt

Das vorliegende Buch handelt von einer anderen Familie Mautner, die nicht so viel Glück hatte. Sie war ebenfalls eine Unternehmerdynastie, ebenfalls aus Böhmen nach Wien gekommen und ebenfalls außerordentlich erfolgreich. Auf dem Höhepunkt seines Erfolges regierte Isidor Mautner einen der größten Textilkonzerne des Kontinents, sein Sommersitz war ein bevorzugter Treffpunkt der etablierten Wiener Kulturszene, seine Familie genoss die Annehmlichkeiten einer Großbürgerfamilie des Fin de Siècle.

Doch nach dem Ersten Weltkrieg bröckelte das Imperium, der Bankrott seines Sohnes Stephan kostete Mautner sein Vermögen, ein letzter verzweifelter Versuch einer industriellen Neugründung misslang – als er starb, hatte Isidor Mautner fast alles verloren. Seine Familie, die ihrem jüdischen Glauben treu geblieben war, wurde von den Nazis ausgeraubt, zur Flucht gezwungen oder umgebracht.

Heute sind diese „anderen" Mautners so gut wie vergessen. Nichts kennzeichnet diesen Zustand so gut wie die Tatsache, dass sich über diese Mautners lediglich einige nicht sehr zuverlässige biografische Notizen finden. Schon deshalb scheint es an der Zeit, die bewegende Geschichte dieser jüdischen Unternehmerfamilie ausführlich und präzise festzuhalten. Sie hat es verdient.

Zumal Isidor Mautner sein Vermögen entgegen dem landläufigen Bild eines erfolgreichen jüdischen Unternehmers keineswegs mit Finanzgeschäften erwarb, sondern mit dem Aufbau eines Industriekonzerns. Und es entbehrt nicht einer bitteren Ironie, dass ausgerechnet der von ihm unterstützte Versuch seines Sohnes Stephan, ins Bankgeschäft einzusteigen, den Ruin des Unternehmens herbeiführte. Die Begabungen der

Kinder Isidor Mautners lagen eben weniger im kommerziellen Bereich. Stephan selbst entfaltete ein bemerkenswertes Talent als Maler und Schriftsteller, ebenso wie seine jüngste Schwester Marie, die zudem bereits um die Jahrhundertwende beachtliche hochalpine Touren unternahm. Konrad Mautner, der jüngere Sohn, machte sich einen heute noch gültigen Namen als Pionier der Volkstumsforschung.

Bedeutsam wird das Schicksal dieser Familie aber nicht nur durch deren beachtliche individuellen Leistungen, sondern auch dadurch, dass sie geradezu idealtypisch steht für eine faszinierende Epoche der Geschichte Mitteleuropas: Nach der Befreiung von hemmenden Restriktionen begann die jüdische Bevölkerung innerhalb weniger Jahrzehnte in einem atemberaubenden Prozess ihr ganzes kreatives, intellektuelles und unternehmerisches Potenzial zu entfalten. Bereits Ende des 19. Jahrhunderts wurde so in den Metropolen das wirtschaftliche, intellektuelle und oft auch das gesellschaftliche Leben maßgeblich von jüdischen Einwohnern bestimmt.

Damit einher ging ein weiteres Phänomen. Gerade in den wohlhabenden Schichten des Judentums kam es zu einer zunehmenden Entfremdung von der jüdischen Herkunft, bis hin zu einer hohen Zahl an Austritten. Isaac Mautner, der Begründer des Textilunternehmens, war noch strenggläubiger Vorsitzender der jüdischen Gemeinde im ostböhmischen Náchod. Sein Enkel Konrad dagegen konvertierte zum Protestantismus, verwandelte sich in Kleidung, Sprache und Brauchtum in einen steirischen Landbewohner, auch dessen älterer Bruder Stephan verfasste Gedichte in niederösterreichischem Dialekt.

Es konnte kaum treuere Patrioten geben als die Juden Österreichs oder Deutschlands, aber es nutzte nichts. Man hatte tapfer und voller Überzeugung für sein Vaterland gekämpft, nun wurde man aus diesem Vaterland verjagt oder ins Gas geschickt.

So stehen die Mautners auch in dieser Hinsicht stellvertretend für das schreckliche Scheitern eines Projektes.

Diese Biografie wäre nicht möglich gewesen ohne Hilfe von Nachfahren der Mautners. So gilt ein großer Dank Dr. Elizabeth Baum-Breuer, die mit ihrer Großmutter Katharina (Käthy) Mautner viel Zeit verbracht hatte und ihr bei der Niederschrift ihrer Jugend-Erinnerungen in den 1970er Jahren zur Hand ging. Sie half mir immer wieder bei offenen Fragen, versorgte mich mit wichtigem Material und vermittelte mir den Zugang zu ihren Cousinen Pamela Tapolcai, die mir wiederum eine wunderbare Sammlung alter Fotografien und Briefe der Mautners zur Verfügung stellte und Antonia Kalbeck in Wien. Auch diesen beiden Damen danke ich herzlich für ihre Hilfe und Gesprächsbereitschaft.

Eine weitere wichtige Quelle war meine Tante Ilse Scherzer, die im Jahre 2012 im Alter von 99 Jahren in New York verstarb. Sie verfügte bis zu ihrem Tod über ein präzises Gedächtnis, das sich als unerschöpfliches, jederzeit abrufbares Familienarchiv erwies. Ihr verdanke ich zahlreiche Informationen über die Familie Mautner im Allgemeinen und Isidor Mautner im Besonderen.

Ein großer Dank gilt ebenso dem österreichischen Fernsehjournalisten Lutz Maurer, der sich viel Zeit nahm, um meine Frau und mich zu den Wirkungsstätten der Mautners im Ausseer Land zu führen und mich zudem auch bei angegriffener Gesundheit immer wieder fürsorglich mit wichtigem Material versorgte.

Bedanken möchte ich mich auch bei Dr. Winzeler vom Stadtmuseum Zittau für wichtige Informationen zum Wirken der Mautners im Reichenberger (Liberecer) Raum.

Ein weiterer Dank geht an meinen Bruder Dr. Andreas Hafer für die vielfältige Beratung und die sachkundige Hilfe bei der Übersetzung tschechischer Texte sowie an Regina Berg-Jauernig, die bereitwillig mein Manuskript einer kritischen Lektüre unterzog und mich bei meiner Arbeit ermutigte.

Und nicht zuletzt danke ich meiner Frau, die mich auf vielen Recherchereisen begleitete, mich nach Kräften unterstützte und auch meine schreibbedingten Phasen der Zurückgezogenheit mit Verständnis und Geduld ertrug.

Zum Schluss noch ein Hinweis zur Orthographie: Um die Authentizität der Zitate zu bewahren, wurde jeweils die Originalschreibweise beibehalten, auch Fehler wurden nicht korrigiert, sondern nur vermerkt. Bei den geografischen Bezeichnungen werden zur besseren Verständlichkeit und zur Vereinfachung der Zuordnung grundsätzlich die in den Quellen verwendeten, in der Regel also die deutschen Namen verwendet, die heute übliche Bezeichnung wird jeweils bei der Ersterwähnung in Klammern beigefügt.

Frankfurt am Main, im Mai 2014

PROLOG

Um 2004 beschlossen mein Bruder und ich, eine Biografie über unseren legendären Großvater zu schreiben.[1] Unser ganzes Leben lang hatte sein Name wie ein Mythos über unseren Köpfen geschwebt, bei sich bietender Gelegenheit ehrfürchtig angesprochen von Mutter, Onkel, Tante und Großmutter. Eine Legende. Nun war die Zeit gekommen, der Legende auf den Grund zu gehen.

Es handelte sich um Hugo Meisl, einen jüdischen Fußballpionier aus der Zeit zwischen den Weltkriegen, dessen Bedeutung uns erst während unserer Recherchen so wirklich bewusst wurde. Er hatte eine führende Rolle in der FIFA gespielt, gegen heftigen Widerstand vor allem des Deutschen Fußballbundes den Profifußball auf dem europäischen Kontinent etabliert und bald darauf auch als Erster die Ideen eines internationalen Vereinswettbewerbs und einer Europameisterschaft der Nationalmannschaften verwirklicht. Und nicht nur das, er war ein international tätiger und renommierter Schiedsrichter, er lenkte als Generalsekretär die Geschicke des Österreichischen Fußballbundes und – besonders wichtig – er war darüber hinaus und vor allem als „Bundeskapitän" für die Aufstellung der österreichischen Nationalmannschaft zuständig. Den Höhepunkt seines Wirkens und seines Ruhmes erlangte Hugo Meisl ab dem Jahr 1931 mit der Zusammenstellung des „Wunderteams" um den legendären Matthias Sindelar, das mit einer spektakulären Leichtigkeit von Sieg zu Sieg eilte und sogar die deutsche Auswahl mit 6:0 vom Platz fegte – und das auswärts in Berlin! Er war, so wurde uns während unserer Recherchen klar, ohne Zweifel einer der einflussreichsten und erfolgreichsten Sportmanager der Zwischenkriegszeit weltweit.

Es war ein Glücksfall für unsere Recherchen, dass die Wohnung, die unser Großvater im Jahre 1931 mit seiner Familie bezogen hatte, immer noch in Familienbesitz war. Hugo Meisl war bereits im Januar 1937 im Alter von nicht einmal 56 Jahren gestorben, seine Familie behielt aber die Wohnung im Karl-Marx-Hof im 19. Bezirk. Auch nachdem unsere Mutter und unser Onkel ausgezogen waren, weil sie eine eigene Familie gegründet hatten, verblieben unsere Großmutter und unsere unverheiratete Tante in der Wohnung, die wir regelmäßig in den Sommerferien für mehrere Wochen besuchten. Unsere Großmutter starb 1979, unsere Tante aber blieb, bis vor einigen Jahren ihr Gesundheitszustand die Übersiedlung in ein Pflegeheim in Klosterneuburg erforderte, wo sie 2014 im Alter von 93 Jahren verstarb.

In der ganzen Zeit wurde die Wohnung kaum verändert. Eine Gemeindebauwohnung im Originalzustand der frühen 1930er Jahre, darin das originale Arbeitszimmer unseres Großvaters mitsamt Art-Deco-Schreibtisch, riesigem Bücherschrank, Bildern und Objekten an den Wänden, edlen Vitrinen, angefüllt mit Erinnerungsstücken aus der Zeit des „Wunderteams", bis hin zu einem Pokal, der ein Loch aufwies: Im Bürgerkrieg 1934 war die Wohnung unter Beschuss der Heimwehr geraten.

Nun war unsere Tante ausgezogen. Was sollte mit der Wohnung geschehen? Wir waren uns sehr schnell einig: Nichts lag näher, als dieses einzigartige Ensemble aus Original-Gemeindebau und Original-Arbeitszimmer der Öffentlichkeit zu erhalten, zumal im Karl-Marx-Hof ohnehin schon ein Waschhaus zu einem Museum dieses berühmten Gemeindebaus ausgebaut worden war.[2] Es hätte sich also angeboten, die Meisl-Wohnung dem Museum anzugliedern.

Um dem Vorschlag Nachdruck zu verleihen, verabredeten mein Bruder und ich ein ausführliches Interview mit der Wiener Zeitschrift *Ballesterer* im Arbeitszimmer unseres Großvaters. Der Fotograf konnte sich gar nicht sattsehen an all den Objekten, Möbeln und Durchblicken, entsprechend eindrucksvoll war der Artikel illustriert.[3]

Die Kampagne zeigte Wirkung, es folgten weitere Interviews mit Wiener Tageszeitungen, die sich für einen Erhalt der Wohnung und des Arbeitszimmers engagierten[4], aber das alles hatte letztlich doch nur aufschiebende Wirkung. Der Wohnungseigentümer „Wiener Wohnen" bestand auf einer Neuvermietung, verschob zunächst unter öffentlichem Druck den Räumungstermin um einige Monate[5] und setzte sich dann endgültig durch.[6]

Für das Mobiliar und die Erinnerungsstücke des Arbeitszimmers fand sich immerhin eine glückliche Lösung: Herr Kaltenbeck, der Kurator des Vereinsmuseums des SK Austria Wien, ließ in einem Raum des Museums das Arbeitszimmer so originalgetreu wie möglich nachbilden.[7]

Aber nun drängte die Zeit, der Räumungstermin drohte. Während unserer Recherchen hatte sich die Wohnungseinrichtung als eine wahre Schatztruhe erwiesen, überall wurden wir fündig, in den Schubladen, in den Schränken, ja sogar im Hohlraum des Sofas fand sich ein in Schweinsleder gebundener Briefwechsel zwischen Hugo Meisl und dem ebenso legendären Manager des Londoner Fußballclubs Arsenal, Herbert Chapman. Nun durchsuchten wir sorgfältig nochmals die ganze Wohnung, alle Möbel, schließlich auch den Bücherschrank.

Da stießen wir in der zweiten Reihe auf ein recht großformatiges Buch, das allerdings auf den ersten Blick eher unscheinbar wirkte, zumal der

Rückeneinband fehlte und die Seiten nur sehr nachlässig aufgeschnitten worden waren. „Trattenbach", lautete der Titel. Von Stephan Mautner. Ein Privatdruck, verfasst im Frühjahr 1918. Nicht besonders umfangreich, auch nicht besonders gut erhalten. Knapp 200 Seiten, vom Autor mit zahlreichen eigenhändig gestalteten Illustrationen versehen, einige Aquarelle, viele Bleistiftskizzen, auf der dritten Seite die eingeklebte Zeichnung eines in Jägertracht gekleideten Herrn mit Schnauzbart, der einem etwa zehnjährigen Mädchen hilft, das Jagdgewehr richtig anzulegen. Daneben ein etwas älterer Bub, der verschmitzt und selbstbewusst in Richtung eines imaginären Wildes blickt.

Eine Seite weiter erfahren wir, dass dieses Buch im Frühjahr 1918 im Auftrag des Autors in der Offizin Waldheim-Eberle AG in Wien gedruckt wurde. „Die Lichtdrucke stammen aus der Reproduktionsanstalt Max Jaffé in Wien", wird uns auch noch mitgeteilt.

Auf der nächsten Seite eine Widmung in feiner schwarzer Schönschrift: „Dieses Exemplar ist Dir, lieber Josef mit Petri Heil freundschaftlich zugeeignet. Trattenbach, den 24. Mai 1918. Stephan Mautner."

Wer war dieser Stephan Mautner? Und wer dieser Josef? Und wer der nette Herr mit den beiden Kindern? Unsere Neugierde war geweckt.

In den Besitz Hugo Meisls war dieses Buch sicherlich aus familiären Gründen geraten: Seine Mutter Karoline – unsere Urgroßmutter also – war eine geborene Mautner.

Aber wer waren die Mautners?

Es begann eine Spurensuche, die vom Osten und Norden der Tschechischen Republik über Wien bis ins Salzkammergut führte, und zurück in das Wien der Wende zum 20. Jahrhundert, in eine Epoche enormer ökonomischer Expansion, hinein in die Paläste und Salons des zu Reichtum gelangten jüdischen Großbürgertums mit seinem Mäzenatentum und wieder hinaus ins Wien der Inflation und Weltwirtschaftskrise. Und alles wird mit einem trostlosen Schrecken enden.

Die Geschichte beginnt in der untergegangenen Welt der kaiserlich-königlichen Monarchie Österreich-Ungarn. „So oft man in der Fremde an dieses Land dachte", schreibt Robert Musil, „schwebte vor den Augen die Erinnerung an die weißen, breiten, wohlhabenden Straßen aus der Zeit der Fußmärsche und Extraposten, die es nach allen Richtungen wie Flüsse der Ordnung, wie Bänder aus hellem Soldatenzwillich durchzogen und die Länder mit dem papierweißen Arm der Verwaltung umschlangen.

Und was für Länder! Gletscher und Meer, Karst und böhmische Kornfelder gab es dort, Nächte an der Adria, zirpend von Grillenunruhe, und slowakische Dörfer, wo der Rauch aus den Kaminen wie aus aufgestülpten Nasenlöchern stieg und das Dorf zwischen zwei kleinen Hügeln kauerte, als hätte die Erde ein wenig die Lippen geöffnet, um ihr Kind dazwischen zu wärmen. Natürlich rollten auf diesen Straßen auch Automobile; aber nicht zu viel Automobile! Man bereitete die Eroberung der Luft vor, auch hier; aber nicht zu intensiv. Man ließ hie und da ein Schiff nach Südamerika oder Ostasien fahren; aber nicht zu oft. Man hatte keinen Weltwirtschafts- und Weltmachtehrgeiz; man saß im Mittelpunkt Europas, wo die alten Weltachsen sich schneiden; die Worte Kolonie und Übersee hörten sich an wie etwas noch gänzlich Unerprobtes und Fernes. Man entfaltete Luxus; aber beileibe nicht so überfeinert wie die Franzosen. Man trieb Sport; aber nicht so närrisch wie die Angelsachsen. Man gab Unsummen für das Heer aus; aber doch nur gerade so viel, daß man sicher die zweitschwächste der Großmächte blieb. Auch die Hauptstadt war um einiges kleiner als alle andern größten Städte der Welt, aber doch um ein Erkleckliches größer, als es bloß Großstädte sind. Und verwaltet wurde dieses Land in einer aufgeklärten, wenig fühlbaren, alle Spitzen vorsichtig beschneidenden Weise von der besten Bürokratie Europas, der man nur einen Fehler nachsagen konnte: Sie empfand Genie und geniale Unternehmungssucht an Privatpersonen, die nicht durch hohe Geburt oder einen Staatsauftrag dazu privilegiert waren, als vorlautes Benehmen und Anmaßung."[8]

Trotz aller ironischen Distanz spiegelt diese nostalgische Rückschau Robert Musils auf die Zeit der k.u.k. Monarchie sehr anschaulich die Faszination wieder, die bis heute ein Rückblick auf diesen vor fast einhundert Jahren untergegangenen Vielvölkerstaat in der Mitte Europas hinterlässt. Kein heutiger Besucher der Stadt Wien kann sich dem Glanz entziehen, der von Ringstraße und Hofburg, von Staatsoper und Burgtheater, von Schloss Belvedere und Schloss Schönbrunn ausgeht. Heute noch findet man von Triest bis Krakau, von Prag bis Budapest und von Zagreb bis Lemberg überall Gebäude in jenem warmen Gelb, das charakteristisch war für die Zeit der Monarchie und ein Zeichen für eine gemeinsame Kultur und Tradition darstellte, trotz der allgegenwärtigen Nationalitätenstreitigkeiten. Auch wenn Kaiser Franz Joseph intellektuell limitiert gewesen sein mag, viele Zeichen der Zeit nicht erkennen wollte, so sorgte er doch für absolute Gleichbehandlung der jüdischen Staatsbürger. Und die Tatsache, dass der lange Arm des Staates die armen jüdischen Bewohner der Schtetl in der fernen Bukowina und in Galizien zuverlässig schützte, während deren Glaubensbrüder im benachbarten Russischen Kaiserreich schrecklichen Pogromen ausgesetzt waren, trägt weiter zu dem milden Licht bei, in dem man heute diesen untergegangenen Vielvölkerstaat betrachten möchte.

Die Habsburger Monarchie garantierte dem nicht unbeträchtlichen jüdischen Bevölkerungsanteil die Rechtssicherheit, die es ihm ermöglichte, sein Schicksal in die Hand zu nehmen und durch Geschick und Tüchtigkeit zum Erfolg zu kommen. Und davon, vom märchenhaften Aufstieg und der Vertreibung und Vernichtung einer jüdischen Familie aus Österreich, davon handelt dieses Buch.

Kapitel 1
DER AUFSTIEG – ISAAC MAUTNER

„Mag Sturmeswuth auch Náchod rings umfassen,
Wird's ewig, nie von Östreichs Scepter lassen."
(M. Teller, 1839)

Náchod

Wir waren zu einer Veranstaltung eingeladen in der alten Bergwerksstadt Kuttenberg (Kutna Hora) und im sechs Kilometer entfernten Maleschau (Malešov), dem Geburtsort Hugo Meisls. Wir hatten dort Vorträge gehalten, die von der örtlichen Lehrerin ins Tschechische übersetzt wurden, hatten in Kuttenberg weiße Kutten angezogen und das Schaubergwerk besichtigt, hatten in Maleschau das Haus gefunden, in dem Ludwig Meisl mit seiner Karoline, geborene Mautner, die ersten Ehejahre verbracht hatte und auch den jüdischen Friedhof von Maleschau besucht, wo immer noch die Grabsteine der Großeltern Hugo Meisls stehen.

Nun führt uns unsere Reise weiter nach Ostböhmen. Wir besichtigen das ausgedehnte Schlachtfeld bei Königgrätz (Hradek Kralové), wo 1866 die Preußen den Rivalen Österreich endgültig besiegt und aus dem Deutschen Bund verdrängt hatten. Weiter geht es, an Česka Skalice vorbei, dem früheren Böhmisch Skalitz, wo Ludwig Meisl und Karoline Mautner am 15. Februar 1881 geheiratet hatten. Wir nehmen ein erfrischendes Bad im dortigen See und gelangen in Sichtweite des Adlergebirges (Orlické hory) schließlich in die benachbarte Stadt Náchod. Wir stellen unser Auto auf dem Marktplatz neben der gedrungenen Marktkirche mit ihren zwei Zwiebeltürmen ab. Unser Blick fällt auf die breite Jugendstilfront des Hotels U Beranka, dahinter thront auf einer steilen Anhöhe ein ansehnliches Schloss. Wir übernachten in dem Hotel, das auch innen hält, was es außen verspricht und suchen am nächsten Morgen das Stadtmuseum auf. Hier finden wir die ersten Spuren. Gemälde von Fabrikanlagen mit tschechischen Hinweisschildern, denen man den Namen Mautner entnehmen kann.

Hier beginnt unsere Geschichte, hier in der kleinen Stadt Náchod im Osten Böhmens, an der Grenze zu Schlesien, an der Handelsstraße von Prag nach Breslau, die hier das Flüsschen Mettau (Metuje) überquert. Seit dem späten Mittelalter wurde hier eine Brückenmaut erhoben, es liegt nahe, dass der Name der Mautners hiermit in Verbindung stand, denn Juden waren in Náchod bereits seit dem 15. Jahrhundert ansässig. Sie erlitten die üblichen Drangsalierungen, wurden 1542 vertrieben und ausgeraubt, konnten zwei Jahre später aber wiederkehren, weil man sie offenbar doch brauchte. Sie durften dann zeitweise aber nur in der Judengasse wohnen, die man an Sonn- und Feiertagen durch eine Kette verschloss, damit den christlichen Bewohner nicht durch ihren Anblick die Feiertagslaune verdorben wurde. 1660 brach ein großer Brand aus, natürlich waren die Juden schuld und so wurden sie bis auf zehn Familien erneut aus der Stadt gejagt.[9] Erst seit den Toleranzpatenten Josephs II. von 1782 konnten sich die Juden in Náchod wie in der ganzen Monarchie einigermaßen sicher fühlen und frei entfalten.

Beherrscht wird diese Stadt von einem hoch über dem Ort gelegenen Schloss, das im Laufe der Zeit viele Male den Besitzer gewechselt hatte, darunter der aus Friedrich Schillers Drama bekannte Octavio Piccolomini, der 1634 die Herrschaft Náchod als Belohnung für die Ermordung des Heerführers Wallenstein erhalten hatte. Piccolomini ließ das Schloss erheblich erweitern, was den Náchoder Wundarzt und Heimatdichter M. Teller im Jahre 1839 erfreut dichten ließ:

> „Wer konnte nach der Kriegszeit vermuthen,
> Wie schön Oktavio das Schloss verzieret,
> Vom kalten Norden, aus Hispanias Gluthen
> Hat er die Pracht, den Glanz herbeigeführt,
> Und ließ damit die Räume überfluthen,
> Und Wänd' und Estrich hat er ausgeziert.
> Mit ihm erschienen Náchods gold'ne Zeiten,
> Mit ihm sah man das Glück sich dort verbreiten."[10]

Das Glück, das Piccolomini laut M. Teller verbreitete, schloss allerdings die jüdische Bevölkerung der Stadt aus. Sie wurde von ihm erneut gezwungen, ihre Häuser in der Stadt zu verlassen und sich ausschließlich in der Judengasse anzusiedeln.

Von 1800 bis 1839 war Náchod dann im Besitz einer der außergewöhnlichsten Frauen des 19. Jahrhunderts, Wilhelmine von Sagan, die ein bemerkenswert selbstbestimmtes Leben führte: Sie suchte sich ihre Liebhaber selber aus, darunter keinen geringeren als Reichskanzler Fürst Metternich und war ihren Untertanen gegenüber von einer anrührenden Großzügigkeit.[11] Die Schriftstellerin Božena Němcová (1820–1862), die möglicherweise ihre Tochter war, setzte ihr in einem der populärsten tschechischen Romane, dem Dorfroman „Babička" (die Großmutter), ein ewiges Denkmal. Der Roman spielt bei Böhmisch Skalitz in der Nähe von Náchod, wo Wilhelmine ihr Sommerschloss Ratiborschitz (Ratibořice) bewohnte und wo man heute noch das „Tal der Großmutter" (babičkino udoli) entlangwandern kann.

Wilhelmine von Sagan starb 1839 und das Schloss gelangte nun in den Besitz eines Fürstengeschlechtes, das man eher in der Nähe des Teutoburger Waldes im Nordwesten Deutschlands verorten würde: Seit 1842 residierten auf Schloss Náchod die Fürsten von Schaumburg-Lippe und so blieb es über hundert Jahre, bis es 1945 schließlich verstaatlicht wurde. Böhmen war eben in gewisser Weise seit dem Dreißigjährigen Krieg ein besetztes Land, die Ländereien gehörten dem deutschen und österreichischen Adel, auch die städtische bürgerliche Oberschicht war in der Regel deutsch. Deutsch war auch die Sprache der Verwaltung und der höheren Ausbildungsstätten.

Genau aus diesem Grunde kommt dem Roman Božena Němcovás, die übrigens in Wien unter dem Namen Barbara Pankel geboren wurde, eine solche identitätsstiftende Bedeutung zu, denn es gab zuvor so gut wie keine tschechische Literatur. Erst in der zweiten Hälfte des 19. Jahrhunderts begann sich das Tschechische langsam zu emanzipieren, als zweite Amtssprache durchzusetzen, auch ein tschechisches Bürgertum begann sich zu etablieren. Damit wurde allerdings zwangsläufig die Beziehung zu den Deutschböhmen konfliktreicher, worunter wieder mal auch die böhmischen Juden zu leiden hatten, die sich in aller Regel der deutschen Sprache und Kultur zugehörig fühlten. Auch in Náchod wurden Ende des 19. Jahrhunderts solche Konflikte auf dem Rücken der Juden ausgetragen, wie wir noch sehen werden.

In diesem Ort wurde am 28. März 1824 Isaac Mautner geboren, als Sohn des Joseph Mautner (1780–1857) und dessen Frau Sulamith Sybilla, geborene Winternitz (1790–1828). Das Hochzeitsmatrikel weist darauf hin, dass Joseph zum Zeitpunkt seiner Eheschließung bereits 37 Jahre alt war, ein Indiz dafür, dass er erst in diesem Alter über die notwendigen Einkünfte verfügte, um einen eigenen Familienhaushalt zu gründen. Das war keine Ausnahme. Die Ehematrikel der jüdischen Gemeinde Náchod, die ebenso wie die Geburtsmatrikel seit 1788 verfügbar sind, lassen erkennen, dass das Leben dieser Gemeinde von Armut geprägt war. So ist sorgfältig vermerkt, dass eine gewisse Katharina Mauthner 1828 und 1830 zwei uneheliche Kinder zur Welt und zum Rabbi brachte. Katharina war nicht etwa ein leichtes Mädchen, sondern der Kindsvater verfügte einfach nicht über die Mittel, um sie zu heiraten und einen Hausstand zu finanzieren.

Am 9. März 1849 heiratete Isaac Mautner Stephania Julia Rosenfeld (1823–1907), Tochter des Náchoder Rabbis Ascher Sulzbach-Rosenfeld (1773–1849). Die Ehe war, wie man so schön sagt, sehr fruchtbar, aber was heißt das? Neun Kinder brachte Julia Mautner zur Welt, aber nur sechs lebten länger als ein Jahr und drei starben auch noch als junge Erwachsene.

Adam, der erste, geboren am 21. September 1851, lebte nur zwei Tage. Entsprechend sorgenvoll wird wohl die zweite Schwangerschaft erlebt worden sein. Aber alles ging gut. Das Kind, geboren am 7. Oktober 1852, war zwar ziemlich klein, aber kerngesund und erhielt den Namen Isidor. Vielleicht hatten die Ängste und Sorgen der Mutter während der Schwangerschaft Isidor mit besonders viel Widerstandskraft ausgestattet. Jedenfalls lebte er von allen Kindern Julias und Isaacs bei weitem am längsten.

Das nächste Kind, am 24. Juni 1854 geboren, erhielt den Namen Elisabeth. Nach acht Monaten erkrankte Elisabeth schwer und starb, während ihre Mutter schon wieder schwanger war. Am 2. November 1855 kam Salomon zur Welt, er erreichte fast das Erwachsenenalter, er starb im 20. Lebensjahr.

Ein Jahr nach Salomon trug Julia das nächste Kind aus, am 29. November 1856 wurde Rosa geboren, im Andenken an ihre verstorbene Schwester erhielt sie deren Namen beigefügt. Rosa Elisabeth wuchs heran und feierte 1875 in Náchod eine große Hochzeit mit einem Carl Perlhefter aus Prag. Es folgten noch Eugenia, genannt Jenny (1858–1929), Joseph (1859–1880), der nach alter jüdischer Tradition den Namen seines zwei Jahre zuvor verstorbenen Großvaters erhalten hatte und Adelheid (1864–1907).

Vor Adelheid war im Jahre 1861 noch ein weiterer Sohn auf die Welt gekommen, der allerdings so schnell starb, dass der Rabbi ins Geburtsbuch nur eintragen konnte: „Namenlosfall". Welche Tragödie sich dahinter verborgen haben dürfte, lässt sich nur erahnen. Es ist kaum anzunehmen, dass sich die Eltern während der neunmonatigen Schwangerschaft überhaupt keinen Gedanken gemacht haben sollten, welchen Namen das Neugeborene bekommen sollte. „Namenlos" als Akt der Verdrängung? Namenlose Trauer.

Und als ob das nicht schon tragisch genug gewesen wäre, starb die lebenslustige Rosa Elisabeth, die ein so rauschendes Hochzeitsfest gefeiert hatte, mit gerade einmal 23 Jahren in Prag an einer schweren Infektion. Und auch Joseph, in dem der Name des Großvaters weiterleben sollte, Joseph, der in Wien auf den Spuren seines großen Bruders Isidor sein Glück versuchen wollte, starb nur ein Jahr später, er wurde sogar nur 21 Jahre alt.

Wie Isaac und Julia diese Schicksalsschläge verarbeitet haben mochten? Für Isaac waren sicher die Arbeit und der geschäftliche Erfolg ein

Weg, das innere Gleichgewicht zu bewahren. Zudem waren beide sehr strenggläubig, was ihnen Halt geboten haben wird. Und da waren ja auch die gesunden Kinder, um die man sich zu kümmern hatte.

Zu diesen Kindern stieß übrigens Isaacs Nichte Karoline, die genauso alt war wie Jenny. Sie wurde für einige Jahre in den Haushalt aufgenommen, allerdings nicht ohne selbst auch wieder Sorgen zu bereiten: Am 27. Juni 1866 waren aus Schlesien kommend preußische Truppen nach Böhmen eingedrungen und stießen bei Náchod auf die Österreicher, die sie zurückschlagen sollten. Vor den Toren Náchods tobte die erste Schlacht des preußisch-österreichischen Krieges. Man verriegelte alle Türen, aber wo war Karoline? Einige Stunden später tauchte sie völlig unbeschädigt und mit leuchtenden Augen wieder auf. Sie war voller Neugierde mit einer Freundin vor die Tore der Stadt gezogen, um der Schlacht zwischen Preußen und Österreich zuzuschauen.[12]

Der Anfang

Im Jahr 1848 hatte sich Isaac selbstständig gemacht, Schritt für Schritt baute er nun sein Geschäft auf, das darin bestand, dass er Hausweber mit Material belieferte und deren fertige Produkte vermarktete.

Die Anfänge waren allerdings sehr mühsam. 1850 arbeiteten gerade einmal 6 Leinenweber für seine kleine Textilmanufaktur.[13] Auch danach ging es zunächst nur langsam voran. Als 1857 sein Vater starb, nutzte Isaac dessen Erbe, um eine Appreturanstalt zur Veredelung der Stoffe einzurichten.[14] 1863 kam ein Betrieb hinzu, in dem man die Garne färben und bleichen konnte.[15] Langsam erweiterte sich der Markt, der Umsatz stieg, mit den Produkten wurden nun nicht mehr nur die eigenen Handweber versorgt, sondern auch, wie es heißt, „die sich mit der Zeit etablierenden Webereien des Ortes und der umliegenden industriellen Umgebung"[16]. Zugleich wurde auch mit der „Erzeugung buntgewebter und gefärbter Waren aus Baumwolle und Leinengarn"[17] begonnen.

Aber dann kam durch den Bürgerkrieg im fernen Amerika der Baumwollexport der Sezessionsstaaten weitgehend zum Erliegen, die Baumwolle wurde so teuer, dass auch in Ostböhmen viele Betriebe in ihrer Existenz bedroht waren. „In diesen schweren Jahren", so lobt sich das Unternehmen selbst in einer Festschrift zum 50. Thronjubiläum Kaiser Franz Josephs, „war die Firma für die armen Handweber der Umgebung, welche keinen anderen Erwerb hatten, ein wahrer Segen, indem sie mit Hintansetzung ihres Vortheiles, ja sogar mit grossen materiellen Opfern, die Waarenerzeugung, die allenorts fast ganz reducirt wurde, nur in geringem Maasse einschränkte und hiedurch den armen Gebirgswebern ihren Erwerb weiter verschaffte."[18] Immerhin erhielt Isaac Mautner im Jahr 1874 hierfür das goldene Verdienstkreuz mit der Krone.[19]

Ganz so selbstlos, wie es der Bericht vermuten lässt, war allerdings Isaac Mautners Hilfeleistung keineswegs, denn er handelte durchaus mit nüchternem unternehmerischen Kalkül. Zwar musste er zunächst die Produktion für einen ungewissen Zeitraum vorfinanzieren, darin bestand sein Risiko, aber er konnte auf diese Weise sein Lager zu sehr günstigen Kosten mit Fertigprodukten auffüllen. Sobald die Marktlage besser wurde, konnte er dann loslegen. Es sollte gar nicht so lange dauern, bis es so weit war.

Der Warenkommissionshandel Isaac Mautner & Co in Wien

Ab dem Jahr 1867 erlebte die Monarchie einen atemberaubenden Wirtschaftsboom, dessen materielle Basis der rapide Ausbau des Eisenbahnnetzes war. Der Bau selbst sorgte für zahlreiche Arbeitsplätze sowie eine hohe Nachfrage nach all den Gütern, die man zum Bau und zum Betrieb von Eisenbahnlinien benötigte. Die Schienenverbindungen selbst erleichterten, beschleunigten und verbilligten den Warenaustausch enorm, was wiederum die Herstellung von Massengütern beförderte. Nicht zufällig begann in dieser Zeit der rasante Aufstieg von Unternehmen der Lebensmittelindustrie wie Julius Meinl oder Ignaz Mautner, der später zum Freiherrn von Markhof geadelt wurde.

Unterstützt wurde dieser Prozess auch noch dadurch, dass nach einigen schlechten Jahren im Jahr 1867 eine Rekorderntе eingefahren wurde, die als „Wunderernte" in die Geschichtsbücher einging. Im Jahr darauf fiel die Ernte noch besser aus und es konnten exorbitante Exporterlöse erzielt werden, 1867 betrug der Exportüberschuss des Kaiserreichs 115 Millionen, 1868 sogar 157 Millionen Gulden – und das angesichts eines Gesamtexportvolumens der Monarchie von 419 Millionen Gulden.[20]

Die jüdische Händlerfamilie Ephroussi aus Odessa verdankte diesen Rekordernten ihren Aufstieg, sie gründete Bankniederlassungen in Paris und Wien, das riesige Palais am Schottentor in Wien zeugt heute noch von ihrem einstigen Reichtum.[21]

Hinzu kamen wichtige politische Weichenstellungen. Nachdem durch die Niederlage gegen Preußen in der Schlacht von Königgrätz am 3. Juli 1866 Österreich aus dem Deutschen Bund hinausgedrängt worden war, musste sich das Land neu orientieren. Ein entscheidender Schritt erfolgte knapp ein Jahr später. Der seit Jahrzehnten schwelende Konflikt mit Ungarn wurde mit dem Österreichisch-Ungarischen Ausgleich vom 8. Juni 1867 endlich befriedet. Zudem wurde nun eine liberale Wirtschaftspolitik betrieben, zu der eine Modernisierung des Steuerrechts und des Finanzwesens ebenso gehörte wie die Erweiterung der Befugnisse der Handels- und Gewerbekammern.[22]

Vor allem aber wurde der Benachteiligung der jüdischen Bevölkerung ein Ende gesetzt. 1867 trat das Staatsgrundgesetz in Kraft, Artikel 4 lautete: „Die Freizügigkeit der Person und des Vermögens innerhalb des Staatsgebietes unterliegt keiner Beschränkung."[23] Somit waren die Juden in Österreich nun endlich gleichgestellte Staatsbürger.

Folge war eine enorme Entfaltung innovativen und wagemutigen jüdischen Unternehmertums, allerdings auch eines spekulativen Glücksrittertums, von dem noch die Rede sein wird. Es entstanden in den nächsten Jahren über eintausend Aktiengesellschaften, die Streckenlänge der Eisenbahnen verdoppelte sich von 1867 bis 1873 nahezu, an der neu angelegten Wiener Ringstraße entstanden reihenweise Wohnpaläste reich gewordener Bankiers und Industrieller, die oft dem Judentum entstammten.

Dass Textilhändler aus Náchod nach Wien reisten, um ihre Waren zu verkaufen, war schon lange üblich. So berichten die *Vaterländischen Blätter für den Österreichischen Kaiserstaat* bereits 1810 unter der Überschrift „Warnungstafel" von zwei bedauernswerten Leinwandhändlern aus Náchod, die in Wien ihre Ware gegen einen Schuldschein verkauft hatten. Wie sich herausstellte, waren sie einem Betrüger aufgesessen und dadurch, wie es bedauernd und warnend heißt, „an den Bettelstab gebracht".[24]

Aber jetzt ging es nicht darum, nur mit einem Handkarren nach Wien zu reisen und sein Glück zu versuchen. In Wien liefen alle Fäden zusammen, von hier aus wurden Verwaltung, Armee und Geldverkehr organisiert. Wenn man am dynamischen Aufschwung teilhaben wollte, musste man dort permanent vertreten sein. Nun kam Isaac Mautner zugute, dass er auf einem prall gefüllten Warenlager saß. Noch im Jahre 1867 richtete er daher mit Hilfe eines Vertrauensmanns in Wien namens Moriz Lury, den er mit einer Prokura ausgestattet hatte, einen Warenkommissionshandel im Tiefen Graben 12 ein. Seinen unternehmungslustigen Sohn Isidor, damals erst 15 Jahre alt, schickte er mit einem Gehilfen und einem Warensortiment auf die Reise in die Hauptstadt, um dort die neu eingerichteten Geschäftsräume zu bestücken.[25] Die Geschäfte liefen so gut, dass es erforderlich wurde, das Geschäft ins Handelsregister eintragen zu lassen. Zum 1. Januar 1872 wurde die offene Gesellschaft Isaac Mautner & Co mit Moriz Lury als Wiener Geschäftsführer protokolliert.[26]

Isaac Mautner & Sohn

Es hätte alles so schön weitergehen können. Am 1. Mai 1873 wurde im Prater die weitläufige Wiener Weltausstellung mit über 50.000 Ausstellern eröffnet, die erste im deutschsprachigen Raum. Sie sollte der Welt vorführen, zu welchen Leistungen in Technik, Industrie und Kultur die Donaumonarchie fähig war. Zudem waren auch zahlreiche ausländische Aussteller aus 35 Nationen vertreten, darunter die USA, Russland, China, Japan und Brasilien.[27]

Aber am 9. Mai 1873 wurde die Wiener Börse von einer schweren Krise erschüttert. Ausgelöst durch hemmungslose Spekulationen kam es am „schwarzen Freitag" zu einem massiven Kurssturz an der Wiener Börse und zu Panikverkäufen, ein Großteil der Banken ging bankrott, die Hälfte der Aktiengesellschaft verschwanden. Das Platzen der Spekulationsblase führte zu steigenden Zinsen und einem Sinken der Nachfrage, so wurden auch das produzierende Gewerbe und der Handel in den Abwärtstrend gezogen.

Isaac Mautners Wiener Handelsniederlassung wurde von der Krise schwer getroffen. Kunden konnten oder wollten nicht bezahlen, Aufträge wurden storniert, es drohte die Kündigung der Geschäftsräume. Nun konnte Isaacs Sohn Isidor zeigen, was in ihm steckte. Er reiste nach Wien, löste Moriz Lury ab,[28] knüpfte unermüdlich Kontakte, sorgte für Zahlungsaufschub, handelte neue Lieferverträge aus und es gelang ihm „das Geschäft neu aufzubauen".[29]

Isaac war tief beeindruckt von der Geschäftstüchtigkeit seines Sohnes. So ließ er Anfang 1874 bei der Wiener Handelskammer den gerade mal 21-jährigen Isidor als gleichberechtigten Teilhaber der nunmehrigen Firma Isaac Mautner & Sohn eintragen.[30] Isaac sollte dies niemals bedauern. Ab nun nahmen die Geschäfte der Firma erkennbar an Dynamik zu. Auch wenn Isaac Träger des Firmennamens war, so war es doch offensichtlich Isidor, der nun aus dem Hintergrund die Geschäfte vorantrieb.

Die mechanische Weberei Mautner in Schumburg

Bereits im Jahre 1868, so lesen wir in einer Selbstdarstellung der Firma Isaac Mautner & Sohn in einem Jubiläumsband zum fünfzigsten Regierungsjahr Kaiser Franz Josephs, hatte Isaac Mautner eine mechanische Weberei in Schumburg an der Desse (Šumburk nad Desna) erworben.[31]

Das klingt durchaus plausibel. Warum sollte Isaac Mautner nicht die 1867 verkündete Niederlassungsfreiheit für Juden für einen solchen Erwerb genutzt haben, auch wenn man sich ein wenig wundert, wie er ausgerechnet auf Schumburg kam. Die Entfernung betrug über hun-

Abb. 1: Isaac Mautner & Sohn, Mechanische Weberei in Schumburg, Böhmen
(Druckgrafik von Hugo Charlemont 1898)

dert Kilometer von Náchod, mit damaligen Verkehrsmitteln also mehrere Tagesreisen. Aber wo hatte er auf einmal so viel Geld her? Konnte
er in dem einen Jahr seit Gründung der Handelsniederlassung in Wien
so viel verdient haben, dass er sich eine komplette Fabrik mitsamt über
hundert teuren mechanischen Webstühlen leisten konnte? Merkwürdig
auch, dass der Besitz dieser Fabrik in keinem Handelsregister vermerkt
wurde. Ein Firmeneintrag erfolgte erst 1872, und zwar in Wien und nicht
in Reichenberg, zu dessen Kammerbezirk die Fabrik doch gehörte – und
eine Fabrik wird dabei mit keinem Wort erwähnt, der „Firmen-Lehmann"
weiß sogar erst 1879 etwas von einer mechanischen Weberei in Náchod.

In der Tat zeigt der Blick in eine Chronologie der Schumburger Fabrik,[32]
dass in der oben genannten Selbstdarstellung zwei zeitlich getrennte
Vorgänge einfach verschmolzen wurden. Im Jahre 1868 wurde zwar in
Schumburg tatsächlich eine mechanische Weberei eingerichtet, in das
Eigentum der Mautners gelangte sie aber erst acht Jahre später, nachdem es Isidor gelungen war, die nahezu bankrotte Wiener Handelsniederlassung wieder zu einem florierenden Geschäft auszubauen. Isidor
erkannte sehr klar, dass das herkömmliche System der Náchoder Hausweberei nicht mehr leistungsfähig genug war, die immer weiter steigende Nachfrage nach günstiger textiler Massenware zu befriedigen. Um
eine wesentliche Produktionssteigerung und ein günstiges Warenange-

bot zu erreichen, gab es aber nur eine Möglichkeit: die Anschaffung einer mechanischen Weberei.

Dass diese Fabrik ausgerechnet in Schumburg erworben wurde, hing in gewisser Weise mit zwei Eheschließungen zusammen. Wie wir bereits wissen, hatte Isaac Mautners Tochter Rosa 1875 einen gewissen Carl Perlhefter aus Prag geheiratet, der in der Textilbranche tätig war und daher auch die Prager Textilunternehmer Sigmund und Leopold Perutz[33] gut kannte. Auf diese Weise erfuhren Isaac und Isidor Mautner, dass diese Brüder Perutz eine Textilfabrik in Schumburg bei Tannwald (Tanvald) im Kreis Gablonz (Jablonec) betrieben, die sie gerne abstoßen wollten.

Das Gebäude war im Jahr 1846 als Glasfabrik errichtet worden, die durch eine Wasserturbine angetrieben wurde, hatte mehrfach den Besitzer gewechselt und war schließlich 1868 von den Brüdern Perutz gepachtet worden.[34] Die Lage war ausgesprochen günstig. Die Fabrik lag direkt an der Desse (Desna), einem wasserreichen Gebirgsfluss aus dem Isergebirge (Jizerské hory), der eine Turbine antrieb. Es gab dort eine ausgeprägte textilindustrielle Infrastruktur, die vor allem durch die großen Spinnereibetriebe der Textilindustriellenfamilie von Liebieg aus Reichenberg geprägt war.[35] Bereits 1847 war die Riesengebirgsstraße angelegt worden, die von Reichenberg über Gablonz und das Tal der Desse bis nach Trautenau (Trutnov) führte. Seit 1875 gab es eine durchgehende Eisenbahnverbindung von Reichenberg über das sächsische Zittau bis nach Hamburg und Bremen, damit konnte die hochwertige amerikanische Baumwolle ebenso schnell und kostengünstig angeliefert werden, wie die Kohle zum Antrieb der Dampfmaschinen.[36] Zudem bestand eine direkte Verbindung von Reichenberg nach Wien (bezeichnenderweise aber nicht nach Prag!); damit waren die Handelswege in die gesamte Monarchie offen. Und vor allem: Die Fabrik musste nicht erst geplant, genehmigt, gebaut und eingerichtet werden. Sie war betriebsbereit, die Produktion konnte sofort beginnen.

Das Problem waren nur die Kosten. Isaac war nicht bereit, sich bei einer Bank oder einem Geldgeber zu verschulden, der Bankenzusammenbruch von 1873 hatte ihn gelehrt, sich nur auf seine eigene Kraft zu verlassen.

Da kam es genau zum richtigen Zeitpunkt zu einer weiteren Eheschließung. Ein Jahr nach seiner Schwester Rosa war es nun Isidor Mautner selbst, der sich am 14. März 1876 mit der 19-jährigen Jenny Neumann vermählte, Tochter eines reichen Wiener Seidenhändlers. Jenny brachte nun so viel Mitgift in die Ehe, dass damit der Kauf einer Fabrik ohne finanzielles Risiko möglich war. Jenny sicherte sich allerdings auf Anraten ihres Vaters ab: Bei der Wiener Handelskammer wurde ein „Ehepacte" zwischen Jenny und Isidor eingetragen.[37] Man konnte ja nie wissen …

Und so kauften Isaac Mautner & Sohn im Jahr 1876 für die Summe von 66.000 Gulden die Fabrik in Schumburg mit 108 Webstühlen und einer Wasserturbine.

Der Betrieb florierte. 1877 wurde die Anlage bereits erweitert, 1880 waren dort 550 mechanische Webstühle im Einsatz, 1883 und 1889 wurde das Unternehmen erneut ausgebaut, 1895 waren schließlich an 1100 Webstühlen etwa 700 Arbeiterinnen und Arbeiter beschäftigt. Angetrieben wurde die Anlage mittlerweile durch zwei Dampfmaschinen; auch die alte Wasserturbine war noch in Betrieb und sparte bei hinreichendem Wasserstand wertvolle Kohle.

Der sudetendeutsche Industriehistoriker Gerhard Stütz liefert eine anschauliche Beschreibung, wie die Arbeit in der Fabrik vonstatten ging: „In dem alten Fabriktrakt waren die schmalen Stühle untergebracht; in dem moderneren Gebäude die großen Breiten sowie die Jacquardstühle. Nebenbetriebe wie Spulerei, Andreherei, Einzieherei und Schlichterei befanden sich im Dachgeschoss des Altbaues. Im obersten Stock des Neubaues wurde die fertige Ware auf Webfehler geprüft und gemessen. Die Weberinnen trugen die oft recht schweren Ballen selbst zum Vermessen."[38]

Auch die Produktpalette wird von Stütz beschrieben: „Einfache Baumwollgewebe, sogenannte ‚Cabots' wurden in Stücke zu 20 yards zusammengelegt und mit blauen Firmenzeichen, wie Drachen, Kamele u. a. für die verschiedenen Exportfirmen gekennzeichnet. Eine Spezialität der Mautnerwerke war schon damals der Kordsamt, der sich auch heute wieder großer Beliebtheit erfreut, sowie Velveton, damals ‚Affenhaut' genannt, ferner das derbe ‚Strux'. Die Samte gingen fast alle an die Warnsdorfer Spezialindustrie. Auch Woll-Mousseline, Gabardine und andere reinwollene Damenkleiderstoffe vervollständigten die Liste der Erzeugnisse."[39]

Die Auftragslage und Auslastung der Fabrik entwickelte sich so günstig, dass 1882 in Gränzendorf (Hraničná) bei Johannesberg an der Neiße (Janov n. N.) ein Zweigwerk eröffnet wurde. Die Einheimischen nannten die Fabrik laut Gerhard Stütz „Judenwaberei", was aber womöglich gar nicht negativ gemeint war, sondern nur ein Unterscheidungsmerkmal beschrieb, denn tatsächlich gab es – im Gegensatz zu Náchod – in dieser Gegend nur wenige jüdische Textilunternehmer. Mögliche antisemitische Anwandlungen konterkarierte Isaac Mautner zudem geschickt, indem er sich für das Wohlergehen der Stadt Schumburg engagierte und „ansehnliche Spenden für die öffentliche Wohltätigkeit"[40] austeilte. Obwohl selbst nicht ortsansässig, wurde Isaac Mautner daher im Jahre

1891 für sein soziales Engagement von der Stadt Schumburg zum Ehrenbürger ernannt.[41]

In den folgenden Jahren ließ er entlang der Landstraße von Gablonz
(Jablonec) nach Johannesberg Arbeiterwohnungen und 1893 sogar
einen Kindergarten einrichten.[42] Am 5. April 1894 gründete er schließlich
anlässlich seines 70. Geburtstags eine „Pensions-, Wittwen- und Waisenkasse für die Arbeiter der Firma Isaac Mautner & Sohn in Náchod und
Schumburg a. d. Desse", die die bereits bestehende Betriebskrankenkas-
se ergänzte und mit einem Stammkapital von 30.000 Kronen ausgestattet wurde.[43]

Die mechanische Weberei Mautner in Náchod

In Náchod blieb man dagegen zunächst bei der Handweberei, 1876
waren dort 40 Webstühle im Einsatz. Im selben Jahr erweiterte Isaac
Mautner den Betrieb um eine Packanlage für den Versand der Stoffe
sowie eine dampfgetriebene Indigofärberei. Zwei Jahre später errich-
tete er in seinem Wohnhaus in der Kamenice eine weitere Färberei
für buntfarbige Stoffe sowie eine weitere Bleiche. Insgesamt also eine
recht gemächliche Geschäftsentwicklung. Das sollte sich allerdings bald
ändern.

Im Jahre 1850 war der jüdische Unternehmer Hermann Doctor (1820–
1897) nach Náchod gekommen und hatte dort die Baumwollweberei

Abb. 2: Isaac Mautner & Sohn, Mechanische Weberei, Färberei und Appretur
in Náchod, Böhmen (Hugo Charlemont 1898)

eingeführt. Er beschäftigte bald 500 bis 600 Hausweber, die wöchentlich ihre Ware bei ihm ablieferten.[44] Damit war er ein mächtiger Konkurrent Isaac Mautners. Und mehr noch: Hermann Doctor erkannte, dass die Zeit der Handweber vorüber war, er plante daher Anfang der 1880er Jahre die Errichtung einer großen mechanischen Baumwollweberei mit 500 Webstühlen.

Das war für die Mautners eine echte Herausforderung. Sie reagierten sofort und man kann wohl annehmen, dass Isidor die treibende Kraft war. Sie erwarben kurz entschlossen in der Náchoder Vorstadt Pilhof (Na Plhové), in der sich auch das alte Judengetto und die Synagoge befanden, mehrere ausgedehnte Grundstücke[45] und begannen unverzüglich selbst mit der Errichtung einer mechanischen Baumwollweberei. Im Jahr 1880 nahm die Fabrik, in der zunächst etwa 100 Mitarbeiter beschäftigt waren, den Betrieb auf.[46] Damit waren sie Hermann Doctor zuvorgekommen, dessen wesentlich größere Weberei erst 1882 fertiggestellt war. Und nicht nur das, Isidor Mautner ließ gemeinsam mit seinen Schwägern auf dem Gelände auch gleich noch eine große Baumwollspinnerei errichten, die 1882 in Betrieb ging.[47] Die Investition lohnte sich. Zehn Jahre später waren in der mechanischen Weberei Mautner bereits 879 dampfbetriebene Webstühle in Betrieb,[48] die Zahl der Mitarbeiter stieg bis Ende 1892 auf 500 Personen."[49]

Náchod wurde damit zu einem Zentrum der böhmischen Textilindustrie. Um 1900 gab es im Vorort Pilhof neben den Betrieben von Isaac Mautner & Sohn sowie der Baumwollspinnerei Wärndorfer-Benedict-Mautner, von der noch die Rede sein wird, auch die Weberei und Appretur Doctor mit 1200 Webstühlen und 1000 Arbeitern[50] und die Weberei und Färberei Josef Bartons mit 800 Webstühlen und 1400 Arbeitern.[51] Josef Barton war seit 1899 Bürgermeister von Náchod und machte sich 1909 um seine Stadt verdient, als er für den Bau eines Waisenhauses 150.000 Kronen spendete.[52]

Außerdem gab es in Náchod, das damals knapp 12.000 Einwohner hatte,[53] noch die mechanischen Textilfabriken von Isaac Pick, Ignaz Lederer und Michael Stransky. Bis auf Josef Barton alles jüdische Unternehmer. So berichtet die „Geschichte der Juden in Náchod" mit erkennbarem Stolz: „Man kann ohne Übertreibung behaupten, daß die Stadt N. ihr Aufblühen den unternehmerischen und gewerbsfleißigen Juden verdankt. Sie waren hier die ersten Repräsentanten der Großindustrie und des Handels; sie haben einen Wald von Schornsteinen erbauen lassen, der tausenden von fleißigen Menschen Nahrung verschafft. Wir erwähnen hier nur die erste mechanische Weberei Mautner & Sohn, die riesige

Spinnerei von Mautner und Warndorfer (sic!), die Fabriken von Docter (sic!), Pick, Lederer und Stransky usw."[54]

Und wir erfahren noch, dass es in Náchod nicht nur einen Wald aus Schornsteinen, sondern auch eine Webschule gab und die jüdische Gemeinde im Jahre 1890 immerhin 630 Seelen umfasste.

1890 wurde die Firma Isaac Mautner & Sohn schließlich noch um eine Holzschleiferei in Trattenbach in Niederösterreich erweitert, die dann drei Jahre später zur dritten Textilfabrik des Unternehmens umgebaut wurde, mit immerhin 328 Webstühlen.[55] Aber was bewegte die Mautners zum Erwerb einer völlig fachfremden Holzschleiferei in einem abgelegenen Dorf an der Grenze zur Steiermark? Wir werden darauf zurückkommen.

Von Náchod nach Wien

Isaac Mautner weigerte sich lange Zeit, dem Beispiel seines Sohnes – und vieler anderen Großindustrieller der Monarchie – zu folgen und seinen Wohnsitz nach Wien zu verlegen. Es blieb bei regelmäßigen Besuchen. Der streng gläubige Isaac war in der Náchoder Kultusgemeinde tief verwurzelt, war zeitweise sogar deren Vorsitzender, später Ehrenvorsitzender und als Rabbiner tätig, saß auch im Náchoder Stadtrat.[56] Wie stark seine Bindung an seine Heimatstadt war, zeigte sich auch, als ihn innerhalb eines Jahres zwei schwere Schicksalsschläge trafen: Am 19. Oktober 1879 starb in Prag seine Tochter Rosa, verheiratete Perlhefter im Alter von 23 Jahren und am 3. September 1880 erlag in Wien der erst 20-jährige Joseph nach einem kurzen Leiden, wie es in der Todesanzeige heißt. In beiden Fällen sorgte Isaac dafür, dass die Leichname nach Náchod überführt und dort begraben wurden.

So ließ Isaac auch die ganze Verwandtschaft aus Wien anreisen, als er im Frühjahr 1894 seinen siebzigsten Geburtstag feierte – allerdings hätte dies fast in einer Katastrophe geendet. Seine Enkeltochter lieferte aus der Erinnerung noch über achtzig Jahre später einen anschaulichen Bericht über dieses Ereignis, das sie tief beeindruckt hatte:

„Am siebzigsten Geburtstag waren wir im großelterlichen Haus alle gerade zum Nachtmahl versammelt, und Onkel Otto Goldschmied[57] hielt eben eine feierliche Geburtstagsrede, als ein furchtbarer Krach ertönte. Die Türe ins Vorzimmer fiel mit großem Gepolter zu und Cilli, die eben das Dessert hereinbringen sollte, ließ das Tablett mit allem Geschirr vor Schrecken zu Boden fallen. Gang und Speisezimmer waren sofort mit Rauch erfüllt, und die Männer der Familie liefen hinunter, um die Ursache des Krachs zu ergründen. Es stellte sich mit der Zeit heraus, daß im Gang eine Bombe explodiert war, die zwar viele Fenster in den umliegenden Häusern zerbrochen hatte, aber durch das Zuschlagen der schweren Gangtüre in der Wohnung der Großeltern eigentlich keinen Schaden angerichtet hatte. Mit der Zeit fand man auch den Täter, einen stellenlosen Arbeiter (nicht aus Vaters Fabrik), der einer anarchistischen Organisation angehörte und durch Legen der Bombe seine Gesinnung dokumentieren wollte.

Mir ist das Bild meines Großvaters noch unvergeßlich, der sich in völliger Ruhe mit seinem Gebetbuch im raucherfüllten Speisezimmer niederließ. Auch unsere Miss Ings war nicht aus ihrer Ruhe zu bringen und ließ nicht ab, unsere Mäntel und Hüte zu suchen, obwohl man ihr immer wieder wegen Feuergefahr die Kerze auslöschte, die sie auf der Suche immer wieder anzündete. Schließlich waren wir Kinder alle mit unseren Mänteln bekleidet und wurden von unseren Eltern in das Direktorhaus außerhalb der Stadt geleitet. Dieser Gang war unheimlich, und bei jeder Nebengasse erwarteten wir einen Attentäter, und als ich schließlich im Bett war, fürchtete ich mich, die Füße auszustrecken, weil ich eine Bombe im Bett erwartete.“[58]

Das Haus war unbewohnbar und musste renoviert werden, so begleiteten Isaac und Julia ihre Familienangehörigen nach Wien. Dort lebten sie zunächst in der geräumigen Wohnung des Schwiegersohnes Moriz Schur, der mit ihrer Tochter Jenny verheiratet war, im I. Bezirk in der Schottengasse 10. Isidor, der ebenfalls ganz in der Nähe wohnte, besuchte seine Eltern täglich, wie Käthy Breuer berichtet.[59]

Isaac wurde noch mehrfach ausgezeichnet: Er erhielt den Titel eines Kommerzialrates und wurde zum Mitglied der k.k. Permanenzkommission ernannt, die für das Handelsministerium die Handelswerte der Zwischenverkehrsstatistik der einzelnen Landesteile erfasste. Auch mit dem Franz-Josephs-Orden wurde Isaac dekoriert.[60]

Die Tatsache, dass Isaac zunächst nicht daran dachte, sich eine eigene Wohnung zu suchen, zeigt aber, dass er immer noch eine Rückkehr nach Náchod plante. Er war mit der jüdischen Gemeinde in Náchod als Ehrenpräsident immer noch eng verbunden, er hatte als Stadtrat über die Geschicke der Stadt mit entschieden, wurde hoch geehrt. Das ließ man nicht so einfach hinter sich.

Aber am 5. und 6. April 1899 fanden in Náchod, nach Beendigung eines Streiks, von dem auch die Mautnerschen Betriebe betroffen waren, „empörende antisemitische Excesse“, wie es heißt, statt: „Geschäftsläden und Wohnungen von Juden wurden von einer singenden, betrunkenen Menge beim Klange einer Ziehharmonika geplündert und theilweise demoliert. Von den Behörden erhielten die Juden keine Unterstützung.

Militär traf erst spät ein. Die excedierende Menge hatte vollständig frei-
es Spiel. Fünf Gendarmen und der Bezirkskommissär standen während
der ärgsten Gräuelscenen thatlos am Marktplatze." Und weiter: „Erst am
6. April morgens traf aus Josefstadt eine Militärabtheilung in der Stärke
von 300 Mann und 20 Offiziere in Náchod ein, welche den Plünderungen
ein Ende machte und die Ruhe wieder herstellte. Doch hielten noch in
den Morgenstunden einzelne Weiber Nachlese auf der Strasse, um aus
den geplünderten Läden das, was noch übrig geblieben war, zusammen-
zuraffen; niemand hinderte sie daran."[61]

Diese pogromartigen Vorfälle in seiner Heimatstadt müssen Isaac
Mautner zutiefst erschüttert haben, dieser plötzlich auflodernde Hass
war tief verstörend. Sollte Isaac noch an eine Rückkehr in die Heimat
geglaubt haben, so musste er diese Pläne jetzt endgültig begraben. So
bezog er nun doch mit Julia 1899 eine eigene Wohnung in der Mölkerbastei 5. Isaac lebte dort allerdings nicht mehr lange. Er erkrankte bald
an einem Krebsleiden, dem er am 21. Juli 1901 schließlich, wie es in der
Todesanzeige heißt „im 78. Jahre seines frommen, Gott ergebenen, der
Wohlthätigkeit gewidmeten Lebens" erlag.[62] Sein letzter Wunsch war,
nach seinem Tod in Náchod begraben zu werden, was auch geschah. Die
„irdische Hülle des theuren Verblichenen", wie es in der Todesanzeige
in der *Neuen Freien Presse* heißt, wurde nach Náchod überführt und am
„Mittwoch, dem 24. d. M. um halb 11 Uhr vormittags auf dem israelitischen Friedhofe in Náchod zur ewigen Ruhe bestattet.[63]

Seine Frau Julia blieb als „Fabrikantenwitwe Julie Mautner"[64] alleine in der Wohnung in der Mölkerbastei 5 zurück. Sie wurde allerdings
nicht alleine gelassen, denn Ihre Familienangehörigen lebten ganz in
ihrer Nähe, so konnte sie den ganzen Kreis von Enkeln und auch noch
die Geburt einer Urenkelin genießen.

Am 12. Januar 1907 starb Julia Mautner im 84. Lebensjahr. Sie hatte
sechs ihrer neun Kinder überlebt. Die Todesanzeige in der *Neuen Freien
Presse*, die zunächst den Todeszeitpunkt auf den 12. Januar 1906 vor-
datiert (wie kann so eine Schlamperei passieren?), ihn bei der zweiten
Erwähnung aber richtig nennt, verzeichnet nur noch Isidor Mautner,
Jenny Schur und Adelheid Goldschmied als trauernde Kinder und Adelheid starb noch im gleichen Jahr, nur einige Monate nach ihrer Mutter.[65]

Auch Julia wurde nach Náchod überführt und dort am 15. Januar
1907 neben Isaac im Familiengrab bestattet.

Kapitel 2
DAS TEXTILIMPERIUM – ISIDOR MAUTNER

„Man saß im Mittelpunkt Europas, wo die alten Weltachsen sich schneiden"
(Robert Musil)

Isidor in Wien

Wir befinden uns fünfzig Kilometer südwestlich von Náchod. Die Fahrt hat uns an einem grauen verregneten Tag über viele Abzweigungen und durch viele unansehnliche Dörfer bis zu einer trostlosen grauen Straßenkreuzung geführt. Hier, ganz in der Nähe, soll sich nun das Schloss befinden, in dem das Regionalarchiv Zamrsk untergebracht ist mitsamt den kompletten Firmenakten der Textilwerke Mautner AG.

Aber es gibt keinen Wegweiser, kein Hinweisschild. Wir fahren eine menschenleere, leblose Straße entlang, kein Schloss in Sicht, nur eine lockere Ansammlung ebenerdiger grauer Häuser. Wir wenden. Ein alter Skoda kommt uns entgegen, hält an einem der Häuser, ein älteres Ehepaar steigt aus. Wir halten an, fragen nach dem Weg zum Schloss, auf deutsch, wir können kein tschechisch. Die beiden verstehen nur das Wort Archiv, weisen unbestimmt in eine Richtung. Aber sie lächeln freundlich, schon wirkt die Gegend weniger grau und dann klopft der Mann an eine Scheibe. Eine hübsche junge Frau öffnet das Fenster und – oh Wunder, sie spricht fließend deutsch, erklärt uns grammatikalisch einwandfrei den Weg. Sie ist Deutschlehrerin, wie sich herausstellt. Leider arbeitslos. Wie ist das möglich?

Wir folgen ihrer Wegbeschreibung, erblicken nach wie vor kein einziges Hinweisschild und schon sind wir wieder draußen aus dem Ort. Kein Schloss nirgends. Wieder wenden wir, der Regen wird starker. Da endlich taucht, versteckt hinter einem Hügel, ein schlossartiges Anwesen auf. Wir holpern auf einem steilen Weg hinunter zum Eingang, stellen unser Fahrzeug ab, gelangen in einen Innenhof und stoßen dort auf einen Hausmeister. Er notiert sich wortlos unsere Personalausweisnummern und geleitet uns immer noch wortlos ins Innere.

Dann öffnet sich ein Lesesaal mit alten Folianten in den Regalen. Wir werden bereits erwartet, erhalten eine umfangreiche Liste über den Aktenbestand, insgesamt dreißig laufende Meter, wie wir erfahren, wir treffen eine Auswahl und dann türmen sich die Ordner auf unserem Tisch.

Nach flüchtiger Sichtung fällt uns ein Prachtband über die Rosenberger Textilwerke in die Hand, verfasst anlässlich des 50-jährigen Geschäftsjubiläums Isidor Mautners. Wir öffnen das großformatige Buch und erblicken eine Fotografie des Firmengründers, der zu diesem Zeitpunkt 65 Jahre alt war.

So also sah er aus. Isidor Mautner ist als feiner Herr ausstaffiert, in der linken Hand hält er einen Zylinder, in der rechten einen Spazierstock. Die feinen weißen Lederhandschuhe hat er nicht angezogen, sondern er hält sie in der Hand. Offensichtlich ist er ausgehfertig, wo will er hin? Zum Empfang? An die Börse? In die Oper? Es sieht nicht so aus, als freue er sich auf eine entspannte Abendunterhaltung. Die Mimik seines bärtigen Gesichts wirkt eher abweisend, die Mundwinkel sind skeptisch herabgezogen, die Augen nur halb geöffnet, nein, wirklich sympathisch wirkt der feine Herr nicht unbedingt. Dazu trägt auch bei, dass das Foto von unten aufgenommen wurde, Isidor Mautner, der in Wirklichkeit ein sehr kleiner Mann war, wirkt dadurch groß und dominant. Es gibt andere Bilder von ihm, etwa eine Zeichnung von Ferdinand Schmutzer, die heute noch im sogenannten Geymüller-Schlössel in Wien-Pötzleinsdorf hängt, die Isidor Mautner mit milden Zügen ausstattet, oder entspannte Familienfotos. Privat war Isidor Mautner rührend um seine Familie besorgt, bewunderte seine Frau für ihr musikalisches Talent, genoss den Kontakt zur Theaterwelt. Aber offenbar wollte Isidor Mautner öffentlich so wahrgenommen werden, wie ihn das Frontispiz zeigt: als unnahbarer, kühl berechnender Geschäftsmann, der er auch war.

Abb. 3: Isidor Mautner 1917

Isidor, geboren am 7. Oktober 1852 in Náchod, war das älteste der fünf Kinder Isaac Mautners, die das Erwachsenenalter erreichten. Es war von Anfang an klar, dass er das Geschäft seines Vaters übernehmen würde und es wurde auch sehr schnell deutlich, dass er das Talent dafür hatte.

Er trat 1867, also mit fünfzehn Jahren, in das Unternehmen seines Vaters ein, erlernte die Grundlagen des Webereihandwerks und erlebte, wie wir bereits wissen, sein erstes unternehmerisches Abenteuer, als er noch im gleichen Jahr im Auftrag seines Vaters nach Wien reisen durfte.

Isidor muss von der Metropole tief beeindruckt gewesen sein. Kein Wunder, wenn man bedenkt, dass ein Bub aus der tiefsten böhmischen Provinz mit einer der prachtvollsten Metropolen der damaligen Welt konfrontiert wurde: der gewaltige Komplex der Hofburg, die barocken Paläste und Plätze der Innenstadt, der himmelhohe Stephansdom und die Ringstraße, die soeben erst fertig gestellt und eingeweiht worden war. Und dann das rege Leben auf den Straßen, die Militärparaden mit den prächtigen Uniformen, die Prachtentfaltung des kaiserlichen Hofs, Isidor müssen die Augen übergegangen sein und ihm war klar, hier war sein Platz, nicht in Nachod.

1873 war es so weit. Isidor wurde volljährig und erhielt nun von seinem Vater an Stelle von Moriz Lury die Prokura für die Wiener Niederlassung. Voller Tatendrang verlegte Isidor als erstes das Handelsgeschäft vom Tiefen Graben 12 an den Rudolphsplatz 7[66] und rettete dann, wie bereits bekannt, das Unternehmen vor den Folgen des Wiener Börsenkrachs. Zum 1. Januar 1874 beförderte ihn sein Vater dafür vom Prokuristen zum in Wien residierenden Teilhaber der nunmehrigen Firma Isaac Mautner & Sohn.

Isidor wohnte zunächst eher bescheiden in der Herminengasse 4 in der Leopoldstadt,[67] dem Judenviertel Wiens. Aber das sollte nicht lange so bleiben. Am 14. März 1876 heiratete er Eugenie (Jenny) Neumann (1856–1938). Laut Käthy Breuer hatten die beiden sich bei der Hochzeit von Verwandten kennengelernt.[68] Wir wissen nicht, ob es womöglich eine Liebesheirat war. Aber vermutlich sind solche romantischen Erwägungen eher von geringer Bedeutung. Isidor war klein, nicht sehr ansehnlich, nicht sehr gebildet, aber ein hochbegabter Geschäftsmann mit großer Überzeugungskraft und Liebenswürdigkeit. Jenny hatte eine umfassende musikalische Ausbildung genossen, war gebildet, schön und kam aus gutem Hause. Sie war ohne jeden Zweifel eine gute Partie und so kann man mit gutem Grund annehmen, dass ihre Heirat sorgfältig arrangiert und in die Wege geleitet worden war.

Das Verlobungsfoto zeigt das Paar vor einem Hintergrund von vielsagender Nüchternheit. Keine romantische Landschaftsillusion, keine florale Dekoration, nur neutrale Zweckmäßigkeit. Und wo blicken die beiden denn hin? Statt seine Frau anzusehen, schweift Isidors Blick in die Ferne. Er stützt sich mit der rechten Hand irgendwo hinter dem Stuhl auf, seinen linken Arm stemmt er mit geballter Faust in die Hüfte. Das soll wohl Energie und Durchsetzungsvermögen signalisieren, wirkt aber eher verkrampft.

Und Jenny? Sie war offensichtlich nicht bereit, auf dem für solche Zwecke vorgesehenen Stuhl Platz zu nehmen. Eine vielsagende Geste. Wir sehen eine schöne junge Frau mit ernstem Gesicht, die ihr Gesicht von ihrem Partner abwendet und knapp am Betrachter vorbei blickt. Ihre Hände stützen sich auf die Stuhllehne, über die sie ihre Pelzstola geworfen hat. Haltung und Blick signalisieren Selbstbewusstsein.

Abb. 4: Verlobungsfoto Isidor Mautner und Jenny Neumann, Wien, 14. März 1876

Schwer zu sagen, inwieweit das Arrangement dieses Fotos nur zeitgenössischen Konventionen folgt, aber es lässt sich doch mit einiger Sicherheit feststellen, dass das Foto nicht unbedingt für eine Liebesheirat spricht. Trotzdem oder vielleicht gerade deshalb führten die beiden über fünfzig Jahre lang eine gute Ehe.

Nach ihrer Hochzeit bezogen Isidor und Jenny eine geräumige Wohnung im Haus ihrer Eltern am Fleischmarkt 1.[69] Die nächsten zehn Jahre sollten sie dort wohnen bleiben und ihre ersten drei Kinder aufwachsen sehen.

Jennys Vater David Neuman (1821–1880), der seinen Namen tatsächlich nur mit einem „n" schrieb, war mit seiner Familie aus Pressburg (Bratislava) nach Wien gezogen und hatte dort ein Vermögen im Kurrentwarenhandel, dem Handel mit Seiden- und Baumwollstoffen, erworben. 1873 übergab er sein Geschäft an seinen ältesten Sohn Heinrich, der damals 28 Jahre alt war. Zwei Jahre lang betrieb David Neuman noch ein Kommissionsgeschäft in seinem Haus am Fleischmarkt 1, dann zog er sich aus gesundheitlichen Gründen mit 54 Jahren ins Privatleben zurück und starb fünf Jahre später an Krebs.[70] Er besaß eine erlesene Kunstsammlung, die Jenny und ihre fünf Geschwister erbten und weiterführten.

Die Baumwoll- und Leinenlieferungs-Gesellschaft für die k. k. Landwehr von Mautner & Consorten in Wien

Bereits zweimal hatte Isidor Mautner seine außergewöhnliche Geschäftstüchtigkeit bewiesen. Einmal, indem er 1873 durch geschicktes Agieren das Wiener Geschäft seines Vaters erfolgreich sanieren konnte und das zweite Mal, als er 1876 seinen Vater dazu brachte, im nordböhmischen Schumburg mit Hilfe der Mitgift seiner Frau Jenny eine mechanische Weberei zu übernehmen, die sich als überaus erfolgreiche Investition erwies.

Und nun gelang Isidor Mautner im Jahr 1878 ein echter Coup: Er ergatterte vom k.k. Landesverteidigungsministerium den Auftrag zur „Lieferung sämmtlicher Baumwollbedarfsartikel für die österreichische Landwehr"[71]. Das war geradezu eine Lizenz zum Gelddrucken; bis zum Ende der Monarchie konnte Isidor dieses Monopol behaupten, das er sich allerdings ab 1893 mit dem kaiserlichen Rat Wilhelm Taussig und dessen Firma Samuel Taussig & Söhne teilte.[72]

Dabei war sein Vater gegen dieses Geschäft. Nach den Investitionen für die Schumburger Fabrik standen keine liquiden Mittel mehr zur Verfügung. Man hätte sich also Geld leihen müssen. Das war mit dem konservativen Isaac nicht zu machen, zumal nach dem Schock vom schwarzen Freitag 1873. Stefan Zweig beschreibt diese Einstellung am Beispiel seines eigenen Vaters, der ebenfalls böhmischer Textilfabrikant war, sehr anschaulich: „Es war ihm wesentlicher, ein solides – auch dies ein Lieblingswort dieser Zeit – Unternehmen mit eigener Kapitalkraft zu besitzen, als es durch Bankkredite oder Hypotheken ins Großdimensionale auszubauen. Dass zeitlebens nie jemand seinen Namen auf einem Schuldschein, einem Wechsel gesehen hatte, (...) war sein einziger Lebensstolz (...) Durch all seine Jahre beteiligte er sich niemals an einem fremden Geschäft."[73]

Isidor dagegen wollte sich die enorme Chance nicht entgehen lassen und fand tatsächlich mit Simon Jerusalem aus Prag und Samuel Taussig aus Holetin[74] zwei Geschäftsleute, die beide in Wien eine Zweigniederlassung unterhielten und bereit waren, sich als „Consorten" an diesem Projekt zu beteiligen.[75] Damit verfügte er über die notwendigen Sicherheiten. Nun musste er nur noch die zuständige Behörde davon überzeugen, dass die Firma Isaac Mautner & Sohn in der Lage war, sowohl über die Náchoder Handwebereien den Bedarf der Landwehr an Leinenwaren zu decken, als auch über die Mechanische Baumwollweberei in Schumburg die benötigten Baumwollstoffe zu liefern – und dies zuverlässig und zu günstigen Konditionen.

Isidor Mautner vollbrachte sein erstes Meisterstück und erhielt den Auftrag. Am 23. Mai 1878 gründete er die Baumwoll- und Leinenlieferungs-Gesellschaft für die k.k. Landwehr von Mautner & Consorten. Damit war Isidor nicht nur Teilhaber der Firma Isaac Mautner & Sohn, sondern besaß nun mit 26 Jahren seine erste eigene Firma. Es war die erste Etappe eines atemberaubenden Aufstiegs.

Voller Tatendrang beschaffte Isidor Mautner sofort neue großzügige Räumlichkeiten in der Hohenstaufengasse 7.[76] Auch die Handelsniederlassung der Firma Isaac Mautner & Sohn wurde jetzt dorthin verlegt. Zur Herstellung der Kleidungsstücke wurde in der Eisengasse 5 im IX. Bezirk eine „Confections-Anstalt" eingerichtet, die über „mehrere Hundert Näh- und Hilfsmaschinen aller Arten und Systeme" verfügte.[77] Das Geschäft florierte, zur Versorgung der Landwehr entstanden alsbald Niederlassungen in Prag, Budapest und Triest und im Jahr 1894 erhielt das Unternehmen „Allerhöchsten Besuch Sr. Majestät, welcher (sic!) während eines Rundganges die Anstalt eingehend besichtigte und sich lobend über dieselbe äusserte."[78]

Bereits mit dieser „Konfektionsanstalt" und der Teilhaberschaft an der väterlichen Weberei wäre nun Isidor Mautner in der Lage gewesen, mit seiner Familie ein sorgenfreies Leben in der Hauptstadt zu führen. Aber damit konnte sich natürlich ein so ehrgeiziger junger Mann noch lange nicht zufrieden geben.

Die Náchoder Baumwollspinnerei Wärndorfer-Benedict-Mautner

In den Webereien in Schumburg und Náchod wurden die Stoffe hergestellt, die in der Wiener Konfektionsanstalt zu Kleidungsstücken verarbeitet wurden. Damit verfügten Isidor Mautner bzw. die Firma Isaac Mautner & Sohn über den zweiten und dritten Schritt der textilindustriellen Verwertungskette. Was lag näher, als auch noch den ersten Schritt in eigene Regie zu übernehmen, nämlich die Spinnerei? Und zwar sinnvollerweise möglichst nahe bei einer der Webereien?

In Frage kamen die beiden Standorte Schumburg und Náchod. Für Schumburg sprach, dass die dortige Weberei wesentlich größer war als die in Náchod. Aber es gab dort bereits ein ganzes Netz von Spinnereien der Firma Liebieg, eine schwierige Konkurrenzsituation also, zudem musste man dort erst noch ein geeignetes Grundstück finden.

In Náchod dagegen besaß man bereits ein solches Grundstück. Wie wir bereits wissen, hatte die Firma Isaac Mautner & Sohn 1880 in Pilhof (Na Plhově) vor den Toren Náchods ein weitläufiges Gelände erworben, auf dem dann die mechanische Baumwollweberei errichtet wurde. Das

Grundstück war so großzügig bemessen, dass noch genügend Platz war für weitere Fabrikgebäude. Außerdem gab es in Náchod zwar viele Webereien, aber noch keine Spinnereifabrik, man konnte also die Fabrik von vornherein so dimensionieren, dass weit über den Eigenbedarf hinaus produziert werden konnte, was wiederum die Stückkosten senken würde.

Das kostete allerdings viel Geld. Wieder stießen der vorwärtsstürmende Isidor und sein bedächtig kalkulierender Vater Isaac aneinander. Zwar waren in den letzten Jahren einige Rücklagen gebildet worden, aber diese waren bereits für eine neue mechanische Weberei in Gränzendorf bei Schumburg verplant, die 1882 in Betrieb gehen sollte und auch im Schumburger Betrieb selbst fanden Erweiterungsarbeiten statt. Die Aufnahme eines Bankkredites kam aber für Isaac nach wie vor nicht in Frage. So einigte sich Isidor mit seinem Vater schließlich darauf, dass Isaac den Baugrund zur Verfügung stellte und es Isidor überließ, auf eigenes Risiko – und eigene Rechnung – den Bau und Betrieb dieser Spinnereifabrik zu organisieren.

Wieder begab sich Isidor auf die Suche nach potenten Geldgebern für sein neues Projekt. Diesmal wurde er im unmittelbaren Familienkreis fündig, bei den wohlhabenden Schwägern seiner Frau Jenny, nämlich Samuel Wärndorfer und Moriz Benedict. Beide zeigten sich an Isidors Projekt interessiert, und zwar so sehr, dass sie sich nicht nur als Geldgeber beteiligen wollten, sondern als Teilhaber.

Jetzt ging alles sehr schnell. Bereits am 1. April 1882 wurde in Náchod auf dem Gelände von Isaac Mautner & Sohn die aus drei Gebäuden bestehende Náchoder Baumwollspinnerei Wärndorfer-Benedict-Mautner eingeweiht, eine „riesige Spinnerei", wie ein Zeitgenosse vermerkt.[79] Auch dieses Unternehmen erwies sich als überaus erfolgreiche Investition, im Jahr 1906 waren dort 112.000 Spindeln im Einsatz.[80] Die Wiener Zweigniederlassung saß zunächst in der Hohenstaufengasse 5, also direkt neben den anderen von Isidor Mautner geführten Firmen, 1890 wurde der Sitz dann an den Börsenplatz 6 verlegt, in die Nähe des Schottenrings.

Moriz Benedict (1834–1909), Gesellschafter der Firma Kopel Benedict's Söhne[81], außerdem als Inventur- und Schätz-Commissar tätig[82], war verheiratet mit Jennys älterer Schwester Marianne (1848–1930), sie wohnten zunächst am Bauernmarkt 11, später dann in der Löwelstraße 14 direkt neben den Mautners. Einer seiner häufigsten Gäste war zeitweise der Dichter Hugo von Hofmannsthal, der seit dem Herbst 1895 eine intensive Beziehung zur Tochter Minnie unterhielt, sich zeitweise sogar mit Heiratsabsichten trug und deshalb bei einer Soirée im Hause Benedict sein Gedicht „Was die Braut geträumt hat"[83] vortrug. Wir werden Hofmannsthal auch bei den Mautners noch begegnen. Moriz Benedict verließ die Geschäftsführung des Gemeinschaftsunternehmens bereits im Jahre 1892. Er war zwar weiterhin im Firmennamen noch vertreten, jedoch seit diesem Zeitpunkt nicht mehr als Gesellschafter eingetragen[84].

Samuel Wärndorfer (1842–1912), Inhaber der Firma H. Wärndorfers Witwe & Sohn[85], hatte 1864 in Wien Jenny Mautners älteste Schwester Berta (1844–1888) geheiratet. Käthy Breuer zufolge soll er sich bereits mit 35 Jahren aus dem Geschäft zurückgezogen und seitdem ein entspanntes Luxusleben als Privatier mit längeren Aufenthalten in Monte Carlo geführt haben.[86] Das klingt so recht nach dekadentem Fin de Siècle, kann aber nicht stimmen. Zwar glauben wir gerne, dass sich Samuel Wärndorfer häufig in Monte Carlo aufhielt, wie es gerade in den Wintermonaten damals in den besseren Kreisen durchaus üblich war. Zudem war ihm nach dem frühen Tod seiner Frau im Jahre 1888 wohl auch nach etwas Abwechslung zumute. Aber Samuel Wärndorfer war bereits bei Gründung der Firma schon 39 Jahre alt, wie soll er sich da mit 35 Jahren aus dem Geschäft zurückgezogen haben? Und von Rückzug kann ohnehin keine Rede sein, ganz im Gegenteil. Noch bis 1907 ist er als Gesellschafter eingetragen. Zudem trat 1891 sein Sohn August in die Firma ein, 1895 auch noch sein jüngerer Sohn Friedrich, genannt Fritz (1868–1939). 1897 wurde das Unternehmen sogar noch um die Baumwollspinnerei Günselsdorf in Niederösterreich erweitert.[87] Erst 1907 ändert sich die Situation. Ab diesem Jahr sind Samuel, August und Fritz Wärndorfer nur noch Gesellschafter der Günselsdorfer Spinnerei Wärndorfer & Co.[88] Die Spinnerei in Náchod dagegen wurde von Isidor Mautner alleine übernommen.

Fritz Wärndorfer erwarb sich übrigens als Kunstmäzen und selbstloser Förderer der Wiener Werkstätten Ruhm und große Verdienste. Sein enormes Engagement für dieses wegweisende Projekt rührte allerdings auch von seinem explizit geäußerten Wunsch, sich vom als „jüdisch" empfundenen Jugendstil abzugrenzen und dem geometrischen schottischen Trend zu folgen. Fritz Wärndorfer empfand, wie viele gebildete und wohlhabende Juden seiner Zeit, sein Judentum als Makel, konvertierte im Jahr 1894, kehrte ein Jahr später zum Judentum zurück und trat 1902 zusammen mit seiner Frau endgültig zum Protestantismus über. Vielleicht erklärt diese schwierige Beziehung zu seiner Herkunft den geradezu selbstzerstörerischen Einsatz für sein Projekt. Wie auch unsere Tante Ilse gerne erzählte, investierte er im Laufe der Jahre sein gesamtes Vermögen und auch noch das seiner Frau, bis er schließlich Schulden in Millionenhöhe angehäuft hatte. Um den völligen Ruin der ganzen Familie zu verhindern, zwangen ihn seine Angehörigen 1914 zur Emigration in die Vereinigten Staaten, wo er erst als Landwirt und dann als Designer arbeitete. Er kehrte nicht mehr nach Wien zurück.[89]

Isidor Mautner dagegen verstand es, sein Vermögen kontinuierlich zu vermehren, er war ein erfolgreicher und wohlhabender Unternehmer geworden. Aber er lebte immer noch im Haus seiner Schwiegermutter am Fleischmarkt. Das sollte sich nun ändern. Als das vierte Kind unterwegs war, war es endgültig an der Zeit, sich nach einer neuen Wohnung umzusehen. Sie sollte groß genug sein, um für die Familie und das Personal angemessenen Platz zu bieten, sie sollte zudem den repräsentativen Bedürfnissen eines Großindustriellen entsprechen und sie sollte Jenny Mautners Wunsch nach geeigneten Räumlichkeiten erfüllen, um Hauskonzerte abzuhalten und illustre Gäste zum Salon zu bitten.

So zog die Familie Isidor Mautner 1886 in die Löwelstraße 12, ein repräsentativer Neubau in einer Prachtstraße, die direkt zur Hofburg führte und in Sichtweite zur Ringstraße lag – direkt hinter dem im Bau befindlichen Burgtheater, das zwei Jahre später eröffnet werden sollte, was, wie wir noch sehen werden, für die Mautners nicht ohne Folgen blieb.

Es gibt ein Foto aus dem Jahr 1887. Schwere geschnitzte Holzmöbel, samtige Polster, im Hintergrund eine Tapete mit antiker Säulenlandschaft. In der Bildmitte mit leichtem Lächeln Isidor, vor ihm auf dem Tisch mit sorgfältig geschnürten Stiefelchen Katharina, die er fürsorglich festhält. Daneben sitzt Jenny mit der kleinen Marie auf dem Schoß. Eingerahmt wird die Familie von den beiden Buben, gekleidet in Kadettenuniform, das Tschako daneben. Aber der Bekleidung zum Trotz vermeiden beide jegliche militärische Pose. Stephan stützt sich mit gekreuzten Beinen an zwei Tischen ab und Konrad lümmelt völlig entspannt auf einer thronartigen gepolsterten Sitzgelegenheit mit dicken Kordeln und Borten. Ein Foto von geradezu modern anmutender Lässigkeit, eine wohlhabende Familie, die entspannt und zuversichtlich ihrer Zukunft entgegenblickt. Nur Jennys strenger Blick verweist darauf, dass wir uns in einer Epoche befinden, in der auf Etikette durchaus großer Wert gelegt wurde.

Nach dem Umzug in die Wohnung an die Ringstraße wurde auch für Isidor Mautners Firmen nun eine noch bessere Lage gesucht. Ab 1890 lautete die Anschrift sowohl für die Baumwoll- und Leinen-Industrie-Gesellschaft als auch für die Firma Isaac Mautner & Sohn: Wien I, Schottenring 15,[90] nur wenige Schritte entfernt von der Wohnung in der Löwelstraße. Damit war man am Ziel, denn eine bessere Adresse als die Ringstraße gab es nicht.

1908 schließlich zogen die Mautners zwei Häuser weiter in die Löwelstraße 8, eine noch repräsentativere Wohnung, direkt gegenüber dem Volksgarten gelegen und daher weitaus heller als die Wohnung hinter dem Burgtheater. Hier sollten die Mautners bis zu Isidors Tod die Beletage bewohnen. Heute residiert dort die Botschaft Uruguays.

Abb. 5: Wien I, Löwelstraße 12, Wohnung der Familie Isidor Mautner von 1886–1908

Die Ungarische Textilindustrie Aktiengesellschaft in Rosenberg

Im Gegensatz zu Böhmen und Niederösterreich war Ungarn in der zweiten Hälfte des 19. Jahrhunderts ein weitgehend agrarisch strukturiertes Land. Noch 1867 waren fast 80 Prozent aller ungarischen Arbeitnehmer in der Landwirtschaft tätig, die auch fast 60 Prozent zum Bruttoinlandsprodukt beitrug.[91] Das sollte sich ändern. Daher verabschiedete 1891 die ungarische Regierung ein Industrieförderungsgesetz, das beträchtliche Barsubventionen für neu gegründete Unternehmen der Lebensmittel- und Baumwollindustrie vorsah.[92]

Isidor Mautner erkannte sofort die enormen Chancen, die sich hier boten. Nach zwei Jahren Sondierungen fand er in dem einflussreichen Prager Textilunternehmer Emil Kubinzky (1843–1907)[93], einen finanzkräftigen Partner. Wiederum ein Beleg für Isidors ungewöhnliche Überzeugungsfähigkeit, denn Emil Kubinzky war nicht irgendwer. Er nahm in der Prager und Wiener Gesellschaft eine führende Rolle ein, wurde 1901 zum Freiherrn geadelt, war Ritter der französischen Ehrenlegion, Präsident der Prager Escompte Bank und der Prager Börse. Buchstäblich auf dem Totenbett konvertierte er übrigens noch per Nottaufe vom Judentum zum Katholizismus.[94]

Was Isidor Mautner in Ungarn plante, sprengte alle bisherigen Dimensionen. Er war mittlerweile 52 Jahre alt, nun wagte er den Schritt vom Industriellen zum Entrepreneur: Es ging nicht mehr nur um eine weitere Fabrik, sondern Isidor Mautner hatte vor, einen kompletten industriellen Komplex aus dem Boden zu stampfen, es ging um die Gründung einer ganzen Siedlung mit Arbeitsstätten, Kraftwerk, Wohnhäusern, Bahnstation, Postamt, Schulen, Krankenhäusern, Kindergärten, Schwimmbad ...

Entsprechend hoch war der Kapitalbedarf. Vater Isaac dürfte bedenklich den Kopf geschüttelt haben, aber für dieses Projekt gab es nur eine mögliche Unternehmensform – die Aktiengesellschaft. So gründete Isidor Mautner mit Emil Kubinzky 1894 die Magyar Textilipar R. T. (Ungarische Textilindustrie AG) mit Isidor Mautner als Präsident und einem Aktienkapital von 3 Millionen Kronen.[95]

Die eingangs erwähnte Festschrift zum 50. Geschäftsjubiläum Isidor Mautners aus dem Jahr 1917 liefert eine sehr anschauliche und reich bebilderte Beschreibung der Entstehung und Entwicklung dieses Industriekomplexes. Als Fabrikgelände wurde eine Ebene in der Nähe des nordungarischen (eigentlich slowakischen) Liptó-Rózsahegy ausgewählt, auf dem Gelände des kleinen Fischerdorfes Ribarpole an einem Fluss namens Waag (slowakisch Váh, ungarisch Vág).[96] Rosenberg war eine mittelalterliche Stadtgründung deutscher Kolonisten, auf ungarisch lautete der Name Rószahegy, auf slowakisch Ruzomberok, in den Akten wird in der Regel der deutsche Ortsname Rosenberg verwendet. Der Ort verfügte bereits seit 1871 über einen Bahnanschluss an die Kaschau-Oderberger Eisenbahn und war Standort einer Papier- und Zellulosefabrik, die die umliegenden Wälder zu Packpapier verarbeitete und die es heute noch gibt.

Die Industrieansiedlung wurde sowohl von der Verwaltung von Rosenberg als auch von der ungarischen Regierung unterstützt, handelte es sich doch um eine wenig fruchtbare Region, in der die Menschen unter

Abb. 6: Textilfabrik Rosenberg um 1917

einfachsten Verhältnissen lebten und immer häufiger ihr einziges Heil in der Auswanderung nach Übersee sahen.

Hierin lag auch das erste Problem für das Projekt: Im Gegensatz zu den bisherigen Standorten konnte Mautner hier nicht auf eine mit textilen Techniken vertraute Arbeiterschaft zurückgreifen, sondern die einheimische Bevölkerung musste erst mühsam angelernt werden. So wurde zunächst in einer Holzhütte eine Lehrwerkstatt mit 40 Webstühlen eingerichtet, um so einen Stamm an Fachkräften heranzubilden.

Aber mit dem Anlernen war es noch lange nicht getan, die Angelernten mussten auch bereit sein, sich der strengen Zeitökonomie der Fabrikarbeit zu unterwerfen, deren Takt nicht individuell bestimmt wurde, sondern durch die Maschinerie und die Arbeitsteilung vorgegeben war. Hinzu kamen auch noch die besonders belastenden Arbeitsbedingungen in einer Weberei. Vor allem der Lärm und der Staub in den großen Fabrikhallen waren schwer zu ertragen, zumal bei Arbeitszeiten von bis zu zwölf Stunden.[97] Kein Wunder, dass die Arbeiterinnen und Arbeiter immer wieder davonliefen.

„Die Anfangsschwierigkeiten waren ungeheure", weiß daher die Festschrift zu berichten. „Viel länger, als man annehmen durfte, brauchte es, um die Bevölkerung an ein geregeltes Arbeiten zu gewöhnen. Mit großen Kosten wurden Ortsansässige ausgebildet und fremde Arbeiter herangezogen. Immer wieder verließen sie die Fabriksarbeit, um der gewohnten, wenn auch viel schwereren und schlechter bezahlten Tätigkeit als Flösser, Holzhauer und Bauernknechte nachzugehen."[98]

Man ging daher dazu über, Arbeitskräfte aus Böhmen anzuwerben, die diese Arbeitsbedingungen gewohnt waren. Aber selbst hier gab es Probleme: „Auch die fremden Arbeiter, Meister und Beamten konnten sich an die recht primitiven Lebensverhältnisse schwer gewöhnen und mußten immer wieder durch neue ersetzt werden."[99]

Kein Wunder, dass sich das Unternehmen bis 1897 nicht rechnete. Ein Glücksfall war für Isidor Mautner in dieser Situation, dass er 1898 mit Julius Jolesch einen, wie es heißt „fachkundigen und hingebungsvollen" Generaldirektor fand.[100] Gemeinsam versuchten sie, das Problem der großen Fluktuation der Arbeiterschaft in den Griff zu bekommen. Bemerkenswert ist dabei, dass sie zur Problemlösung nicht auf disziplinarische Maßnahmen setzten, sondern zu diesem Zweck die Fabrikanlage mit einer ganzen Reihe bemerkenswerter sozialer Einrichtungen ausstatteten:

„Mit großen finanziellen Opfern wurden Arbeiterhäuser und Schlafsäle errichtet und eine eigene Bäckerei, Fleischerei, Selcherei, ein Konsumverein und eine Arbeiterküche gegründet".[101] Später kamen noch ein Fabrikspital, ein Arbeiterspeisesaal, ein Beamten- und Arbeiterkasino mit Spiel und Lesesaal, ein Fabrikhotel, ein Kindergarten und eine sechsklassige Volksschule hinzu, sogar ein Arbeiterbad wurde geschaffen. Insgesamt entstand eine eigene kleine Stadt mitsamt Post- und Telegraphenamt, Bahnanschluss und Kraftwerk zur Stromversorgung. Und nicht nur das: Isidor Mautner sorgte auf Firmenkosten auch noch für eine Lebensversicherung für die Beamten und Meister und für einen Pensionsfonds für die Arbeiter.

Auch wenn man in Rechnung stellt, dass hier nicht nur reine Menschenfreundlichkeit, sondern eine nüchterne Kosten-Nutzen-Rechnung zugrunde lag, muss man doch konstatieren, dass sich Isidor Mautner mit diesen Maßnahmen in die erste Reihe sozial engagierter Arbeitgeber seiner Zeit stellen lässt. Und die Investitionen zahlten sich aus. Die Fluktuation ließ nach, es bildete sich eine Stammbelegschaft aus gut ausgebildeten, zuverlässigen Arbeitnehmern. Es entstanden eine zweite Weberei, eine zweite Spinnerei sowie Textilveredelungsbetriebe. 1904 bis 1906 wurde ein Kraftwerk errichtet, das die ganze Anlage und auch noch die Stadt Rosenberg mit Strom versorgte.

Nachdem im Jahr 1910 eine dritte Spinnerei gebaut worden war, waren 1913 in Rosenberg 156.000 Spindeln in Betrieb, die Zahl der Arbeitnehmer betrug im gleichen Jahr 3380.[102] Die Produkte wurden nicht nur ins Inland geliefert, sondern vor allem auf den Balkan und in die Türkei exportiert. Um vor Ort präsent zu sein und den Bedarf befriedigen zu können, entstanden Produktionsstätten in Bukarest und Pitesti in Rumänien, Belgrad und Leskovac in Serbien und Rustschuk in Bulgarien. Selbständige Vertretungen wurden unterhalten in Bukarest, Belgrad, Sofia, Rustschuk, Konstantinopel und Smyrna.[103]

Dann brach der Erste Weltkrieg aus. Großbritannien verhängte über Deutschland und Österreich-Ungarn eine Seesperre. Nachdem Italien 1915 auf Seite der Entente in den Krieg eingetreten war, blockierten die Briten gemeinsam mit den Italienern den Ausgang der Adria, damit war auch Österreich von allen Importen nahezu abgeschnitten. Zusätzlich setzten die Briten durch, dass auch die neutralen Länder sich dem Boykott anschlossen. Das bedeutete für die österreichische und deutsche Textilindustrie, dass der Baumwollimport in kurzer Zeit nahezu zum Erliegen kam.

Abb. 7: Textilfabrik Rosenberg, 3. Spinnerei, Drosselsaal (um 1910)

Wenn die Produktion in der Riesenfabrik nicht eingestellt werden sollte, musste so schnell wie möglich eine Alternative zur Baumwolle gefunden werden. Ein Blick nach Deutschland wies die Lösung. Dort war bereits 1895 von Emil Claviez ein trockenes Verfahren zur Herstellung von Papierstoffgarn entwickelt worden. 1913 erzeugten bereits acht Unternehmen in Deutschland solche Garne.[104] Im Krieg wurde diese Produktion blockadebedingt gewaltig ausgeweitet, 1917 wurden in Deutschland monatlich 10.000 Tonnen Papiergarn gesponnen, die Qualität wurde derart verbessert, dass die Garne gekocht und gewaschen werden konnten, die gesamte Bettwäsche des Heeres wurde schließlich aus Papiergarn hergestellt.[105]

Isidor Mautner ließ seine Ingenieure diese Technik erkunden. „Ende 1915 begann er mit der versuchsweisen Erzeugung von Papiergarn und Papierspagat", berichtet die Festschrift. 1917 konnten dann täglich 25 Tonnen Papiergarn und 15 Tonnen Papierspagat (Bindfäden) hergestellt werden, damit stand Rosenberg an der Spitze der gesamten Textilindustrie der Monarchie.[106]

Um nun auch noch von den Importen von Spinnpapier aus dem neutralen Schweden unabhängig zu werden, beschloss Mautner, auch den Rohstoff für das Spinnpapier selbst zu erzeugen. Im Jahr 1916 beteiligte man sich mit 600.000 Kronen an der zu diesem Zweck gegründeten Pölser Papierfabrik GmbH in der Steiermark.[107] Allerdings konnte man zwar von dort aus die niederösterreichischen Spinnereien recht günstig versorgen, die Transportwege nach Rosenberg waren jedoch allzu weit. Daher beschloss man, dort eine eigene Spinnpapierproduktion aufzubauen. Die Ungarischen Textilwerke AG erwarben die Aktien der Rosenberger Zellulose- und Papierfabrik AG und richteten dort eine große Natron-Zellulose-Anlage ein, die nun die eigene Erzeugung von Spinnpapier ermöglichte.

Die Ungarisch-Amerikanische Northrop Webstuhl- und Textilfabrik AG in Rosenberg

In den Vereinigten Staaten hatte um 1890 der englischstämmige Mechaniker James Northrop Webautomaten mit automatischem Schützenwechsel entwickelt, sodass die Maschine beim Austausch des Schützen nicht abgestellt werden musste. Darüber hinaus konstruierte er einen Kettenfadenwächter, der im Fall eines Fadenrisses die Maschine automatisch abstellte. Northrops Maschinen waren einfach zu bedienen, ein Arbeiter konnte statt wie bisher zwei nun 16 Maschinen gleichzeitig bedienen.[108]

Isidor Mautner reagierte auf diese technische Entwicklung sofort. Er schickte Julius Jolesch in die USA, um dort die neuen Maschinen zu testen. Jolesch erwarb nach eingehender Prüfung die Patente für Österreich, Ungarn und Norddeutschland und Isidor Mautner beschloss, diese neuen Webmaschinen selbst herzustellen. Er gründete in Szent-Flörincz bei Pest die Ungarisch-Amerikanische Northrop Webstuhl- und Textilfabrik AG, die – wie in einer Akte des Österreichischen Staatsarchivs mit Stolz vermerkt wird – sogar die deutsche Textilindustrie belieferte.[109] Zudem richtete Mautner, um diese Webstühle in der Praxis zu erproben, in Pest-Szentflörincz eine Northropweberei mit 100 Webstühlen inklusive Färberei, Bleicherei und Appretur ein.[110]

1904 übernahm die Ungarische Textilindustrie AG alle Aktien der Web-
stuhlfabrik, in Rosenberg wurde nun eine neue Produktionsanlage mit
Eisengießerei und Maschinenfabrik errichtet, die bis zum Jahre 1917 zir-
ka 4000 Webstühle erzeugte.[111] Einer dieser Webstühle lässt sich heute
noch im Technischen Museum in Wien besichtigen.

Abb. 8: Textilfabrik Rosenberg: Papierspinnerei um 1917

Damit wurde der Industriekomplex Rosenberg/Ružomberok mit insgesamt ca. 5000 Arbeiterinnen und Arbeitern nicht nur zur größten Fabrikanlage der Monarchie,[112] sie gehörte auch, wie noch 90 Jahre später
ausdrücklich hervorgehoben wurde, zu den damals modernsten des
ganzen Landes.[113]

Im Jahr 1901 erhielt Isidor Mautner für seine Verdienste den Orden
„Eiserne Krone III. Klasse" verliehen. Bis 1884 wäre damit auf Ansuchen
die Erhebung in den erblichen Ritterstand verbunden gewesen. Freiherr
Mautner von Pötzleinsdorf (wo sie seit 1888 ein Schlösschen besaßen),
dieser Titel hätte vor allem Jenny schon gefallen. Aber mittlerweile war
an diese Erhebung in den Ritterstand eine Bedingung verknüpft: die Konversion vom Judentum zum Christentum. Das kam aber für Isidor nicht
in Frage, auch wenn seine Frau sehr enttäuscht war. Isidor war streng
gläubig erzogen worden, eine Konversion wäre ihm ehrlos erschienen,
alleine schon im Angedenken an seinen frommen Vater.[114]

Immerhin aber war Isidor Mautner als Anerkennung für seine Verdienste um die österreichische Textilindustrie bereits im Jahr 1897 zum

Kommerzialrat ernannt worden.[115] Zudem erhielt er im Jahre 1908 das Komturkreuz des Franz-Josephs-Ordens verliehen, das zur Teilnahme an Hoffestlichkeiten berechtigte,[116] ein im titelsüchtigen Wien bedeutsames Ereignis, ein Adelstitel war damit allerdings nicht verbunden.

Die Österreichische Textilwerke Actien-Gesellschaft vormals Isaac Mautner & Sohn

Isaac Mautner, der Vater, hatte noch alle Investitionen aus eigenen Mitteln bestritten. Ihm war es wichtig gewesen, bei seinen Unternehmungen autonom handeln zu können, ohne dass ein Dritter ihm in seine Geschäfte hätte hineinreden können. Doch Isaac war 1901 gestorben.

Zunächst trat Isidors ältester Sohn Stephan als Gesellschafter an dessen Stelle,[117] aber für Isidor stand nach den Erfahrungen mit der Rosenberger Unternehmung längst fest, dass es nun auch für das Kernunternehmen, die Firma Isaac Mautner & Sohn, an der Zeit war, den Schritt an die Börse zu wagen, um in großem Stil expandieren zu können.

So wandelte er mit Unterstützung der kaiserlich königlich privilegierten Allgemeinen Österreichischen Boden-Credit-Anstalt mit Beginn des Geschäftsjahres 1906 die ererbte Firma in eine Kapitalgesellschaft um, deren Name nun Österreichische Textilwerke AG vormals Isaac Mautner & Sohn lautete. Präsident war Isidor Mautner, Vizepräsident Alfred Herzfeld von der Bodencreditanstalt, das Stammkapital betrug 1,5 Millionen Kronen. Nach und nach brachte Isidor im Aufsichtsrat seine Söhne Stephan und Konrad sowie seinen Schwiegersohn Dr. Hans Breuer unter, ab 1917 wurde sein Sohn Stephan sogar einer der Vizepräsidenten.[118]

Die Umwandlung von Mautners Firma in eine Aktiengesellschaft war angesichts des industriellen Konzentrationsprozesses Anfang des 20. Jahrhunderts sicherlich sinnvoll, vielleicht sogar notwendig, denn über Eigenmittel waren die Expansions- und Innovationspläne kaum zu finanzieren, und die Ausgabe von Aktien war natürlich eine viel elegantere Form der Geldbeschaffung als die Aufnahme von Krediten.

Auf der anderen Seite bedeutete die Gründung einer Aktiengesellschaft den Verzicht auf die alleinige unternehmerische Entscheidungsfreiheit. Es gab einen Aufsichtsrat, damals Verwaltungsrat genannt, der mitzubestimmen hatte und es bestand immer die Gefahr, dass sich durch Aktienkäufe die Mehrheitsverhältnisse ändern konnten. Und man lieferte sich dem Spekulationsgeschehen an der Börse aus, das Risiko wurde größer, die Abhängigkeiten nahmen zu.

Die k.k. priv. Allgemeine Boden-Credit Anstalt, gegründet 1863, war allerdings damals eine der nobelsten Banken der Monarchie. Sie verwaltete das Vermögen von Mitgliedern des Kaiserhauses und des Hochadels,[119] der Leiter der Bank trug den Titel eines „Gouverneurs" und wurde vom Kaiser höchstselbst ernannt. Eine solidere Partnerbank als die „Bodencredit" konnte Isidor Mautner also kaum finden. Sie wurde damals von Theodor Freiherr von Taussig[120] geleitet, der als einer der fähigsten Bankiers seiner Zeit galt. Von Taussig (1849–1909) hatte die Bodencreditanstalt nach dem Börsenkrach von 1873 erfolgreich saniert und wurde dafür 1879 in den erblichen Ritterstand erhoben – bemerkenswerterweise ohne aber auf sein jüdisches Bekenntnis zu verzichten. Seit 1881 hatte von Taussig die Geschäftsführung inne. Seit 1904 kommissarisch als Gouverneur der Bank eingesetzt, wurde er 1908 endlich auch offiziell zum Gouverneur ernannt.

Erst 1899 war eine Statutenänderung eingeführt worden, die es der Bank ermöglichte, neben dem Hypothekengeschäft nun auch ein Industriefinanzierungsgeschäft zu betreiben.[121] So trafen sich die geschäftlichen Interessen Isidor Mautners auf das Vortrefflichste mit denen der Bodencreditanstalt.

Die neu gegründete Aktiengesellschaft umfasste zunächst nur die Webereien in Schumburg, Náchod und Trattenbach. Die anderen Unternehmen Isidor Mautners, wie die Spinnerei in Náchod, die Rosenberger Fabriken oder das „Lieferungs-Consortium für die k.k. Landwehr" in Wien verblieben dagegen vorerst außerhalb der Gesellschaft, weil Isidor Mautner nicht deren alleiniger Eigentümer war.

Bereits 1893 hatte Mautner im IX. Wiener Bezirk den gesamten Häuserblock Trendlergasse-Eisengasse-Michelbeuerngasse-Prechtelgasse aufgekauft und dort unter der Adresse Michelbeuerngasse 11 die Räume der Konfektionsanstalt für die Landwehr untergebracht.[122] Ab 1908 firmieren auch die Österreichischen Textilwerke AG vormals Isaac Mautner & Sohn unter gleicher Adresse, 1911 verzeichnet der „Firmen-Lehmann" dann als Sitz dieser Firma die Michelbeuerngasse 9a.[123]

Mit den neuen finanziellen Möglichkeiten ging Isidor Mautner nun daran, systematisch sein Textilimperium zu vergrößern. Dabei fällt auf, dass er, der doch schon so lange in Wien lebte, überhaupt nicht daran dachte, in der Umgebung Wiens tätig zu werden, obwohl es dort doch zahlreiche Textilfabriken gab. Die abgelegene Weberei in Trattenbach an der Grenze zur Steiermark blieb die große Ausnahme. Stattdessen konzentrierte Isidor sich auf Náchod und den nordböhmischen Raum um Reichenberg und Gablonz, wo er schon seit vielen Jahren in Schumburg und Gränzendorf Webereien besaß. So wurde 1906 eine große Weberei im Gablonzer Vorort Grünwald a. d. Neiße (Mšeno n. Nisou) gepachtet und eine mechanische Weberei in Engenthal a. d. Kamnitz (Jesenný n. Kamenice) erworben. 1908 kam eine Weberei in Tiefenbach a. d. Desse (Potočna n. Desna) hinzu, nur wenige Kilometer oberhalb von Schumburg. In Náchod übernahm Isidor Mautner 1907 die einst gemeinschaftlich mit Jennys Schwägern Samuel Wärndorfer und Moriz Benedict in Náchod eingerichtete Baumwollspinnerei und 1911 wurde dann ein alter Konkurrent, die Weberei Pick in Náchod übernommen.[124]

Hinzu kamen im gleichen Jahr weitere Investitionen, die offenbar vor allem strategischen Zielen dienten. Isidor Mautner beteiligte sich mit jeweils 450.000 Kronen an der Kammgarnspinnerei Schmieger in Zwodau (Svatava) und an der Reichenberger Kammgarnspinnerei,[125] die beide Theodor Freiherr von Liebieg gehörten, einem Mitglied jener weitverzweigten Reichenberger Textildynastie, der in Reichenberg und Wien lebte, wenn er nicht gerade mit einem seiner Autos unterwegs war.[126] Auch in Prag-Smichov wurde eine Spinnereifabrik erworben.[127] Nach dem Krieg sollte dort nach einigen Wirrungen die Zentrale des Mautnerkonzerns eingerichtet werden.

Bisher war Isidor Mautner fast ausschließlich an Webereien interessiert. Woher kam nun dieses neue Interesse an Spinnereien? Und was für Absichten verfolgte Isidor Mautner mit dieser umfangreichen Kooperation mit Theodor von Liebieg?

Ganz offensichtlich stand diese Neuausrichtung in Zusammenhang mit dem Wechsel in der Führung von Isidors Hausbank, der Bodencreditanstalt. Theodor Ritter von Taussig war im Jahr 1909 gestorben. Er hatte unter schwerer Arterienverkalkung gelitten, die zudem auch noch höchst fragwürdig mit verunreinigtem „Brechstein" behandelt wurde, sodass er auch noch eine Vergiftung durch Arsen und Antimon erlitt. Von Taussig, der auch Leiter der jüdischen Gemeinde in Wien gewesen war, hinterließ die geradezu biblisch anmutende Zahl von zwölf Kindern.[128]

Sein Nachfolger wurde im Jahre 1910 Rudolf Sieghart (1866–1934), ebenfalls jüdischer Herkunft, aber ansonsten geradezu das Gegenmodell zum bedächtigen, sorgfältig prüfenden und grundsoliden Taussig. Sieghart, Sohn eines Rabbiners aus Troppau (Opava) in Österreichisch-Schlesien, konvertierte im Jahre 1895 und änderte seinen Nachnamen von Singer zu Sieghart. Er war ausgesprochen umtriebig, durchlief eine steile Karriere im k.k. Finanzministerium bis zur Position des Sektionschefs – des höchsten erreichbaren Beamtenpostens, galt als „graue Eminenz"[129] mit besten Kontakten zur Presse, die er mit Hilfe von „inflationären Titel- und Ordensverleihungen"[130] förderte. Über den von ihm kontrollierten Steyrermühlkonzern hatte Sieghart beherrschenden Einfluss auf die auflagenstarken Tageszeitungen *Neues Wiener Tagblatt, Volkszeitung* und *Sport-Tagblatt*. Seine Berufung zum Gouverneur der Bodencreditanstalt wurde von Kaiser Franz Joseph gegen den Widerstand seines Neffen und designierten Nachfolgers Franz Ferdinand, der dann 1914 in Sarajewo erschossen wurde, durchgesetzt. Sieghart galt in Adelskreisen als intriganter Emporkömmling. Nach dem Tod Franz Josephs im Jahr 1916 zwang dessen Großneffe und Thronfolger Kaiser Karl I., der ebenfalls Sieghart entschieden ablehnte, diesen daher unverzüglich zur Demission.

Hätte Österreich nicht den Krieg verloren, wäre dies womöglich das Karriereende Siegharts gewesen. Aber bekanntlich kam es umgekehrt. Kaiser Karl I. musste im November 1918 abtreten und Sieghart wurde 1919 vom Verwaltungsrat der Bank erneut zum Präsidenten gewählt.

Die Vereinigte Österreichische Textilindustrie AG

Rudolf Sieghart vertrat eine heftig umstrittene offensive Industriepolitik, indem seine Bank immer mehr dazu überging, Aktienmehrheiten an Industrieunternehmen zu übernehmen, ja sogar Aktiengesellschaften selbst zu gründen. So erschien am 16. Februar 1912 in der *Wiener Zeitung* folgende Meldung:

„Die k.k. priv. Allgemeine österreichische Bodencreditanstalt hat mit den Firmen Ritter, Rittmeyer & Co (Figli di Jakob Brunner in Triest) und Kuffler & Reichel in Wien ein Übereinkommen getroffen, demzufolge die diesen Firmen gehörigen Baumwollspinnereien in eine von der Bodencreditanstalt zu gründende Aktien-Gesellschaft eingebracht werden sollen. In dieselbe AG wird auch die der Firma Wärndorfer & Ko gehörige Günselsdorfer Spinnerei übergehen. Ferner hat die Bodencreditanstalt für die zu gründende AG die Aktien des Cotonificio Triestino in Monfalcone erworben und sich Optionen für den Erwerb mehrerer Baumwollspinnereien gesichert, die mit der neuen Gesellschaft vereinigt werden sollen. Die zu gründende Gesellschaft wird 200.000 bis 250.000 Spindeln betreiben und somit das größte Baumwollspinnereiunternehmen der Monarchie sein. Der Verwaltung der Gesellschaft werden außer Vertretern der Bodencreditanstalt u. a. die Herren Arthur Kuffler, Dr. Armin Brunner, Isidor Mautner und Theodor Freiherr von Liebieg angehören."[131]

Ein sehr anschauliches Beispiel für die Bestrebungen Siegharts, die Bodencreditanstalt immer mehr in eine Industrieholding umzuwandeln. In diesem Fall ging es also um die Gründung eines mächtigen Spinnereiunternehmens, des größten der Monarchie, wie man liest, darunter machte es Rudolf Sieghart offenbar nicht.

Zu diesem Zweck holte die Bodencreditanstalt die Herren Kuffler und Brunner ins Boot, die ihre Unternehmen in die Gesellschaft einbrachten und dafür mit Aktienanteilen und Vertretung im Verwaltungsrat versehen wurden.

Vielsagend ist zudem der Verkauf der Spinnerei in Günselsdorf durch die Familie Wärndorfer. Wir erinnern uns an die heillose Verschuldung Fritz Wärndorfers im Zusammenhang mit den Wiener Werkstätten. Dies war offensichtlich die Folge.[132] Um der völlig verarmten Familie Wärndorfer ein Auskommen zu sichern, setzte sich Isidor Mautner sogar dafür ein, dass Fritz' älterer Bruder August mit dem Direktorenposten in Günselsdorf betraut wurde. August Wärndorfer war für diese Fürsorge allerdings keineswegs dankbar. Er empfand, wie seine Tochter Laura berichtet, es als unerträgliche Zumutung, dass er einer geregelten Arbeit nachgehen und auch noch seinen Wohnsitz aufs Land verlegen sollte und schied bereits 1919 aus der Firma aus.[133]

Jetzt erklärt sich auch das neue Interesse Isidor Mautners an Spinnereien. Natürlich hatte er mitbekommen, was Sieghart plante. Wenn ein gewaltiger Spinnereikonzern entstehen sollte, musste Mautner reagieren. Dafür gab es zwei Möglichkeiten: Entweder gemeinsam mit Theodor von Liebieg ein Konkurrenzunternehmen aufbauen oder sich an diesem Konzern beteiligen. In jedem Fall musste Mautner geschickt taktieren, denn seine Österreichischen Textilwerke waren ja von der Bodencreditanstalt abhängig.

Demgemäß vermied Isidor Mautner die offene Konfrontation. Wie aus der Nachricht der *Wiener Zeitung* hervorgeht, waren er und von Liebieg im Verwaltungsrat vertreten, hatten demzufolge also erhebliche Aktienanteile dieses neuen Spinnereikonzerns erworben. Tatsache ist aber auch, dass sie offensichtlich gar nicht daran dachten, ihre eigenen Spinnereien in diesen neuen Konzern einzubringen. Offenbar wollte man sich alle Optionen offen halten.

Am 9. Mai 1912 vermeldet die *Wiener Zeitung* Vollzug:

„Heute hat in den Räumen der Bodencreditanstalt die konstituierende Generalversammlung der Vereinigten Österreichischen Textilindustrie – Aktien - Gesellschaft stattgefunden. In derselben wurden die Statuten angenommen, aufgrund deren das gegenwärtig zur Einzahlung gelangende Aktienkapital 10 Millionen Kronen, zerlegt in 50.000 Aktien zu 200 Kronen Nominale, beträgt. In den Verwaltungsrat wurden gewählt die Herren: Adolf Brunner, Dr. Armin Brunner, Max Brunner, Ingenieur Richard Brunner, Alfred Herzfeld, Arthur Kuffler, Wilhelm Kuffler, Theodor Freiherr von Liebieg, Kommerzialrat Isidor Mautner, Stephan Mautner, Dr. Ludwig Schueller und Emanuel Weißenstein. In der im Anschluss an die Generalversammlung abgehaltenen Sitzung des Verwaltungsrates wurden Herr Arthur Kuffler zum Präsidenten und Alfred Herzfeld zum Vizepräsidenten gewählt. Das Exekutiv-Komitee, dem die unmittelbare geschäftliche Leitung des Unternehmens obliegen wird, besteht aus den Herren Arthur Kuffler, Dr. Armin Brunner, Alfred Herzfeld und Kommerzialrat Isidor Mautner. Die technischen Agenden wurden dem Verwaltungsrate Herrn Wilhelm Kuffler übertragen; Herr Dr. Gustav Ullmann, dem gleichzeitig die Prokura erteilt wurde, ist mit der Führung der Verkaufsgeschäfte betraut worden."[134]

Die Unternehmensführung lag also bei Präsident Arthur Kuffler, dessen eigene Firma in der Aktiengesellschaft aufgegangen war.[135] Isidor Mautner sicherte sich über seinen Sitz im „Exekutivkomitee" Einfluss auf die Unternehmensführung, allerdings nur als einer von vieren, darunter wiederum Arthur Kuffler, der somit zumindest nach außen hin die beherrschende Figur des neuen Unternehmens war.

Isidor Mautner wollte offensichtlich erst einmal abwarten und beobachten. Das fiel ihm um so leichter, als das neue Unternehmen Geschäftsräume in der Michelbeuerngasse 9a im IX. Bezirk einrichtete, der gleichen Adresse wie die Österreichischen Textilwerke Isidor Mautners. Grund dafür waren wohl zahlreiche personelle Überschneidungen, ein Großteil des in dem Bericht der Wiener Zeitung genannten Führungspersonals der Vereinigten Österreichischen Textilindustrie war auch für die Österreichischen Textilwerke AG tätig.

Was wurde hier gespielt? Der forsche Sieghart versuchte offenkundig seinen Einfluss auf die gesamte Textilindustrie auszuweiten, er brachte dafür Arthur Kuffler als Präsidenten des Spinnereikonzerns in Stellung. Isidor Mautner hatte offensichtlich Theodor von Liebieg ins Spiel gebracht, um Sieghart seine Grenzen aufzuzeigen. Vielleicht bekam Isidor Mautner auch deshalb den Sitz im Exekutivkomitee. Letztlich deutet sich hier bereits ein interner Machtkampf an um die Gestaltungsmacht im Konzern.[136]

Arthur Kuffler, der Präsident der Vereinigten Österreichischen Textilindustrie, war mit Isidor Mautner über dessen Firma verbunden, er war dort neben Dr. Armin Brunner, Alfred Herzfeld und Stephan Mautner einer der vier Vizepräsidenten. Aber er war ganz sicher nicht ein Strohmann Mautners, der sich für die Rolle eines Handlangers missbrauchen ließ.

Geboren 1869 in Wien, war Arthur Kuffler im Jahre 1896 konvertiert,[137] wie so viele Wiener Juden. Er hatte gemeinsam mit seinem Bruder Wilhelm (der 1898 ebenfalls konvertierte) eine Baumwollspinnerei in Brodetz (Brodcze) in Zentralböhmen geerbt[138] und zeigte durchaus soziales Engagement, indem er von dem bedeutenden Wiener Architekten Viktor Postelberg im Jahre 1906 dort moderne Arbeiter- und Angestelltenwohnungen errichten ließ.[139] Arthur Kuffler hatte die Ehre, in der Prachtausgabe über die Österreichische Großindustrie den Betrag über die Textilindustrie verfassen zu dürfen[140] und trat vor allem als weltgewandter Unternehmervertreter in Erscheinung. So belegt ein Bericht von 1913 über einen internationalen Kongress der Baumwollspinner im holländischen Scheveningen, bei dem Kuffler einer österreichischen Delegation vorstand, zu der übrigens auch Stephan Mautner gehörte, eine bemerkenswerte Verhandlungskompetenz – und ebenso bemerkenswerte Englischkenntnisse.[141] Kuffler, der sich ebenso wie Isidor Mautner mit dem Titel eines Kommerzialrates schmücken durfte, war Präsident des Vereins der Baumwollspinner Österreichs sowie leitender Funktionär der Baumwollzentrale[142] und wurde im Krieg sogar stellvertretender Präsident des Reichsverbandes der Industrie.[143] Nach dem Ersten Weltkrieg sollte Kuffler noch eine bedeutende Rolle im Mautner-Konzern spielen. Und auch nach dem „Anschluss" im März 1938 erleben wir Artur Kuffler noch in leitender Position, als er seine organisatorischen Fähigkeiten für die geordnete jüdische Emigration einsetzte. Wir werden darauf zurückkommen.

Die Deutschen Textilwerke Mautner AG

Isidor Mautner eröffnete währenddessen seinem Konzern eine neue Dimension. 1911 erwarb er eine große Textilfabrik mit 1350 Webstühlen, einer Spinnerei, Weberei, Färberei und Appretur im schlesischen Langenbielau. Zwar besaß Mautner außerhalb der Monarchie bereits Produktionsstätten in Rumänien, Bulgarien und Serbien, aber die waren immer noch Unternehmen zugeordnet, die ihren Sitz in der Monarchie hatten. Dieses Mal war es anders. Die Betriebe in Langenbielau wurden als eigenständiges Unternehmen, als Deutsche Textilwerke Mautner mbH eingetragen.[144] Damit expandierte Isidor Mautner erstmals über die Grenzen der Monarchie hinaus, die Österreichische Textilwerke AG wurde somit zu einem internationalen Konzern.

Der Standort Langenbielau (heute Bielawa) ist bis heute ein Begriff in der deutschen Geschichtsschreibung und Literaturgeschichte. Während sich beispielsweise in Náchod die Handweberei noch lange behaupten konnte und erst ab 1880 mechanische Textilfabriken errichtet worden waren, war Langenbielau schon sehr früh industrialisiert worden und wurde bereits im Jahr 1844 zum Schauplatz des berühmten „Weberauf-standes", in dem verzweifelte Handweber versuchten, die ruinösen Tex-tilfabriken zu stürmen und zu zerstören. Heinrich Heine hat ein ergrei-fendes Gedicht über das Elend der schlesischen Handweber geschrieben und Gerhard Hauptmann eines seiner berühmtesten Theaterstücke. Der Aufstand wurde vom preußischen Militär brutal niedergeschlagen, eine der angegriffenen Fabriken erlitt einen solchen Schaden, dass die Firma bankrott ging. Aber die industrielle Revolution ließ sich nicht aufhalten, Langenbielau entwickelte sich weiter zu einem Zentrum der Textilindus-trie, an dem nun auch Isidor Mautner beteiligt war.

Dass er in Deutschland ein eigenständiges Unternehmen gründete, lässt darauf schließen, dass er dort noch Einiges vorhatte. Vier Jahre spä-ter war es dann auch so weit. Im sächsischen Vogtland war die erst 1910 gegründete Plauener Baumwollspinnerei KG in Liquidation geraten. Am 4. Januar 1915 kaufte Isidor Mautner die Firma für 1,2 Millionen Mark und übernahm sämtliche Verpflichtungen und Hypotheken.[145] Allerdings verfolgte Mautner nun keineswegs die Absicht, in Plauen persönlich haf-tender Textilfabrikant zu werden. Stattdessen wandelte er zunächst das Langenbielauer Unternehmen in eine Aktiengesellschaft um und ver-kaufte dann anschließend seine Plauener Fabrik für knapp 1,4 Millionen Mark weiter an diese neu eingetragenen Deutschen Textilwerke Maut-ner AG. Zugleich wurde der Sitz des Unternehmens nach Plauen verlegt, Langenbielau hatte nur noch den Status eines Zweigwerkes.[146]

Zweifellos eine atemberaubende Transaktion, die einmal mehr zeigt, mit welchem kaufmännischem Geschick Isidor Mautner agierte. Durch die Umwandlung in eine Aktiengesellschaft hatte er Finanzierungsmög-lichkeiten eröffnet, um die marode Plauener Fabrik wieder in Schwung zu bringen, die florierende Langenbielauer Fabrik bot Anlegern dafür die erforderlichen Sicherheiten, die Verlegung des Hauptsitzes nach Plauen signalisierte den Glauben an die Zukunft dieses Standortes und unterm Strich machte Isidor Mautner bei der Transaktion auch noch einen nicht unbeträchtlichen finanziellen Schnitt.

Hauptaktionär wurde Isidor Mautner selbst mit 834 Anteilen. Sein Sohn Konrad erhielt ebenso wie der Direktor der Rosenberger Fabriken Julius Jolesch 416 Anteile, Stephan Mautner war mit 278 Anteilen dabei, ebenso wie auch Alfred Herzfeld und Alexander Weiner als Vertreter der emittierenden Bodencreditanstalt. Die Mautners besaßen somit eine klare Aktienmehrheit.

Auffällig ist, dass alle Inhaber des Grundkapitals in Höhe von insgesamt 2,5 Millionen Mark in Wien wohnhaft waren, die Deutschen Textilwerke

Mautner AG befanden sich also gewissermaßen fest in Wiener Hand. Das galt auch für den Aufsichtsrat, in dem neben Alfred Herzfeld und Alexander Weiner Isidor Mautners alter Freund, der Rechtsanwalt Hofrat Dr. Ludwig Schueller und sein Schwiegersohn Dr. Hans Breuer saßen.[147]

Und mehr noch. Am 21. Oktober 1915 wurden nicht nur die Mitglieder des Aufsichtsrates eingetragen, sondern auch die drei Vorstandsmitglieder. Mit einigem Erstaunen liest man dort die Namen Stephan und Konrad Mautner.[148] Vorstände sind anders als Aufsichtsräte mit dem operativen Geschäft betraut, dafür ist ihre regelmäßige Anwesenheit erforderlich. Weder Stephan und schon gar nicht Konrad waren in der Lage, regelmäßig von Wien bzw. aus dem Salzkammergut ins ferne sächsische Plauen zu reisen und schon gar nicht zu diesem Zeitpunkt, denn beide waren 1915 zur Armee eingezogen worden, es herrschte schließlich Krieg! Man muss daher wohl vermuten, dass nur das dritte Vorstandmitglied, der einzige Nicht-Wiener in der Führungsetage des Unternehmens, Berthold Bonwitt aus Dresden, wirklich unternehmerisch für die Firma tätig war, während Stephan und Konrad eher als „Frühstücksdirektoren" fungierten, die mit einträglichen Posten versorgt worden waren – immerhin war der Vorstand auch noch am Gewinn beteiligt. Konrad, dem die ganze Geschäftswelt zunehmend zuwider war, schied allerdings bereits 1921 aus.[149]

Dabei wurde das Unternehmen durchaus erfolgreich geführt, die Plauener Fabrik kehrte alsbald in die Gewinnzone zurück. Als am 1. April 1916 die Deutsche Reichsregierung wegen der Seeblockade ein Verarbeitungsverbot für Baumwolle verhängt hatte, stellte man die Spinnereien in Plauen und Langenbielau erfolgreich auf Papiergarn um und beteiligte sich sogar an der Papierfabrik Priebus GmbH im schlesischen Priebus (heute Przewóz) zwecks Produktion von Spinnpapier.[150] 1917 wurde – vielleicht wegen der räumlichen Nähe zu Priebus – die Zentrale wieder nach Langenbielau verlegt.[151] Zugleich wurde das Aktienkapital auf 5 Millionen Mark verdoppelt, man hatte also offenbar noch Einiges vor. Dementsprechend nahm Isidor Mautner die Zügel etwas fester in die Hand, indem er sich als stellvertretendes Vorstandsmitglied mit alleinigem Vertretungsrecht eintragen ließ.[152] Noch war der Weltkrieg nicht verloren.

Das Textil-Imperium

Isidor Mautners große Stunde schlug im Jahr 1916. Im Bericht über die zehnte ordentliche Generalversammlung der Österreichischen Textilwerke AG liest sich das folgendermaßen:

„Seitens eines Syndikates, welches über die überwiegende Majorität der Aktien der Vereinigten Österreichischen Textil-Industrie-A.-G. verfügt, ist uns das Anerbieten gemacht worden, diese Aktien zu erwerben.

Wir beabsichtigen, von demselben Gebrauch zu machen, um so die Geschäftsführung der beiden Gesellschaften, die einander seit der Gründung der Vereinigten Österreichischen Textil-Industrie A.-G. durch vielfache geschäftliche und persönliche Beziehungen nahegestanden sind, zu vereinheitlichen und dadurch das Leistungsvermögen und die Konkurrenzfähigkeit beider Unternehmen zu stärken."[153]

Was steckt dahinter? Einen wichtigen Hinweis liefert der Geschäftsbericht von 1917. Demzufolge waren einige Unternehmen der Gesellschaft schwer von den Kriegsereignissen mitgenommen worden. Ein Teil der Betriebe war zerstört, wie beispielsweise die Spinnereien in Strazig, Salcano und Peuma, die am heftig umkämpften Isonzo lagen, ein Teil lag sogar im Feindesland und so konnte die Gesellschaft seit zwei Jahren keine Dividende ausschütten.[154] Mit anderen Worten: Die Gesellschaft schrieb tiefrote Zahlen, der Aktienwert lag im Keller. Mautners abwartende Haltung hatte sich bezahlt gemacht.

Und so erwarb nun die Österreichische Textilwerke AG, vorm. Isaac Mautner & Sohn 1916 die Aktienmehrheit der Vereinigten Österreichischen Textilindustrie AG. Präsident der Österreichischen Textilwerke war Isidor Mautner, die Vereinigte Österreichische Textilindustrie AG nur noch eine weisungsgebundene Tochtergesellschaft.

Damit war Isidor Mautner am Ziel. Er verfügte nun über das größte Textilimperium des Kontinents mit 42 Betrieben und 23.000 Beschäftigten. Seine Fabriken standen in Böhmen und Deutschland, in Ungarn und Rumänien, in Bulgarien und Serbien, in Niederösterreich, der Krain (heute ein Teil Sloweniens) und im Küstenland (heute Teil Sloweniens, Kroatiens und Italiens). Seine Handelsbeziehungen erstreckten sich bis Asien und Südamerika.

Isidor Mautner, über den der Prager *Börsen-Courier* spottete, er sei so klein, dass er „im Eisenbahncoupé nicht einmal ins Gepäcknetz langen konnte,"[155] war nun der Größte. Sein Vermögen wurde auf hunderte Millionen Kronen geschätzt, in Euro umgerechnet war er also mehrfacher Milliardär.[156] Er war Präsident der Österreichischen Textilwerke AG, Präsident der Ungarischen Textilindustrie AG, Präsident der Ungarisch-Amerikanischen Northrop Webstuhl- und Textilfabrik AG und Direktionsmitglied der Kaschau-Oderberger Eisenbahn, die an Rosenberg vorbeiführte. Er war auch Vizepräsident der Zuckerfabrik Schoeller AG und er saß im Verwaltungsrat der Vereinigten Österreichischen Textilindustrie AG, der Pottensteiner Baumwollspinnerei AG und der Triester Baumwollindustrie AG. Zudem trug er mit Stolz den Titel eines Kommerzialrates und eines Ehrenbürgers von Schumburg.

Und nicht zuletzt war Isidor Mautner auch Präsident der 1892 entstandenen Wiener Creditgesellschaft für Industrie und Handel GmbH für alle Zweige des Bankgeschäfts unter besonderer Pflege des internationalen Geschäfts, eine registrierte Genossenschaft mehrerer Wiener Unternehmen wie etwa der Firma Samuel Taussig & Söhne, mit der Mautner die „Konfektionsanstalt" gemeinsam betrieb.[157] 1921 sollte aus dieser eher unbedeutenden Selbsthilfeorganisation die Neue Wiener Bankgesellschaft hervorgehen, über die noch einiges zu sagen sein wird.

Im Krieg

Der Krieg mochte der Vereinigten Österreichischen Textilindustrie AG (und natürlich nicht nur ihr) große Verluste zugefügt haben. Aber Isidor Mautner nutzte den Krieg beherzt als unternehmerische Herausforderung.

Nach der Übernahme der Vereinigten Österreichischen Textilindustrie verschob sich zwangsläufig die geografische Orientierung Mautners. Bisher hatten sich seine Investitionen und Neuerwerbungen fast ausschließlich auf den böhmischen Raum beschränkt, genau genommen sogar nur auf Náchod und die Region um Reichenberg. Ausnahmen waren lediglich die Weberei im niederösterreichischen Trattenbach und der Industriekomplex in Rosenberg.

Das änderte sich nun gründlich, denn zur Vereinigten Österreichischen Textilindustrie AG gehörten auch mehrere niederösterreichische Unternehmen, nämlich die von ihr bereits 1912 erworbene Spinnerei in Sollenau,[158] die Pottensteiner Baumwollspinnerei AG und die Baumwollspinnerei Friedrich Eltz Erben in Neunkirchen mit 40.000 Spindeln.[159] Und mehr noch: Mautners Firmenimperium reichte nun sogar bis zur Adria, denn auch die bei Triest gelegene Spinnerei in Monfalcone war nun unter seiner Kontrolle. Allerdings nützte ihm diese Fabrik wenig, denn sie war ebenso wie andere Spinnereibetriebe an der umkämpften Isonzo-Front so zerstört worden, dass dort nichts mehr hergestellt werden konnte. Da half es nichts, dem malerischen Standort am Mittelmeer nachzutrauern, jetzt mussten neue Fabriken her. „Um den Umfang unseres Unternehmens nicht zu verkleinern", so daher der Geschäftsbericht für 1917, wurden als Ersatz neue Produktionskapazitäten gesucht. So erwarben die Österreichischen Textilwerke 1916 die Aktienmehrheit an der Fried. Mattausch & Sohn AG für Textilindustrie im böhmischen Franzensthal (Františkov nad Ploučnicí) und an der altehrwürdigen k.k. priv. Pottendorfer Baumwollspinnerei und Zwirnerei AG in Niederösterreich. 1917 kam eine Majorität an der Felixdorfer Weberei und Appretur AG, ebenfalls in Niederösterreich gelegen, hinzu.[160]

Eine weitere unmittelbare Auswirkung des Kriegs war der enorme Rohstoffmangel, verursacht durch die Blockadepolitik der Kriegsgegner. So wurde 1917 die Streichgarn- und Vigognespinnerei Göldner in Friedland (Frydlant) übernommen, weil man davon ausging, „daß die Baumwollspinnerei noch längere Zeit nicht über genügend Rohmaterial verfügen wird und daher der Streichgarnspinnerei erhöhte Bedeutung zukommt"[161].

In den gleichen Zusammenhang gehört auch die Gründungsbeteiligung an der in der Steiermark gelegenen Pölser Papierfabrik GmbH im Jahre 1916. Wie der Geschäftsbericht von 1918 feststellte, waren die Mautner-Werke gezwungen, sich „ausschließlich der Verarbeitung von Surrogaten zuzuwenden". Die Pölser Fabrik konnte Spinnpapier herstellen, damit war man unabhängig von Importen: „Es ist uns gelungen, die Papierspinnerei und -weberei auszugestalten und entsprechenden Absatz für deren Produkte zu erzielen", stellt der Bericht stolz fest.[162] Aus dem gleichen Grund beteiligte man sich 1916 auch noch an der Gründung der Eisenwerke Sandau (Sandov), damit auch die Herstellung der Textilmaschinen nun innerhalb des Konzerns erfolgen konnte. So wurde beispielsweise eine Schaftmaschine aus Sandau an die Deutschen Textilwerke Mautner in Plauen geliefert.[163]

Wie man sieht, eröffnete der Krieg durchaus unternehmerische Perspektiven. So ließen die österreichischen Importschwierigkeiten die Gewinne der Mautnerschen Betriebe geradezu explodieren. Die Österreichischen Textilwerke AG steigerten ihren Gewinn von 381.685,61 Kronen im Jahre 1913[164] auf nicht weniger als 4.825.049,21 Kronen im Geschäftsbericht für 1917, also um mehr als das Zwölffache.[165]

Allerdings nur nominal. Denn man muss berücksichtigen, dass die Krone im Verlauf der Kriegsjahre erheblich an Wert verlor. Er betrug 1917 nur noch etwa ein Neuntel des Vorkriegsstandes.[166] Inflationsbereinigt betrug der Gewinn im Jahre 1917 gegenüber 1914 also nur etwa 537.000 Kronen. Aber was heißt hier „nur"? Auch das ist immerhin eine Steigerung des Gewinns um mehr als 40 Prozent. Der Krieg war ein gutes Geschäft, zumal auch im Geschäftsbericht für 1918 wieder ein Reingewinn von über 4 Millionen Kronen ausgewiesen werden konnte.

Da konnte man auch großzügig auf Firmenkosten Kriegsanleihen kaufen, hoffte man doch immer noch auf einen erfolgreichen Ausgang. „Die

glückliche Beendigung des Kriegs im Osten", so lesen wir im Geschäftsbericht für das Jahr 1918, „berechtigt uns zu der Hoffnung, daß wir dem
allgemeinen Frieden nicht mehr ferne sind". Tatsächlich war es gelungen, dem Kriegsgegner Russland mit Hilfe Lenins einen Frieden aufzu-
zwingen und damit den Zweifrontenkrieg zu beenden.

Und so wurde beschlossen, gemeinsam mit der Vereinigten Österreichischen Textilindustrie AG für nicht weniger als 6 Millionen Kronen
Kriegsanleihen zu kaufen.[167] War das verzweifelter Optimismus? Oder
gar patriotische Verblendung?

Wohl kaum. Isidor Mautner war zweifellos ein nüchtern kalkulierender
Unternehmer, dessen Geschäftserfolg auch auf der Bereitschaft beruhte,
bei Investitionen ein gewisses Risiko einzugehen. Ihm war sehr deutlich
bewusst, dass ein verlorener Krieg den Zerfall der Österreich-Ungari-
schen Monarchie und somit den Verlust des großen Wirtschaftsraumes
bedeuten würde, in dem sich sein Konzern entfalten konnte. Zudem war
klar, dass der Verlierer des Krieges für die gigantischen Kosten herangezogen werden würde. Im Falle eines Sieges gut fürs Geschäft, im Falle
einer Niederlage aber eine Katastrophe. Insofern kann man die Kriegsanleihen als Investitionen verstehen, die einer nüchternen ökonomi-
schen Interessenabwägung entsprachen.

Es war aber noch mehr als das. Isidor Mautner war wie seine ganze
Familie und wie fast alle Juden überzeugter Monarchist, er sah im Kaiser
seinen Schutzherren gegenüber den immer virulenten antisemitischen
Strömungen in dem Vielvölkerstaat.[168] Den Nationalisten traute man in
dieser Hinsicht ebenso wenig über den Weg wie der Republik. Die Republik bedeutete freie Wahlen und was das bedeuten konnte, hatte man
in Wien gesehen: Dort war durch freie Wahlen der Antisemit Karl Lueger
an die Macht gekommen. Wer wusste, was nach einem verlorenen Krieg
geschehen würde? Würde man dann womöglich wieder mal den Juden
die Schuld an allem Unglück geben?

Dann doch lieber einige Millionen in die kaiserliche Armee investieren.
Und so hatten alles in allem die Österreichischen Textilwerke AG – ab
1916 gemeinsam mit der Vereinigten Österreichischen Textilindustrie
AG – Kriegsanleihen in Höhe von insgesamt 17 Millionen Kronen gezeichnet.

Kapitel 3
GANZ OBEN – FAMILIE MAUTNER

„In kaum einer anderen Stadt Europas war nun der Drang zum Kulturellen so leidenschaftlich wie in Wien"
(Stefan Zweig, 1942)

Die Metropole

Um 1900 war Wien eine der größten Städte der Welt und ohne Zweifel eine der auf- und anregendsten Metropolen zugleich, eine weltoffene Stadt, ein Schmelztiegel der unterschiedlichsten Völker und Kulturen. Hierhin strömten reiche jüdische Finanzmogule wie die Rothschilds und Ephroussis ebenso wie verzweifelte ostjüdische Schtetlbewohner, die ihrem hoffnungslosen Elend entkommen wollten, reich gewordene böhmische Unternehmer wie die Mautner-Markhofs, die Kubinskys oder „unsere" Mautners ebenso wie arme böhmische Landbewohner, die als Dienstmägde und Maurer, als Serviererinnen und Fuhrleute, als Wäscherinnen und Fabrikarbeiter eine menschenwürdige Existenz suchten. In Architektur, Musik, Malerei, Design gingen von hier entscheidende Impulse für das 20. Jahrhundert aus, hier praktizierten die besten Mediziner der Welt, hier wurde – nicht zuletzt durch großzügige Aufträge jüdischer Industrieller und Bankiers – die zeitgenössische Architektur maßgeblich geprägt und der Jugendstil geboren, entscheidende Modeströmungen nahmen hier ihren Ausgang.

Einen ganz wesentlichen Anteil an dieser kulturellen Blüte und intellektuellen Kreativität hatten Wiener jüdischer Herkunft, ihr Bevölkerungsanteil lag bei etwa zehn Prozent, in bestimmten Berufen wie Journalisten und Ärzten allerdings erheblich höher. Die Redaktion der angesehenen *Neuen Freien Presse* bestand überwiegend aus jüdischen Mitarbeitern, mehr als vierzig Prozent der Wiener Medizinstudenten waren im Jahre 1913 Juden.[169] Wiener Juden vollbrachten bahnbrechende Leistungen, man denke nur an Sigmund Freud und die Psychoanalyse, an Arnold Schönberg und die Zwölftonmusik, an Arthur Schnitzler, der den ersten inneren Monolog verfasste, lange vor James Joyce.

Es gab auch eine entsprechende Nachfragestruktur. Der ganze Reichtum der Monarchie konzentrierte sich in der Hauptstadt. In Wien lebten etwa sechs Prozent der Einwohner der Monarchie, aber zwei Drittel aller Millionäre. Von den 1.513 Spitzenverdienern der österreichischen Reichshälfte mit einem Jahreseinkommen von 100.000 Kronen (ca. 1,8 Millionen Euro) und mehr lebten 929 in Wien und Umgebung.[170] Diese wohlhabende Schicht wollte unterhalten, kulturell auf höchstem Niveau versorgt werden. Es ist kein Zufall, dass sich in Wien an der Ringstraße mit dem Burgtheater, der Staatsoper, dem Musikverein und dem kulturhistorischen Museum kulturelle Einrichtungen befanden (und immer noch befinden), die zum Besten gehörten, was die Welt zu bieten hatte. Nicht nur für öffentliche Einrichtungen, auch für den privaten Bereich standen große Vermögen für kulturelle Investitionen zur Verfügung. Man ließ sich porträtieren, seine Häuser dekorativ gestalten, Maler wie Hans Makart oder Gustav Klimt wurden vermögende Leute, man beauftragte Architekten mit dem Entwurf von repräsentativen Palästen an der Ringstraße oder geräumigen Jugendstilvillen im Cottage-Viertel.

So ließ sich Theodor von Taussig, der Direktor der Bodencreditanstalt, 1894 eine riesige Villa in Hietzing bauen. Er konnte es sich leisten, er erhielt das zweithöchste Einkommen aller Wiener, mehr verdiente nur der Präsident der Creditanstalt für Handel und Gewerbe Salomon Rothschild.[171] Dass an der Spitze der beiden größten Finanzinstitute der Monarchie jüdische Bankiers saßen, ist kein Zufall. Über neunzig Prozent betrug der Anteil der Juden im Finanzsektor. Und zwei Drittel aller Millionäre Wiens waren Juden, die oft aus der Provinz zugezogen waren und nun in Wien residierten.[172]

Man brauchte sie, aber man mochte sie nicht. Der kaiserliche Hof verlieh ihnen zwar für ihre Leistungen gerne Ehrenzeichen oder belohnte ihre Konvertierung zum Christentum mit einem Adelstitel. Aber als gleichwertig wollte man sie denn doch nicht betrachten, selbst dem reichsten Mann der Monarchie, Baron Rothschild, der sich in vielerlei Hinsicht um sein Vaterland verdient gemacht hatte, verweigerte Kaiser Franz-Joseph den Händedruck.[173]

So sah das auch zu einem nicht unerheblichen Teil die nichtjüdische Bevölkerung Wiens. In kaum einer anderen europäischen Stadt gab es einen so heftigen Antisemitismus wie dort, der zudem noch vom populistischen Bürgermeister Karl Lueger nach Kräften geschürt und instrumentalisiert wurde. Er nahm zwar in erster Linie die armseligen galizischen Ostjuden aufs Korn, die sich im II. Bezirk angesiedelt hatten und oft noch in traditioneller Tracht und mit Schläfenlocken herumliefen. Die assimilierten, gebildeten und oft wohlhabenden Wiener Juden, die sich zum Teil längst von der jüdischen Religion gelöst hatten, empfanden nicht die geringste Gemeinsamkeit mit ihnen. Trotzdem schützte das auch sie nicht vor antisemitischen Anpöbeleien. So hielten es bereits in den Jahren 1886 und 1888 die österreichischen Turnvereine für geboten, „‚undeutsche' und vor allem jüdische Elemente aus den eigenen Reihen zu eliminieren"[174], ebenso musste jeder Aufnahmekandidat einen Nachweis in „völkischem Wissen"[175] erbringen; in der Sektion Wien des Deutschen und Österreichischen Alpenvereins wurde 1905 in einem Statut festgehalten, dass nur Deutsche arischer Abstammung Mitglieder werden können.[176]

Hinzu kam, dass viele Wiener sich bedroht und benachteiligt fühlten durch den massenhaften Zuzug aufstiegshungriger, arbeitsuchender Zuwanderer vor allem aus Böhmen, tatsächlich lebten 1910 in Wien mehr Tschechen als in Prag. So wurde Wien zu einer der am dichtesten besiedelten Städte der Welt. Jenseits der traditionellen Wohnbezirke in der inneren Stadt und innerhalb des „Gürtels", der ehemaligen Stadtbefestigung, wucherten ringförmig Vororte mit endlosen Reihen karg ausgestatteter enger Mietskasernen, den berüchtigten Bassenas. Die engen Wohnungen, die über keine eigenen sanitären Einrichtungen verfügten, waren auch noch in einer geradezu aberwitzigen Weise überbelegt, bis hin zu mehreren Schlafschichten. Kein Wunder, dass beispielsweise in Ottakring (XVI. Bezirk) im Jahre 1886 ein Drittel der Neugeborenen im ersten Lebensjahr starb und die Tuberkulosehäufigkeit fünf mal so hoch war wie in der inneren Stadt.[177] Besonders die Industriearbeitervororte Favoriten im Süden (X. Bezirk) und Floridsdorf jenseits der Donau im Norden Wiens (XXI. Bezirk) bildeten eine triste Mischung aus Industrieanlagen, Gleiskörpern, Brachland und aus dem Boden gestampften Zinskasernen. Ein größerer Kontrast zu den prunkvollen Unternehmerpalästen an der Ringstraße oder den großzügigen Villen im Währinger Cottage-Viertel lässt sich kaum vorstellen.

Mäzenatentum und soziales Engagement

„Mautner gilt als wohltätig", heißt es in einem Bericht des Ministeriums für Handel und Verkehr aus dem Jahr 1927, als man überlegte, Isidor Mautner anlässlich seines 75. Geburtstags einen Orden zu verleihen.

Als Beleg wurde unter anderem darauf hingewiesen, dass er im Wiener Vorort Dornbach ein Grundstück und ein Gebäude für ein „kaufmännisches Waisenhaus" zur Verfügung gestellt hatte.[178] Tatsächlich konnte man wohl kaum besser demonstrieren, dass man nicht hartherzig ausschließlich auf Mehrung seines Vermögens bedacht, sondern bereit war, seinen Reichtum für mildtätige Zwecke einzusetzen. Denn wer war schutzwürdiger und mehr auf Hilfe angewiesen als elternlose Kinder?

Seit den 1880er Jahren verdiente Isidor Mautner mit seinen Unternehmen so viel Geld, dass er zu den wohlhabenden Bürgern Wiens gehörte. Von diesen Kreisen konnte man erwarten, dass sie sich für wohltätige und kulturelle Zwecke engagierten und sich finanziell an gesellschaftlich wichtigen Einrichtungen und Unternehmungen beteiligten. Die soziale Kontrolle – und Belohnung – erfolgte über eine Veröffentlichung in der *Wiener Zeitung*, wo die jeweiligen Spender mitsamt der Spendensumme mit vollem Namen aufgezählt wurden.

Isidor Mautners bedeutendste soziale Leistung, auf die ebenfalls der Bericht des Ministeriums verwies, wurde allerdings nicht in der *Wiener Zeitung* vermerkt, sondern im Geschäftsbericht der Österreichischen Textilwerke AG vormals Isaac Mautner & Sohn von 1918. „Für immerwährende Zeiten", wie es dort heißt, wurde ein Isidor Mautner-Fond gegründet für die Unterstützung von Angestellten und Arbeitern der Österreichischen Textilwerke AG vormals Isaac Mautner & Sohn, der mit einer Million Kronen ausgestattet wurde.[179] Noch viele Jahre später erinnerten die Betriebsräte des Mautner Konzerns in einer Traueranzeige für den 1930 verstorbenen Isidor Mautner an diese zukunftsweisende soziale Stiftung, die 1924 nochmals aufgestockt wurde.

Natürlich steckte dahinter auch ein ökonomisches Kalkül: zufriedene Arbeiter streikten weniger, arbeiteten zuverlässiger, blieben der Firma treu. Aber es war doch mehr: Isidor Mautner betrachtete seine Arbeiter und Angestellten offensichtlich nicht nur als „Arbeitsmaterial" – ein vielsagender Begriff, der in der damaligen Wirtschaftsliteratur durchaus gängig war[180] – sondern er fühlte sich offensichtlich für sie verantwortlich. Auch aus diesem Grund stellte er auf dem Fabrikgelände in Rosenberg umfangreiche soziale Einrichtungen für seine Arbeiter und Angestellten bereit und setzte in Schumburg die soziale Tradition seines Vaters fort. Isidor Mautner fand dafür große Anerkennung, 1907 wurde er wie einst sein Vater mit der Ehrenbürgerwürde der Stadt Schumburg ausgezeichnet.[181]

Dagegen kann man darüber streiten, ob es als soziale Leistung gelten kann, dass der *Wiener Zeitung* zufolge Isidor Mautner am 18. November 1914 bei der k.k. privilegierten allgemeinen österreichischen Bodencreditanstalt Kriegsanleihen in Höhe von 250.000 Kronen gezeichnet hatte. Auf jeden Fall war das eine patriotische Tat – und eine Menge Geld, nach heutiger Währung etwa 4,5 Millionen Euro, mit der Mautner seine vaterländische Gesinnung dokumentierte. Nur wenige andere Wiener Großbürger waren so großzügig, in den meisten Fällen ließen sie die Kriegsanleihen von ihren Unternehmen zeichnen. Auch da waren übrigens Isidor Mautners Österreichische Textilwerke noch mal mit 1 Million Kronen dabei, wie die *Wiener Zeitung* vermerkt.[182] Und wie wir bereits wissen, kamen noch viele Millionen in den folgenden Kriegsjahren hinzu.

Auch wenn es sich nicht um geschenktes Geld handelte, denn die Kriegsanleihen wurden verzinst und sollten nach dem Krieg nach und nach auch zurückgezahlt werden, war Mautners finanzielles Engagement alleine schon durch die Veröffentlichung in der *Wiener Zeitung* ein demonstrativer Akt. Offensichtlich wollte er sich als besonders kaisertreuer Österreicher präsentieren, der die Bereitschaft zeigte, für den Krieg Opfer zu bringen und der vom Sieg überzeugt war. Immerhin sollten wir nicht vergessen, dass sich Österreich-Ungarn im November 1914 in einer äußerst kritischen Phase befand, große Teile Galiziens waren verloren gegangen, der Schutz und die Freiheit, die Franz Joseph seinen jüdischen Untertanen gewährt hatte, waren ernsthaft bedroht, tausende jüdische Familien aus Galizien und der Bukowina flüchteten nach Wien.

Doch kehren wir zurück in die Friedenszeiten. Eine große symbolische Bedeutung hatte für Isidor, der zwanzig Jahre zuvor als kleiner Handelsvertreter nach Wien gekommen war, die Aufnahme in den Verein der Freunde des Künstlerhauses, eines Honoratiorenclubs der Spitzen der Wiener Gesellschaft. Der Mitgliedsbeitrag betrug vierzig Gulden bzw. nach 1892 jährlich achtzig Kronen, das entsprach immerhin dem Monatseinkommen eines Industriearbeiters.[183] Die Zahl der Mitglieder war begrenzt, in manchen Jahren wurde überhaupt kein neues Mitglied aufgenommen. Ein Beitritt in diesen noblen Club war nur möglich, wenn eine entsprechende Empfehlung von drei Mitgliedern vorlag. Im Falle von Isidor Mautner waren dies der Großunternehmer Anton Poschacher (1841–1904), der größte Granitproduzent der Habsburger Monarchie und Mitbegründer des Künstlerhauses, der Großhändler Eduard von Kanitz (1836–1922), der 1886 zum österreichischen Ritter geadelt worden war sowie der Großindustrielle, Bankier und Abgeordnete des Herrenhauses Philipp von Schoeller (1845–1916).[184] Am 16. Januar 1890 wurde Isidor feierlich aufgenommen.

Bei aller gesellschaftlichen Bedeutung dieser Zugehörigkeit zum Honoratiorenclub dürfte die Mitgliedschaft für Isidor Mautner aber nicht nur Selbstzweck gewesen sein, sondern auch ein inhaltliches Anliegen. Er selbst ließ sich mehrfach porträtieren, seine Frau Jenny war eine ambitionierte Kunstsammlerin und sorgte dafür, dass ihre Kinder von anerkannten Wiener Künstlern in Zeichnen und Malen unterrichtet wurden, wie Josef Breitner, der wiederum Mitglied des Wiener Künstlerhauses war. Und der älteste Sohn Stephan zeigte selbst großes künstlerisches Talent.

Das einer Renaissancevilla nachempfundene Künstlerhaus war am 1. September 1868 in unmittelbarer Nähe der Ringstraße errichtet worden, es sollte sowohl als repräsentatives Verbandsgebäude für die bildenden Künstler Österreichs als auch als Ausstellungshaus dienen. Aufgabe des Vereins der Freunde des Künstlerhauses war die Finanzierung von Bau und Betrieb dieser Einrichtung. Dieser Einfluss des „großen Geldes" sicherte den Künstlern den Zugang zu Förderern und potenten Kunstsammlern. So stand für jede Kunstausstellung im Künstlerhaus ein bestimmter Etat zur Verfügung, um ausgewählte Werke aufzukaufen.

Allerdings stand das staatstragende, konservativ ausgerichtete Mäzenatentum einer experimentellen künstlerischen Offenheit im Wege. So war es kein Wunder, dass sich 1897 eine Gruppe um Gustav Klimt absonderte, die als „Wiener Secession" eigene Wege ging und vor allem für den Wiener Jugendstil wegweisend wurde,[185] dem die Mautners übrigens überhaupt nichts abgewinnen konnten.

1911 finden wir Isidor Mautner als Spender von 1000 Kronen für die Österreichische Gesellschaft für die Erforschung und Bekämpfung der Krebskrankheit.[186] Diese Spende dürfte für ihn durchaus eine Herzensangelegenheit gewesen sein, war doch sein Vater zehn Jahre zuvor an Krebs verstorben.

1913 wird Isidor Mautner dann aufgeführt als Spender eines Betrags von 100 Kronen für „die künstlerische Ausgestaltung des Kammermusiksaales des Salzburger Mozart-Hauses"[187]. Wir dürfen wohl annehmen, dass die Spende eigentlich von Jenny Mautner stammte, die eng mit dem Wiener Musikleben verknüpft war.

Einen ganz tragischen Hintergrund hat dagegen ein Eintrag in der Wiener Zeitung vom 21. September 1916.[188] Isidor Mautner ist aufgeführt als Mitglied eines Hilfsausschusses. Am 16. September 1916 war die erst ein Jahr zuvor fertiggestellte Talsperre der Desse (Desna) im nordböhmischen Isergebirge geborsten. Eine acht Meter hohe Lawine aus Schlamm, Geröll und Wasser überrollte Dessendorf (Desna), Tiefenbach (Potočna), Schumburg und Tannwald, es gab 62 Tote. Zahlreiche Häuser und Produktionsstätten wurden fortgerissen, auch die Mautnersche Fabrik in Tiefenbach stand unter Wasser.[189] Nun galt es, die Schäden so schnell wie möglich zu beseitigen und der Bevölkerung zu helfen, die ihr Hab und Gut, mitunter auch ihr Dach über dem Kopf verloren hatte. Dazu diente der Aufruf, dem Hilfskomitee beizutreten.

Die Mitgliederliste des Komitees liest sich wie ein Who is Who der nordböhmischen Honoratiorenschicht. Wir finden dort unter anderem neben Isidor Mautner auch den uns bereits bekannten Theodor von Liebieg sowie den Teppichfabrikanten und Brauereibesitzer Wilhelm Ginzkey, den wir noch kennen lernen werden. Beide spendeten jeweils 5000

Kronen. Von einer Spende Isidor Mautners kann dagegen aus nahelie-
genden Gründen nicht die Rede sein, denn er war selbst betroffen. Die
Fabrik in Schumburg hatte schwere Wasserschäden erlitten, die Fabrik
in Dessendorf war sogar so zerstört worden, dass sie auf Dauer stillgelegt werden musste.[190]

Das Schlössel

Im Jahre 1888 schenkte Isidor Mautner seiner Frau zum 32. Geburtstag
ein kleines Schloss. Vielleicht wollte er sie damit über den Verlust ihrer
Mutter trösten, die im gleichen Jahr gestorben war. Man kann das aber
auch durchaus als einen außerordentlich großzügigen Liebesbeweis Isidors für Jenny werten, die ihm immerhin zwischen 1877 und 1886 vier
Kinder geboren hatte.

Und er konnte es sich leisten. Isidor verfügte zu dem Zeitpunkt
gemeinsam mit seinem Vater über mechanische Webereien in Náchod
und Schumburg, gemeinsam mit den Schwägern seiner Frau über eine
Spinnereifabrik in Náchod, zudem über die „Konfektionsanstalt" in Wien
zur Belieferung der Landwehr. Da kam schon einiges zusammen. Und
außerdem war ein Sommersitz der übliche Standard, wenn man zur Wiener Oberschicht gehörte.

Abb. 9: Mautner-Villa (Geymüller-Schlössel) in Wien-Pötzleinsdorf, Straßenseite

Die Wahl des „Schlössels" zeugt allerdings von einem erlesenen Geschmack. Keine neureiche Angeberarchitektur wie an der Ringstraße, nicht zu protzig, aber repräsentativ, nicht zu verspielt, aber doch mit außergewöhnlichen Details versehen, nicht zu groß, aber hinreichend geräumig für jede Art von Veranstaltungen, umgeben von einem wunderbaren Park mit harmonisch arrangierten Pflanzen und Skulpturen. Wir möchten annehmen, dass nicht Isidor diese bezaubernde Villa auswählte, sondern Jenny mit ihrem ausgeprägten Stilgefühl.

Entstanden war dieses Biedermeiergebäude mit gotischen und orientalischen Stilelementen im Jahre 1808. Der Schweizer Bankier Johann Jakob Geymüller (1760–1834) ließ es in Nachbarschaft zum deutlich größeren Schloss seines älteren Bruders Johann Heinrich (1754–1824) in dem kleinen Ort Pötzleinsdorf am Rande des Wienerwalds errichten. Beide Brüder, die 1810 geadelt wurden, gehörten zu den führenden Figuren der Wiener Gesellschaft, ihre Palais stellten Mittelpunkte des gesellschaftlichen Lebens im Vormärz dar. Diese Funktion des Hauses sollten die Mautners nun wieder aufnehmen.

Die jüngste Tochter der Mautners, Marie Kalbeck-Mautner, liefert in ihren Erinnerungen eine plastische Beschreibung des Hauses und des Parks:

„Der Eingang und die Auffahrt in den großen Hof war durch das noch bestehende Gittertor abgeschlossen. Im Hof vor dem Eingang des Hauses war ein riesiges Boskett von rosa und weißen Flieder, das den Blick vom Haus auf den Hof fast ganz verdeckte. Der Hoftrakt war ein Halbkreis, vom Gittertor bis zur Gartenstiege reichend, und enthielt die Gärtnerwohnung und das Stallgebäude und war von der Pötzleinsdorfer Straße nicht eingesehen. Am rechten Ende des Hauses wurde 1910 ein großes Zimmer angebaut und die offene Loggia etwas vergrößert und darüber eine große offene Terrasse errichtet, ein herrliches Sonnenbad, nur teilweise beschattet von dem schönen alten Kastanienbaum, der noch steht. Das Innere des baulich wunderschönen Hauses war ganz mit blonden Biedermeiermöbeln eingerichtet, nicht museal, sondern wie ein reizend wohnliches, behagliches Bürgerhaus, mit vielen der Biedermeierzeit entstammenden Kunstschätzen gestickten Teppichen, Glockenzügen, einer Sammlung von Porträts vom Anfang des 19. Jahrhunderts, Lithographien von Kriehuber[191], die den ganzen Stiegenaufgang zierten und die Paula Wessely[192] bei unserem Abschied übernahm.

Der Durchblick vom Spielzimmer nach Süden zum jetzigen Schloßpark mit den herrlichen Rotbuchen war frei und nach Norden durch die hohen Fenster und die Glastüre des Kuppelsaales auf das sonnige Grün des ansteigenden Gartens ebenfalls, so daß man von saftigem Laub umgeben war und ungehindert ins Freie sah und auf die roten japanischen Ahornsträucher die nun das Grab der Eltern auf dem Döblinger Friedhof schmücken.

Der herrliche Kuppelsaal, dessen Kuppel mit zartgetönten Guirlanden, Fruchtschalen und Schnorr-von-Carolsfeld-artigen Lumetten und Blumen bemalt war,[193] ruht auf Halbsäulen mit blaugelblich, weiß und zartgrünen Kapitälen; bei allen Fenstern des Hauses war das Fensterkreuz vermieden, wohl weil sein ehemaliger Besitzer ein türkischer Botschafter war. Maurische Motive wechselten mit Altwiener Neugotisch ab. Das Haus soll Ende des 18. Jahrhunderts erbaut worden sein. Es soll sogar ein kleines Minarett an der Ostseite des Hauses gestanden sein, was ein alter Stich zeigt. In dem Nordschlafzimmer der Eltern war noch die schöne alte Tapete vorhanden (von der ich noch Reste besitze). In der Eingangshalle des Parterres hing ein großes auf Kupfer gemaltes Bild von Kuppelwieser.[194] ,Die Iris' und ein Hochrelief ,Schubert und seine Freunde' aus dem früheren Besitz des Komponisten Eisler."[195]

Das Wohnen im Schlössel war allerdings nicht ganz unbeschwerlich, wie wir weiter erfahren: „In den ersten Jahren in Pötzleinsdorf gab es noch keine Wasserleitung und der Wagen der Eltern brachte täglich aus der Stadtwohnung in der Löwelstraße das Trinkwasser."[196] Zwar war bereits 1873 die Hochquellenwasserleitung fertiggestellt worden, die Wien bis heute mit bestem Quellwasser aus dem Rax-Schneeberg-Gebiet versorgt, eine zivilisatorische Pionierleistung.[197] Aber eben nur Wien, Pötzleinsdorf war damals noch nicht eingemeindet.

Auch die Anreise zum Schlössel war nicht ganz einfach. Man musste in der Innenstadt einen Stellwagen, also ein omnibusartiges Pferdefuhrwerk besteigen. Am Währinger Gürtel waren 4 Kreuzer Maut fällig, wie Käthy Breuer berichtet, weil man die Stadtgrenze von Wien überschritt. Gelegentlich, so berichtet sie, wurden unterwegs auch schon mal von der Feuerwehr die Pferde ausgespannt, weil man einen Brand löschen musste.[198] Später erst wurde eine Straßenbahnlinie angelegt, zunächst als Pferdebahn, ab Beginn des 20. Jahrhunderts fuhr dann die elektrische Tram, die es noch heute gibt.

Mit dem Erwerb des kleinen Schlosses in Pötzleinsdorf veränderte sich die Lebensgestaltung der Mautners grundlegend, wie Käthy Breuer erzählt:

„Wir zogen meistens Ende April mit großem Möbelwagen, der unter anderem das Bösendorfer Klavier und unzählige andere Gegenstände beförderte, hinaus, so daß wir Mutters Geburtstag am 3. Mai draußen feiern konnten, und nach Vaters Geburtstag am 7. Oktober wieder in die Löwelstraße in die Stadt. Wegen der ‚großen Entfernung' – der blaugepolsterte Pferdestellwagen brauchte über eine Stunde zum Schottentor – gingen wir zuerst alle nicht in die Schule, sondern hatten einen Hauslehrer, Herrn Wagner, der uns in den Volksschulfächern unterrichtete. Als Stephan mit zehn Jahren in die Realschule eintrat, fuhr er täglich mit seinem Vater hinein, denn Vater hatte zuerst einen Einspänner und später einen zweispännigen Wagen angeschafft. Die Pferde waren im Stallgebäude untergebracht und nebenan war ein Zimmer für den Stallburschen und den Gärtnerburschen. An der anderen Seite des Stalles war die Wohnung des Gärtners und seiner Familie. Das Gärtnerehepaar Karl und Therese Hradek hatte sechs Kinder, die unsere täglichen Spielgefährten waren, und man kann sich vorstellen, welche herrlichen Spiele und Veranstaltungen bei uns stattfanden. Übrigens waren während der Woche unsere Tage genau mit Stunden besetzt, und nur sonntags waren die Gärtnerkinder alle mit uns."[199]

Abb. 10: private Theateraufführung bei Mautners; links Käthy, rechts Marie

Für die Kinder wurde auf dem Gelände ein Tennisplatz angelegt und eine Theaterbühne eingerichtet, auf der die Kinder Käthy zufolge fast jeden Sonntag Aufführungen inszenierten, oft selbst verfasste Texte, in phantasievollen Kostümen, die Dekorationen wurden vor allem von Stephan und Konrad angefertigt. Die Begeisterung der beiden Töchter für die Schauspielerei wird in den Schilderungen Käthys mehr als deutlich. Seitenweise berichtet sie detailliert von diversen Inszenierungen bis hinein ins Erwachsenenalter. Selbst ihre Verlobung gestaltete sie in einer historischen Kostümierung.[200]

Die Liebe zum Theater war kein Zufall. In der Löwelstraße wohnten die Mautners direkt gegenüber dem Bühneneingang des 1888 fertig gestellten Burgtheaters. Die Kinder beobachteten begeistert, wie die Schauspieler eintrafen und das Gebäude über den Theatereingang

Abb. 11: Josef Kainz zu Besuch in der Mautner-Villa (1904),
v. l. n. r. Josef Kainz, Käthy, Marie, Jenny Mautner

betraten. Wie auch andere Kollegen nahm der Burgschauspieler Josef Kainz (1858–1910) gerne das Angebot an, nach dem Theater hinüber in die Wohnung der Mautners zu kommen, um, wie Marie Kalbeck-Mautner schreibt, „die durch das Spiel erzeugte Erregung durch ein Gespräch abklingen zu lassen"[201].

Das war eine große Ehre, um die viele Wiener die Mautners beneidet haben dürften. Josef Kainz, der zuvor im Ausland große Bühnenerfolge gefeiert hatte, war seit 1899 am Burgtheater tätig und wurde am Heiligen Abend des gleichen Jahres zum „k. u. k. Hofschauspieler" ernannt, die höchste Ehre, die ein Schauspieler in der theaterbesessenen Stadt Wien erlangen konnte. Die Verehrung für ihn war demgemäß grenzenlos: „Selbst dem Kammerdiener von Joseph Kainz sahen wir respektvoll auf der Straße nach, weil er das Glück hatte, diesem geliebtesten und genialsten Schauspieler persönlich nahe sein zu dürfen," schreibt Stefan Zweig.[202]

Zwischen den Mautners und Josef Kainz entwickelte sich eine tiefe familiäre Freundschaft. Man traf sich im Schlössel, auch in der Sommerfrische am Grundlsee oder man reiste gemeinsam in die Schweiz. Besonders Tochter Marie schwärmte für den Mann mit der ausdrucksvollen Mimik, der als bedeutendster deutschsprachiger Schauspieler seiner

Zeit galt.[203] Nach seinem Tod wurde er in der Wohnung der Mautners aufgebahrt, Marie setzte sich engagiert für die Schaffung einer Kainz-Büste im Burgtheater ein[204] und verfasste noch vierzig Jahre später über ihn einen Gedenkband mit zahlreichen Fotos und eigenen Grafiken.[205]

Geradezu rührend ist dabei Maries Schilderung, wie es Kainz gelang, zumindest für einen kleinen Augenblick den ansonsten so nüchternen Geschäftsmann Isidor Mautner in die entrückten Sphären der Theaterwelt zu entführen:

„Ein Abend ist mir in besonderer Erinnerung geblieben. Kainz hatte einige Freunde zum Nachtmahl eingeladen; er ließ seine besten Weine kommen und in später Stunde, als sein Gespräch immer hinreißender wurde, füllte er eine blaugoldene Schale, ein Geschenk König Ludwigs II., mit einem besonders köstlichen Jahrgang. Er diskutierte gerade über ein Versstück, aber jetzt, als die Schale von Mund zu Mund ging, griff er zum Buch und das Stück entstand wie neugeboren, gesteigert durch die Glut seiner Sprache, durch den Duft und die Grazie seiner Wiedergabe. Die Verse stiegen wie Champagnerperlen aus aromatischem Becher ... Da hat mein lieber Vater, der, vom frühesten Morgen an seine Riesenarbeit leistend, abends begreiflicherweise immer sehr müde war, da hat dieser sonst so fest auf dem Boden der Wirklichkeit stehende Mann, erfrischt und begeistert wie wir alle, sich die grünen Ranken, die den Tisch schmückten, zum Kranz um die Stirn gelegt – und dann über sich selbst verlegen gelacht ... Eine Hingerissenheit im Zauber der Stimmung, entrückt dem Realen – wir konnten's nicht anders ausdrücken! Keine „Barstimmung", sondern reines Glück ... Das Verlieren der eigenen Person durch die Macht einer einmaligen Erscheinung ..."[206]

Jenny Mautners Salon

Stellen wir uns einen Sonntagabend vor, sagen wir Ende August 1912. Ein warmer, lauschiger Sommerabend in Pötzleinsdorf. Vom Wienerwald streicht eine sanfte Brise durch den gepflegten Park, leise plätschert der Springbrunnen. Man diskutiert über die letzten Inszenierungen des Burgtheaters, man ist sich einig, dass Josef Kainz mit seinem Tod eine Lücke gerissen hat, die immer noch nicht geschlossen werden konnte, man isst eine Kleinigkeit, die eintreffenden Gäste werden mit Champagner empfangen. Heute sollen einige junge Musiker vorbeikommen, heißt es, darunter ein spanischer Cellist, von dem man sich Wunderdinge verspricht. Man ist gespannt.

Ferdinand Schmutzer müht sich mit seinem Stativ ab, um die Gesellschaft auf seine Fotoplatten zu bannen. Arthur Schnitzler steckt sich genussvoll eine Zigarre an. Felix Salten macht ihn auf die bildschöne jüngste Tochter des Hauses aufmerksam, die die Gäste mit einem strahlenden Lächeln empfängt. Sie sei noch zu haben, meint er und zwinkert Schnitzler aufmunternd zu. Schnitzler blickt der schwarzhaarigen, schlanken, jungen Frau hinterher. „Frl. Marie sehr sympathisch" wird er später in sein Tagebuch notieren.[207]

Am Eingang entsteht Bewegung. Richard Strauss und Frau sind eingetroffen. Frau Strauss beschwert sich über den Chauffeur, der sich nicht beeilen wollte. Strauss blickt ein wenig betreten in die Runde, ihm ist die Szene peinlich, dann hellt sich sein Blick auf, als er Hugo von Hofmannsthal erblickt. Beide hatten im Jahr zuvor einen Riesenerfolg mit dem „Rosenkavalier", nun ist die neue Oper Ariadne auf Naxos fast fertig, aber Strauss möchte noch einige Details des Librettos mit Hofmannsthal klären. Später sieht man, wie sich Max Reinhardt zu den beiden hinzugesellt. Es geht um ein Festspielprojekt, so wird gemunkelt. In Salzburg.

Neue Gäste treffen ein. Eine Gestalt mit wehender weißer Mähne, aufrechtem Gang. „Da schau her", murmelt Max Reinhardt, „der Großmeister gibt sich die Ehre. Ob es dieses Jahre etwas wird mit dem Nobelpreis?"

„Der Gerhard Hauptmann? Ah, geh," meint Hugo von Hofmannsthal, „der hat doch schon seit Jahren nichts Gescheites mehr geschrieben!"

„Na eben!" antwortet Max Reinhardt.

So könnte es gewesen sein, damals in Pötzleinsdorf.

„Es war damals üblich, an einem bestimmten Tag der Woche für seine Freunde zu Hause ‚zum jour' zu sein", schreibt Marie Kalbeck-Mautner. „Bei uns war es der Sonntag, der sich meist von Mittagsgästen bis übers Nachtmahl hinaus zog."[208]

In der Tat hielten seit dem frühen 19. Jahrhundert in Wien (und nicht nur in Wien) die Gattinnen wohlhabender Persönlichkeiten regelmäßig „Salons" ab, bei denen Maler, Schriftsteller und Musiker zwanglos mit Unternehmern, Staatsbeamten und Diplomaten zusammentrafen, um miteinander geistreich zu plaudern, zu diskutieren, vorzutragen, zu musizieren. Es bildeten sich Netzwerke, Geschäftsbeziehungen und zarte Bande.

Jenny und Isidor Mautner waren seit den 1880er Jahren regelmäßig Gäste im Salon der Baronin Todesco gewesen, in dem riesigen Neo-Renaissancepalais an der Kärntner Straße 51 gegenüber der Staatsoper. Baron Eduard von Todesco, wie Isidor Mautner jüdischer Abstammung, besaß eine der größten österreichischen Textilfabriken, nicht weit von Wien, in Marienthal und Isidor Mautner hatte für die enorme Summe von 676.000 Gulden Anteile an dieser Fabrik gekauft.[209] Jahrzehnte später soll dieser Ort für Isidor Mautner noch schicksalhafte Bedeutung bekommen.

Hier knüpften die Mautners Kontakte zu den Größen der Kulturszene, zu Eduard Spitzer (1835–1897), dem berühmten Feuilletonisten der *Neuen Freien Presse*, und zu dessen bayrischen Mitarbeiter Ludwig Ganghofer (1855–1920), der zudem als Dramaturg am Ringtheater arbeitete, das Libretto für Johann Strauss' Zigeunerbaron schrieb und außerdem mit großem Erfolg Heimatromane verfasste. Auch Hugo von Hofmannsthal (1874–1929) gehörte seit 1892 zu diesem illustren Kreis. Stefan Zweig beschreibt sehr anschaulich das ungläubige Staunen der Wiener Literaturwelt über dieses literarische Wunderkind, das schon als Gymnasiast in kurzen Hosen Gedichte von bemerkenswerter Vollkommenheit und Gedankentiefe verfasst hatte.[210]

Hier entstanden die ersten Freundschaften, die dann über vierzig Jahre lang in den Sommermonaten das Schlössel und im Winter die Wohnungen in der Löwelstraße 12, später Löwelstraße 8 zu einem bevorzugten Begegnungsort der Wiener Kulturszene werden ließen. Regelmäßig fand sich hier eine bunt gemischte Gesellschaft ein aus Diplomaten,

Abb. 12: Mautner-Villa (Geymüller-Schlössel) in Wien-Pötzleinsdorf, Gartenseite

hohen Staatsbeamten, Industriellen, Theaterdirektoren, Schauspielern, Schriftstellern, Journalisten, Musikern, Komponisten und Malern.[211] Ein erlesener Kreis, Käthy Breuer und Marie Kalbeck-Mautner erinnern sich an dutzende prominenter Namen, darunter eine ganz erstaunlich große Zahl von Persönlichkeiten, die heute noch Teil einer lebendigen kulturellen Tradition sind.

Jenny Mautner war eine ausgezeichnete Sängerin und Pianistin. Sie engagierte sich in der Wiener Musikszene, veranstaltete regelmäßig Hauskonzerte und auf diesem Wege ergaben sich vielfältige Kontakte zu bedeutenden Musikern. Der bekannteste Name dürfte zweifellos der Komponist Richard Strauss (1864–1949) gewesen sein, „der größte, der berühmteste lebende Musiker der deutschen Nation"[212], wie Stefan Zweig schrieb. Richard Strauss stieg mit seiner Gemahlin regelmäßig bei den Mautners ab; als er 1919 ein Engagement an die Wiener Staatsoper erhielt, bekam er von den Mautners für die erste Zeit sogar deren Wohnung in der Löwelstraße 8 zur Verfügung gestellt, bis sie eine eigene Wohnung gefunden hatten. Zum Dank widmete er Jenny Mautner sein Opus 69 Nr. 4 „Waldesfahrt nach einem Gedicht von Heinrich Heine für Singstimme und Klavier"[213] und schenkte ihr später das Manuskript seiner 1929 uraufgeführten Oper „die ägyptische Helena".[214]

Auch der damals überaus beliebte Opernkomponist Julius Bittner (1874–1939) widmete 1916 Jenny eine Komposition.[215] Weitaus bedeutender war allerdings Erich Wolfgang Korngold (1897–1957), Anfang des 20. Jahrhunderts als Wunderkind gefeiert und in den 1920er Jahren neben Richard Strauss der meistgespielte Opernkomponist, der oft in Begleitung seines Vaters, des ebenfalls berühmten Musikkritikers Julius Korngold, erschien.[216]

Bruno Walter (1876–1962), der zu einem der bedeutendsten Dirigenten des 20. Jahrhunderts werden sollte, war während der Jahre 1911 und 1912, in denen er seinen Durchbruch an der Wiener Hofoper erlebte, ein häufiger Gast bei den Mautners. Auch hier entstand eine so tiefe Freundschaft, dass er später im Exil einen engen Kontakt zu den Mautner-Kindern pflegte.[217] Ebenso konnte man den jungen Pianisten Wilhelm Backhaus (1884–1969) erleben, der noch am Anfang seiner Weltkarriere stand, oder den noch jüngeren Geigenvirtuosen Adolf Busch (1891–1952), der 1912 in Wien seine Karriere als Konzertmeister startete, 1913 seine Flitterwochen bei den Mautners verbrachte[218] und sich später als unbeugsamer Gegner der Nationalsozialisten erwies. Und selbst der legendäre katalanische Cellist Pablo Casals (1876–1973) machte seine Aufwartung im Schlössel.

Im Salon der Todescos hatten sich die Mautners in den 1880er Jahren mit dem Feuilletonisten Daniel Spitzer angefreundet, einem glänzenden Beobachter und Stilisten, dessen Kolumnen vor allem in der *Neuen Freien Presse* unter dem Titel „Wiener Spaziergänge" über Jahre hinweg die Wiener Salons mit Gesprächsthemen versorgten. Spitzer war es auch, der Jenny veranlasste, ihren Kindern Zeichenunterricht erteilen zu lassen, um ihre Beobachtungsgabe und Wahrnehmungsfähigkeit zu schulen.[219] Eine glänzende Idee, wie sich noch zeigen wird.

Auch den Schriftsteller Hugo von Hofmannsthal kannten die Mautners bereits seit jungen Jahren. In Berlin war 1911 unter Regie von Max Reinhardt sein „Jedermann", uraufgeführt worden, der heute noch regelmäßig die Salzburger Festspiele eröffnet. Zudem schrieb Hofmannsthal für Richard Strauss die Libretti für dessen wohl bekannteste und erfolgreichste Opern, wie den „Rosenkavalier" (1911). Als einer der treuesten Freunde der Mautners hielt er 1922 dort eine Festrede zu Gerhard Hauptmanns sechzigstem Geburtstag.[220]

Hugo von Hofmannsthal war es auch, der Arthur Schnitzler (1862–1931), Anfang des 20. Jahrhunderts der meistgespielte Dramatiker auf deutschen Bühnen, in den Salon der Mautners einführte. Schnitzler fand, wie sein Tagebuch verrät, „Frl. Marie sehr sympathisch" und notierte über den zweitältesten Sohn der Mautners 1895 sogar: „Konrad Mautner, großes Talent."[221] Konrad hatte Schnitzler einige Gedichte in ganz eigenwilliger mittelalterlicher Gestaltung gezeigt, die diesen offensichtlich tief beeindruckten.

Hofmannsthal und Schnitzler gehörten zu der Literatengruppe des „Jungen Wien", die um die Jahrhundertwende versuchte, den vor allem von Gerhard Hauptmann geprägten Naturalismus zu überwinden. So gelangte auch Felix Salten (1869–1945, eigentlich Siegmund Salzmann), der mit Schnitzler gut befreundet war und ebenfalls dem „Jungen Wien" angehörte, zu den Mautnerschen Soiréen. Vor dem Krieg war Salten, ein großer Bewunderer des Zionisten Theodor Herzl, einflussreicher Redakteur beim *Fremdenblatt* und der *Neuen Freien Presse*. Unvergesslich wurde er nach dem Krieg durch seinen 1923 erschienen Roman Bambi.[222]

Der prominenteste Besucher der Mautnerschen Soiréen war aber ohne Zweifel der Dramatiker Gerhard Hauptmann (1862–1946), der 1912 den Literaturnobelpreis erhielt. Das hinderte Käthy allerdings nicht, sich über seine gelegentlich etwas töricht daherredende Ehefrau lustig zu machen: „An einem anderen Abend sagte Frau Hauptmann: ‚Es gibt Bücher, ohne die ich nicht leben möchte', worauf der ungarische Gesandte höflich fragte: ‚Welche, zum Beispiel?' Worauf ihr nicht ein einziges einfiel und sie verzweifelt rief: ‚So hilf mir doch, Gerhard!'"[223] Allerdings blieb auch die Ehefrau von Richard Strauss nicht verschont von Käthys kritischem Blick. Fast eine ganze Seite ihrer Erinnerungen widmet sie einer Auflistung der schlechten Eigenschaften und deplatzierten Auftritte von Paula Strauss, fast könnte man meinen, Käthy sei eifersüchtig gewesen.

Gern gesehen wurden auch bildende Künstler; vor allem der älteste Sohn Stephan, aber auch Konrad und Marie hatten malerisches Talent und erhielten daher spezielle Förderung.

Dieser Aufgabe widmete sich vor allem Josef Breitner (1864–1930), der unter anderem auch eine massive, tellergroße Bronzeplakette von Isidor Mautner anfertigte, die heute in den Tiefen des Regionalarchivs im tschechischen Zamrsk schlummert. Breitner unterrichtete an der Wiener Kunstgewerbeschule und war Mitglied des Wiener Künstlerhauses. Einen gewissen Nachruhm verschafft ihm das von ihm gestaltete Standbild Herzog Heinrich Jasomirgotts an der Schottenkirche in Wien.[224]

Auch Ferdinand Schmutzer (1870–1928) wurde durch seine Unterrichtätigkeit für die Mautner-Kinder zum häufigen Gast im Mautnerschen Salon. Ihm verdanken wir zahlreiche Fotografien der Mautners, deren Gäste und der Mautner-Villa, sowie ein Porträt von Isidor, das heute noch im

Abb. 13: Bronzeplakette zum 65. Geburtstag Isidor Mautners, angefertigt von Josef Breitner 1917

Schlössel in Pötzleinsdorf hängt. Schmutzer hatte die Wiener Akademie der bildenden Künste besucht, wurde dort später selbst Professor der Radierkunst, von 1922–1924 sogar deren Leiter. 1901 trat Schmutzer der Wiener Secession bei, 1914 bis 1917 war er deren Präsident. Allerdings hatten zu diesem Zeitpunkt die wichtigsten Protagonisten diese Vereinigung längst wieder verlassen.

Hugo Charlemont, der speziell engagiert worden war, um Stephans malerische Begabung zur Entfaltung zu bringen, war von den Dreien sicherlich der bedeutendste Künstler. Von ihm stammt beispielsweise eines der ersten Gemälde, in dessen Mittelpunkt ein Kraftfahrzeug steht: eine helle, sonnige, halb verschneite Mittelgebirgslandschaft, belebt in impressionistischem Stil durch eine Dame mit orangefarbenem Sonnenschirm, den der Hintergrund aus frischem Grün und glitzernden Schneeflächen regelrecht zum Leuchten bringt, begleitet von einem Kavalier mit Schirmmütze. Beide befinden sich in einem wundervollen kutschenförmigen Carl-Benz-Fahrzeug und steuern in großem Schwung auf den Betrachter zu. Theodor von Liebieg war Auftraggeber dieser Arbeit mit dem Titel „die Autofahrt" aus dem Jahr 1900, die ihn selbst nebst Gemahlin auf dem Reichenberger Ausflugsberg Jeschken (Ještěd) zeigt.[225] Charlemont fertigte im Auftrag Isidor Mautners auch drei großformatige Zeichnungen der mechanischen Webereien in Náchod, Schumburg und Trattenbach an.

Es fällt allerdings auf, dass die Namen dieser Kunstmaler, damals arrivierte Künstlerpersönlichkeiten, heute allesamt nahezu vergessen sind. Auch wenn Schmutzer Mitglied der Secession war, kann man auch ihn wohl kaum als Vorboten einer künstlerischen Moderne bezeichnen. Auch Hugo Charlemont, der sich damals vor Aufträgen kaum retten konnte, ist heute nur noch Spezialisten ein Begriff. Robert Musil setzte ihm in seinem Roman „Der Mann ohne Eigenschaften" unter dem Namen van Helmond ein literarisches Denkmal, auch seine Tochter Alice kehrt dort als Clarisse wieder. „Die Neueinrichtung alter Schlösser bildete die besondere Fähigkeit des bekannten Malers van Helmond", spottete Musil.[226]

Damit entsprachen diese Maler allerdings durchaus dem Geschmack der Mautners. Käthys und Marie Mautners Beschreibungen der Einrichtung des Schlössels lassen erkennen, welche Gemälde Jenny zusagten: gediegene Bürgerlichkeit, Biedermeier, akademische Malerei. In der Hauptwohnung in der Löwelstraße hingen bemerkenswerte, hochrangige Kunstwerke, etwa zwei Radierungen von Rembrandt, Gemälde von Pieter Brueghel d.J., Franz von Lenbach oder Franz von Stuck, auch ein Aquarell Rudolf von Alts.[227]

Aber Jugendstil oder Expressionismus fanden bei den Mautners nicht statt. Man hielt sich letztlich doch gerne an die Konvention, umstrittene, skandalträchtige Künstlerpersönlichkeiten wie die Maler Klimt, Kokoschka oder gar Schiele wären ebenso wenig akzeptabel gewesen, wie der Komponist Schönberg, selbst von Besuchen Gustav Mahlers ist nichts bekannt. Die Mautnerschen Sonntagssoiréen waren eben gutbürgerliche Veranstaltungen, bei denen es um Erbauung und nicht um kulturelle Neubewertung ging. Klimt war ein Wüstling, Schiele ein Pornograph, Kokoschka ein Irrer und Schönbergs Zwölftonmusik ein kakophonischer Irrweg, den man sich nun wirklich nicht antun musste. Schnitzlers Dramen waren das Äußerste, was man tolerieren konnte.

Und wenn man gewusst hätte, dass Felix Salten der heimliche Verfasser der Josefine Mutzenbacher gewesen war, hätte mit Sicherheit sein Fuß niemals die Schwelle des Schlössels übertreten dürfen.

Einzige Ausnahme bildete Jennys Neffe Fritz Wärndorfer, der aus verwandtschaftlichen Gründen Zugang hatte. Die von ihm aufopferungsvoll finanzierten Wiener Werkstätten waren in der Tat ein kühner Schritt in die Modernität und es gelang ihm tatsächlich, auch seine Tante Jenny zum Kauf einiger Produkte zu überreden.[228]

Aber ob Jenny davon auch überzeugt war? Man darf es bezweifeln, denn als 1930 der Haushalt in der Löwelstraße 8 aufgelöst werden musste, wurde die komplette Sammlung aus den Wiener Werkstätten dem Dorotheum zur Versteigerung übergeben, kein einziger Gegenstand schien es wert, ins Schlössel mitgenommen zu werden, noch nicht einmal einer der vier Salzstreuer.

Trotz dieser Begrenztheit ist allerdings doch erstaunlich, dass Jenny Mautners Salon in kulturgeschichtlichen Untersuchungen so gut wie völlig ignoriert wird.[229] Mag sein, dass von ihren Soiréen keine solch zukunftsweisenden Impulse ausgingen wie etwa vom Salon Berta Zuckerkandls. Aber immerhin versammelten sich bei den Mautners über vierzig Jahre lang regelmäßig einige der bedeutendsten Künstler ihrer Zeit. Auch wenn Ikonen der Moderne wie Gustav Klimt, Kolo Moser, Otto Wagner und Adolf Loos nicht zu den Gästen gehörten, belegen doch Namen wie Josef Kainz, Richard Strauss, Max Reinhardt, Hugo von Hofmannsthal oder auch später Paula Wessely, dass auch Jenny Mautners Soiréen zu den großen Wiener Salons gehörten und es ist gut möglich, dass hier die Idee für die Salzburger Festspiele geboren wurde: immerhin gehörten die drei Protagonisten zu den treuesten Gästen Jenny Mautners.

Die Kinder

Es ist ein echter Glücksfall, dass die Mautner-Töchter Marie und vor allem Käthy in hohem Alter noch ausführliche Notizen über ihre Kindheit und Jugend in Wien hinterlassen und auch veröffentlicht hatten; wir haben bereits ausgiebig aus diesen Aufzeichnungen zitiert. Auch wenn manches Jahrzehnte später notierte Detail einer Überprüfung nicht standhält, liefern diese Erinnerungen doch einen überaus anschaulichen Einblick in das alltägliche Leben und Treiben einer wohlhabenden Wiener Familie im Fin de Siècle, bis hin zur Schilderung familiärer Rituale. „Regelmäßig aber", so schreibt Marie Kalbeck-Mautner beispielsweise, „mußten sich jeden Sonntag die Kinder und Enkel einfinden, und Mutter war ungehalten, wenn einer fehlte."[230]

Auch unsere Mutter und unsere Tante waren gelegentlich bei diesen Familientreffen zugegen, allerdings erst ab den späten 1920er Jahren, sehr steif sei es zugegangen, berichten sie, und ein wenig hochnäsig seien die Mautners auch gewesen. Entsprechend gering war ihr Interesse, an diesen Veranstaltungen häufiger als notwendig teilzunehmen. Auch Maries Beschreibung lässt durchaus durchblicken, dass für sie – wie für ihre Geschwister – diese Sonntagsveranstaltungen kein reines Vergnügen waren.

Überhaupt war wenig im Alltag der Mautner-Kinder reines Vergnügen, auch wenn manches von der Erinnerung verklärt wurde. Von den lustvoll erlebten Theaterinszenierungen abgesehen, die von Käthy so ausführlich beschrieben werden, waren sie einem strengen Zeitplan und Regelwerk unterworfen, auf deren Einhaltung Gouvernanten zu achten hatten, zunächst ein Fräulein Emma aus der Schweiz, dann die bei den Mädchen unbeliebte Mademoiselle Antoinette Damez, die nach einer tragischen Beziehung zu einem Heiratsschwindler das Haus verlassen musste. Und seit 1893 die englische Gouvernante Evelyn Caroline Ings, die zwölf Jahre bei den Mautners blieb.[231]

Geradezu paradigmatisch ist dabei der Wechsel von der französischen zur englischen Gouvernante. Schon die Umformung des Vornamens der Mutter von Eugenie in Jenny hatte diesen Paradigmenwechsel signalisiert. Französisch war die Sprache der Diplomatie und der Salons. Aber dem Englischen gehörte schon damals die Zukunft. Ganz konsequent sorgte Isidor später dafür, dass beide Söhne einige Zeit in den Vereinigten Staaten verbrachten, Stephan einige Wochen im Jahr 1899, Konrad sogar ein ganzes Jahr von 1902 bis 1903. Aber auch seinen Töchtern sollten ihre englischen Sprachkenntnisse noch bei ihrer Flucht vor den Nazis eine große Hilfe sein.

Bemerkenswerterweise war Stephan, der Älteste, geboren am 12. Februar 1877, das einzige der Mautner-Kinder, das in den Genuss eines regelmäßigen Schulbesuches kam. Er besuchte das Schottengymnasium, eine Wiener Eliteschule, die nur wenige Schritte von der Mautnerschen Wohnung in der Löwelstraße entfernt lag. In der Sommerzeit, wenn die Familie sich im Schlössel in Pötzleinsdorf aufhielt, reiste Stephan mit seinem Vater in der familieneigenen Droschke in die Stadt und besuchte die Schule bis zur Matura. Wie es ihm weiter erging, werden wir noch erfahren.

Die übrigen drei Kinder wurden dagegen nur von Hauslehrern und Miss Ings unterrichtet. So schreibt Käthy über den am 23. Februar 1880 geborenen zweiten Sohn Konrad: „Konrad, der viel an Migräne litt (er wurde ‚Konrad mit dem Plutzer' genannt), lernte die ersten Jahre zu Hause, ging mit 10 und 11 Jahren ins Schottengymnasium, lernte dann aber wieder zwei Jahre zu Hause bei Professor Wahle." Dann folgt eine seltsame Ergänzung: „Er verbrachte diese zwei Jahre in Pötzleinsdorf mit Professor Wahle, während der Rest der Familie in der Löwelstraße wohnte."[232]

Wie ist das zu verstehen? Wieso blieb der 12-jährige Bub im Schlössel, statt mit seiner Familie zusammen zu leben? Und wieso wurde er nach zwei Jahren aus dem Schottengymnasium wieder herausgenommen? Wegen seiner Migräne? Wenn ein Kind ständig über Kopfschmerzen klagt, wenn es zur Schule gehen soll, liegt der Verdacht nahe, dass das Problem nicht die Kopfschmerzen sind, sondern die Schule. Offenkundig hatte Konrad erhebliche Lernschwierigkeiten, seine Kopfschmerzen kann man wohl als Teil einer stillen, leidenden Rebellion gegen Anforderungen und Erwartungen verstehen, die er nicht erfüllen konnte – oder wollte. Das bestätigt auch der Hinweis Käthys: „Konrad lernte Cello bei dem milderen Alexander Fimpel, brachte es aber auch nicht so weit, daß es ihm wirklich Freude machte. Außer Mundharmonika spielte er eigentlich kein Instrument späterhin. Die Melodien der Volkslieder wurden von Fimpel niedergeschrieben, nachdem Conrad und Käthy sie ihm vorgesungen hatten."[233]

Konrad zog sich lieber in ein imaginiertes Mittelalter zurück, schrieb altdeutsche Gedichte, beschäftigte sich mit altgotischen Inkunabeln.[234] Auch dies kann man als Flucht aus den Anforderungen des Alltags verstehen, er verweigerte sich auch dem Leitbild eines „richtigen" Jungen: „Im Unterschied zu Stephan war Konrad kein enragierter Jäger, obwohl Jagen und besonders Wildern in den von ihm gesammelten Liedern so angepriesen wird. Er ging gern im Toten Gebirge herum, hatte aber nicht die hochalpinen Neigungen von Marie. „Er ging gern auf Almen", schreibt Käthy.[235]

Konrad war offensichtlich kein Draufgänger. Auch die Büroarbeit interessierte ihn nicht sonderlich, obwohl er doch gemeinsam mit Stephan eines Tages das Firmenimperium übernehmen sollte.[236] Keine Frage, Konrad war das Sorgenkind der Mautners. Aber es sollte genau Konrad sein, der von allen Kindern später die bedeutendste kulturelle Leistung erbringen sollte. Doch dazu später.

Käthy, mit richtigem Namen eigentlich Katharina, aber dieser Name wurde weder von ihr noch von anderen benutzt, woran auch wir uns halten wollen, kam am 17. Februar 1883 zur Welt, ihre Schwester Marie am 25. April 1886. Die beiden Mädchen wurden wie Konrad zuhause unterrichtet, und zwar erstaunlicherweise gemeinsam, obwohl Käthy über drei Jahre älter war als Marie. Es kam wohl nicht so darauf an. Offenkundig wurde auch gar nicht erst der Versuch gemacht, sie auf eine öffentliche Schule zu schicken. „Eigentlich habe ich nie etwas anderes gelernt," schreibt Käthy, „als Volksschulfächer bei Herrn von Unschuld und späterhin Literatur; Geschichte, Geographie und Naturgeschichte bei Fräulein Slamatzka, einer Schwester des Direktors der Lehrerbildungsanstalt[237]. Aber es scheint für damalige junge Mädchen genug gewesen zu sein."[238]

So ganz scheint das aber nicht zu stimmen, denn an anderer Stelle schreibt Käthy: „Englisch lernten wir täglich von 10 bis 11 bei Miss Ings, Französisch zweimal wöchentlich bei Mademoiselle Damez, Klavier bei Frau Schlesinger, zweimal wöchentlich Fechten bei Barbesetti, einem Italiener, Turnen bei Herrn von Unschuld und Zeichnen bei dem Bildhauer Josef Breitner, der das Denkmal von Heinrich Jasomirgott an der Schottenkirche geschaffen hatte. Auch Italienisch hatten wir späterhin bei den Schwestern Pina und Nina Zarkewich aus Triest, mit denen wir auch Kammermusik spielten."[239] Das war doch ein beachtliches Programm mit drei Fremdsprachen und einer gediegenen musischen und sportlichen Ausbildung. Wobei wir überrascht vernehmen, dass das unglückliche Fräulein Damez immer noch in den Diensten der Mautners stand, nun aber nicht mehr als Gouvernante, sondern als Französischlehrerin. Man war also offenbar doch friedlich voneinander geschieden.

Mathematische oder naturwissenschaftliche Kenntnisse wurden offensichtlich nicht für nötig gehalten, ganz zu schweigen von klassischer Bildung, von Latein, gar Griechisch. Zudem scheint der Unterricht im Wesentlichen nur in den Wintermonaten stattgefunden zu haben, wenn man in der Löwelstraße wohnte: „Das war alles aber nur im Winter. Im Frühjahr und Herbst blieben wir in Pötzleinsdorf und kamen nur selten in die Stadt", berichtet Käthy.[240]

In Pötzleinsdorf ging es deutlich entspannter zu: „Unser Religionslehrer Jakob Fischer war ein Original. Er kam um sieben Uhr früh nach Pötzleinsdorf, Marie und ich flüchteten meistens auf einen Baum, um nicht gleich mit der Stunde zu beginnen und behaupteten, nicht herunter zu können. Wenn wir aber doch soweit waren, verlangte er von uns zuerst ‚Scharf's Blatt' (die *Wiener Sonn- und Montags-Zeitung*), dann einen Schnürriemen, den er als Uhrkette benützte und einige Malzzuckerln. Dann begann langsam der Unterricht."[242] Ansonsten wurden offensichtlich eher praktische Tätigkeiten unterrichtet: „Von unserem Lehrer Herrn von Unschuld, von uns Vunschi genannt, habe ich schon erzählt, auch von anderen Lehrern. Hinzuzufügen wäre noch, daß ich Kochen bei der lieben Köchin Kathi Falk und Handarbeiten bei Miss Ings lernte."[242] Und nicht nur das, die sportliche Miss Ings brachte den beiden Mädchen auch noch Tennisspielen bei. Der Vater ließ deshalb im Park sogar einen Tennisplatz anlegen, bei dem allerdings eine Rotbuche im Weg stand, die der Vater nicht opfern wollte. Miss Ings achtete im Übrigen auch bei dieser sportlichen Verrichtung auf korrekte Kleidung: „Miss Ings spielte immer mit langem Kleid, Hut und Handschuhen und einem hohen gestärkten Halskragen", berichtet Käthy.[243]

Immerhin scheinen die beiden Töchter einen regulären Schulabschluss absolviert zu haben: „Gegen Ende Juni machten wir im Pädagogium in der Hegelgasse unsere Prüfung, die meist lauter ‚sehr gut‘ einbrachte."[244] Welcher Art dieser Bildungsabschluss gewesen war, geht aus den Notizen Käthy Breuers allerdings nicht hervor. Das Pädagogium in der Hegelgasse 12 beherbergte zwar seit 1892 das sechs Schuljahre umfassende Humanistische Gymnasium für Mädchen,[245] allerdings hatten Käthy und Maria keine humanistische Schulbildung erhalten. Man kann daher ausschließen, dass sie dort womöglich ein externes Matura abgelegt haben könnten, das seit 1897 die Mädchen sogar zu einem Studium an der Philosophischen Fakultät der Universität Wien berechtigt hätte.[246] Aber an diese Möglichkeit wurde offensichtlich ohnehin kein Gedanke verschwendet. Die Mädchen würden doch sowieso bald heiraten.

Was dann auch geschah. 1906 heiratete Käthy den Juristen Dr. Hans Breuer (1876–1926), einen Sohn Josef Breuers (1842–1925), des älteren Weggefährten Sigmund Freuds. Zum Polterabend im Schlössel gab es eine Vorführung mit Gesang und Tanz, den Text dazu hatte der Hausarzt Dr. Josef Winter bereits für Stephans Hochzeit im Jahr 1900 verfasst; für die Unterhaltung sorgte, wie Käthy schreibt, „ein ‚Serenissimus‘, eine damals sehr beliebte komische Figur eines hohen Herrn (ähnlich dem Grafen Bobby), der die Gäste mit idiotischen und taktlosen Fragen belästigte"[247]. Die Vermählung wurde praktischerweise als Doppelhochzeit gestaltet, auch Robert (1869–1936), der Bruder von Hans Breuer, Chefarzt des Rothschild-Spitals, trat in den Stand der Ehe und zwar mit Hanna Brüll (1883–1965), Tochter des heute nahezu vergessenen Komponisten Ignaz Brüll (1846–1907). 120 Gäste waren zugegen und natürlich wurde dabei Käthys Theaterleidenschaft Tribut gezollt: „Alle Gäste waren in Alt-Wiener Kostüme gekleidet, die Frauen insbesondere, aber auch die Herren mußten Halsbinden und ‚Vatermörder‘ tragen."[248] Ferdinand Schmutzer hielt das Geschehen auf zahlreichen Fotografien fest, die sich heute im Besitz der Österreichischen Nationalbibliothek befin-

Abb. 14: Hauskonzert anlässlich Käthes Verlobungsfeier in der Mautner-Villa, 1906; am Flügel: Jenny Mautner, Violine: Fritz Wahle, Cello: Alexander Fimpel, im Hintergund Käthe (links) und Marie (rechts)

den. Den Vorsitz bei der Hochzeitsgesellschaft übernahm Burgschauspieler Josef Kainz persönlich.[249]

Zur Hochzeit bekam das junge Paar das Nachbarhaus des Schlössels in der Khevenhüller Straße 4 geschenkt. Dabei gelang es Käthys Vater sogar, der Gemeinde das die beiden Grundstücke trennende „Friedhofsgasserl" abzukaufen und dafür einen anderen Zugang zum Pötzleinsdorfer Friedhof anlegen zu lassen, den heutigen Mautner-Weg (damals Büdingergasse).[250] Isidor Mautner, der sich sehr freute, nun einen Juristen in der Familie zu haben, brachte seinen Schwiegersohn ebenso wie seine Söhne im Aufsichtsrat der Österreichischen Textilwerke AG vormals Isaac Mautner & Sohn unter und setzte große Hoffnungen in Hans. Leider vergeblich, denn Dr. Hans Breuer starb bereits 1926.

Die vielseitig begabte Marie ließ sich mehr Zeit mit der Heirat, vielleicht, weil sie noch lange dem 1910 verstorbenen Josef Kainz nachtrauerte, der oft im Sommer zu Fuß nach Pötzleinsdorf hinausgewandert war. Sie unterstützte Konrad bei seinen volkskundlichen Recherchen, unternahm hochalpine Klettertouren[251] und malte einen künstlerisch

Abb. 15: Marie Mautner mit Bergführer
in den Engadiner Alpen (1911)

ganz bemerkenswerten Zyklus ländlicher Szenen im Stil von Marc Hodler, der heute noch im Wirtshaus Veit in Gössl zu bewundern ist. Erst 1919 schloss sie die Ehe mit dem Regisseur Paul Kalbeck.

Aber zurück zur Kindheit. Großen Wert legte Jenny Mautner auf die musische Bildung ihrer Kinder. Sie selbst hatte in ihrer Jugend eine fundierte Gesangs- und Pianoausbildung erhalten und traf sich jeden Montag mit Fritz Wahle (Violine) und Alexander Fimpel (Cello) zur Hausmusik. Deshalb war es für sie selbstverständlich, dass ihre Kinder ebenfalls ein Instrument lernen mussten, auch wenn dies für die beiden Söhne eine offensichtliche Tortur war. So litt Stephan schwer unter dem cholerischen Geigenlehrer Fritz Wahle, von dem seine Schwester mitfühlend meint, er sei „besonders gegen Stephan unausstehlich" gewesen[252] und auch von Konrads Misserfolgen beim Erlernen des Cellospiels war bereits die Rede. Den Töchtern scheint dagegen der Musikunterricht gefallen zu haben. Marie lernte wie Stephan Violine bei Fritz Wahle und Käthy hatte offenbar die musikalische Begabung ihrer Mutter geerbt. Sie lernte nicht nur Klavier bei einer Frau Schlesinger, sondern erhielt seit 1900 auch noch mit solchem Erfolg Gesangsunterricht, dass sie unter Bruno Walter im Chor singen durfte.

War die musikalische Ausbildung zumindest für die Söhne kein Vergnügen, scheint der Mal- und Zeichenunterricht bei Josef Breitner allen Mautnerkindern gleichermaßen Spaß gemacht zu haben. Das lag offensichtlich an dessen besonderem pädagogischen Talent. Er war, wie Käthy schreibt „kein weltfremder Künstler, sondern machte überall mit. Einmal wanderte er sogar mit beiden Buben von Steyr über das Tote Gebirge bis Gössl. Er blödelte gern und erfand spezielle Gerichte wie Pischingertorte mit Spinat."[253]

Von Steyr über das Tote Gebirge bis Gössl? Dazu gehören schon allerhand Mut und Ausdauer, bemerkenswert, dass es Breitner gelang, auch Konrad zu einer solchen Unternehmung zu bewegen.

Dennoch wurde Breitner nach einiger Zeit durch Ferdinand Schmutzer abgelöst. Der Grund bleibt unklar, vielleicht sollte das Unterrichtsniveau angehoben werden, denn im Gegensatz zum Bildhauer Breitner war Schmutzer ein akademisch ausgebildeter Zeichner und ein Spezialist für Radierungen.

Allerdings nahmen nur die Mädchen an dem Unterricht teil, Konrad verweigerte sich, obwohl er laut Käthy mit Schmutzer „sehr befreundet"[254] war. Vielleicht trauerte er noch Josef Breitner nach, der es verstanden hatte, ihn herauszufordern und zu ermutigen. Stephan dagegen wurde nun offenbar von Hugo Charlemont unterrichtet.

Interessanterweise entwickelten nicht nur Stephan, sondern auch Konrad und Marie ihre künstlerischen Talente vor allem im zeichnerischen und malerischen Bereich. Stephan besaß ohne Zweifel die beste Technik, seine Ausbildung bei Hugo Charlemont trug ihre Früchte. Allerdings wirken seine Bilder trotz aller Eleganz und Leichtigkeit oft recht konventionell, ganz anders als die Gemälde von Marie, die sich hinsichtlich Linienführung, Farbigkeit und Komposition bemerkenswert dicht an der klassischen Moderne bewegen.

Ganz anders wiederum steht es bei Konrad. Seine Zeichnungen wirken bei weitem nicht so elegant und leicht wie die seines Bruders, aber das wird überlagert von einer unbändigen Ausdruckskraft und Lebendigkeit.

Sommerfrische Grundlsee

In den Sommermonaten pflegte sich das Wien des ausgehenden 19. Jahrhunderts zu entvölkern. Wer es sich leisten konnte, fuhr aufs Land, in die Sommerfrische. Und das für Wochen.

Für die besseren Kreise gab es zwei bevorzugte Ziele. Das eine war das Gebiet um den Semmering, einen Pass zwischen Niederösterreich und der Steiermark, der Wien mit der Hafenstadt Triest verbindet, seit den 1860er Jahren erschlossen durch die erste Alpenquerung der Eisenbahngeschichte, die legendäre Semmeringbahn mit ihren Tunneln, Viadukten und engen Kehren, die die Fahrt zum Semmering für die Wiener zu einem zweistündigen Genusserlebnis machte. Riesige Grandhotels entstanden an dem Pass: Das legendäre, heute weitgehend verfallene Südbahnhotel, das ebenfalls verfallende, breit hingelagerte Kurhaus Semmering und das mondäne Hotel Panhans, das heute noch versucht, die alte k. u. k. Herrlichkeit zu konservieren. Luxuriös ausgestattete

Herbergen, die auf ihre betuchten Gäste warteten, Großbürger, Adlige, gekrönte Häupter und in ihrem Gefolge die Militärs, die Musiker, die Literaten, die Maler, auch Ärzte wie Siegmund Freud. In der Umgebung lockten die Wiener Alpen, die Zweitausender Rax und Schneeberg.

Und dann gab es das Salzkammergut. Eine Traumlandschaft zwischen ausgedehnten kristallklaren Seen und schroffer Alpenlandschaft bis hin zum Dachstein mit seinen Gletschern und bizarren Felsnadeln.

Zum Gegenstand verklärender Rezeption wurde die Gegend erstmals Anfang des 19. Jahrhunderts durch die romantische Geschichte vom Erzherzog Johann (1782–1859), der sich am Toplitzsee unsterblich in die Postmeisterstochter Anna Plochl verliebte. Es gelang ihm tatsächlich, über alle Standesgrenzen hinweg die Eheschließung mit Anna durchzusetzen und erwies sich dann als volkstümliche Identifikationsfigur für die Steiermark. So geht der heute noch gebräuchliche Steireranzug auf ihn zurück. Bis heute verweisen zahlreiche Gedenktafeln auf sein Wirken, am Toplitzsee kann man heute noch die Stelle besuchen, wo Johann seine Anna zum ersten Mal erblickte.[255]

Zur gleichen Zeit begann sich Ischl im Salzkammergut zu einem bedeutenden Kurort zu entwickeln. Seine Blütezeit setzte ein, als das Kaiserpaar Elisabeth und Franz Joseph I. regelmäßig den Sommer in der dortigen „Kaiservilla" verbrachte. Franz Joseph frönte dort seiner einzigen wahren Leidenschaft, der Jagd. Am 14. Juli 1882 ließ er stolz vermelden, dass er nunmehr seine 1500. Gams erschossen hatte.[256] Sisi wiederum startete von Ischl aus ihre berüchtigten Gewaltmärsche in die umliegende Bergwelt, die ihrer bedauernswerten Begleitung alles abverlangten.

Seitdem gehörte es für viele kaisertreue Wiener zum guten Ton, den Sommer ebenfalls in Ischl zuzubringen. Es ist daher kein Zufall, wenn Heimito von Doderer in seinem Roman Strudelhofstiege den etwas denkfaulen Major Melzer seinen Urlaub genau dort verbringen lässt.[257] Man zeigte sich, man kannte sich, man knüpfte Kontakte, man konnte dort den reichsten Mann der Monarchie, Albert Baron von Rothschild, beim neumodischen Fahrradfahren beobachten, dem neuen Lieblingssport begüterter Wiener, den auch Arthur Schnitzler begeistert betrieb.[258]

Seit 1877 war das Salzkammergut durch eine Eisenbahnlinie erschlossen. Für den Kaiser mitsamt Hofstaat und militärischer Begleitung gab es einen k.u.k. Hofsalonzug, aber auch für die anderen Wiener war nun das Salzkammergut auf die Entfernung einer halben Tagesreise herangerückt. Wer die Reise abkürzen wollte, stieg bereits in Gmunden aus, ließ sich von der Tram den Berg hinunter transportieren an die mediterran anmutende Promenade und verbrachte seine Zeit am Traunsee und auf den umliegenden Bergen. Viele allerdings fuhren weiter, folgten dem seit Urzeiten genutzten Salztransportweg am Hallstätter See entlang, der einer ganzen Epoche ihren Namen gegeben hatte, bis nach Ischl. Und wer nicht ganz so viel Wert auf imperialen und militärischen Pomp legte, reiste noch einige Kilometer weiter bis Bad Aussee und verteilte sich auf die umliegenden Seen.

Auch Jenny Mautner hatte als Kind häufig den Sommer mit ihren Eltern in Ischl verbracht, wie ihre Tochter berichtet: „Die Großeltern Neumann besuchten im Sommer oft Bad Ischl im Salzkammergut und nahmen einige ihrer sechs Kinder mit in die Sommerfrische. Meine Mutter, die sehr zart war, wurde meist im Zug auf eine Bank gelegt und in eine Decke gewickelt, um aus Ersparnisgründen nur halbe Fahrt (als unter 14 Jahren) zu zahlen. Mutter erinnerte sich, daß sie schon 17 Jahre alt war und zu ihrem Leidwesen noch immer auf diese Art reiste.

In Ischl, wo die ganze kaiserliche Familie ihren Sommersitz hatte, besuchte mein Großvater täglich die Esplanade und saß dort immer auf derselben Bank, von wo er die kaiserlichen Gäste beobachten und begrüßen konnte. Als er einmal krankheitshalber nicht zugegen war, wurde ihm nachträglich berichtet, daß der Vater Kaiser Franz Josephs, der alte Erzherzog Franz Karl, seinen Adjutanten fragte: ‚Was ist denn los? Wo ist denn heut' der Neumann?'"[259]

Eine typische Geschichte, wie sie die Wiener liebten, der volkstümliche Monarch, der seine Untertanen beim Namen kennt. Man wundert sich allerdings, wieso der gut betuchte kaisertreue Herr Neumann es so nötig hatte, die kaiserlich königlichen österreichischen Staatsbahnen um den halben Fahrpreis für ein junges Mädchen zu betrügen. Ob ihn der Kaiser noch hätte kennen wollen, wenn er das erfahren hätte?

Jenny Mautner hatte jedenfalls gute Erinnerungen an das Salzkammergut und so fuhren die Mautners erstmals im Jahr 1885 dorthin zur Sommerfrische, allerdings nicht ins kaiserliche Ischl, sondern in das wesentlich ursprünglichere Ausseer Land, das schon zur Steiermark gehörte. Diese Seenlandschaft am Toten Gebirge hatte sich zunehmend zu einem bevorzugten Treffpunkt der Wiener Künstlerszene entwickelt. Altaussee wurde zur Sommerfrische der Literatengruppe „Jung Wien", die sich um die Jahrhundertwende gebildet hatte. Hier entfloh man dem verrauchten Café Griensteidl, um in frischer Luft und klarem Wasser neue geistige Kräfte zu sammeln. Hugo von Hofmannsthal, der uns bereits mehrfach begegnet ist, war häufiger Gast, ebenso wie Arthur Schnitzler, Hermann Bahr (1863–1934) oder Jakob Wassermann (1873–1934), der in den zwanziger Jahren zum Bestsellerautor wurde, sich am See eine wunderbar gelegene Villa mit Dachsteinblick zulegte[260] und in Altaussee begraben liegt.

Noch urtümlicher liegt der zwischen steile Bergflanken hingelagerte Grundlsee, der wegen seiner Größe den stolzen Titel Steirisches Meer trägt. Die beiden mit den Mautners befreundeten Burgschauspieler Ludwig Gabillon (1825–1896) und Ernst Hartmann (1844–1911) hatten diese Gegend für sich entdeckt, Gabillon besaß dort sogar eine Blockhütte. Sie gehörten wie Josef Kainz, der auch immer wieder am Grundlsee auftauchte, zu den regelmäßigen Gästen der Mautnerschen Soirées in der Löwelstraße und so gelang es ihnen, die Mautners 1885 erstmals hierher zu locken, gemeinsam mit den Wärndorfern und den Benedicts, den Familien von Jennys Schwestern also.

Vor allem Konrad, das Sorgenkind, blühte dort regelrecht auf, zog mit den Dorfbuben los und kleidete sich wie ein Einheimischer. Mit den Kindern des Gastwirtes Veit schloss er eine enge Freundschaft, die viele Jahre überdauerte. Aber auch seine Geschwister genossen das ursprüngliche, zwanglose Leben fernab der großbürgerlichen Zwänge Wiens und so kehrten die Mautners im nächsten Jahr wieder zurück, quartierten sich im Wirtshaus Veit in Gössl ein, am hintersten Ende des Grundlsees, und waren seitdem für viele Jahre dessen Stammgäste, mitsamt ihren Hunden und sogar dem wertvollen Flügel, auf den Jenny auch in der Sommerfrische keinesfalls verzichten wollte. Heute noch gibt es im Gasthof Veit das Klavierzimmer, in das der Flügel Jahr für Jahr mühsam von außen durch das Fenster hineinverfrachtet werden musste.

Jenny Mautner hielt eben auch im ländlichen Raum an ihren städtischen Gewohnheiten fest. So weigerte sie sich auch kategorisch, sich als Landbewohnerin zu verkleiden und ein Dirndl zu tragen, wie es immer mehr in Mode kam. Selbst ihre Töchter versuchte sie, unterstützt von Miss Ings, am Tragen dieser reizvollen Kleidung zu hindern, was aber nur in den ersten Jahren gelang.

Für die Mautner-Kinder waren die Tage in Gössl sicherlich die schönsten ihres Lebens. Sie waren frei von allen Zwängen, ungebunden, wanderten auf die Almen oder unternahmen wie Marie alpine Touren, sie waren in das einheimische Dorfleben integriert, die Buben trugen Lederhosen, die Mädchen Dirndl, sie nahmen an den Festen teil, tanzten, sangen, musizierten. Selbst Stephan, für den der Violinunterricht bei dem ungehobelten und jähzornigen Fritz Wahle eine echte Tortur gewesen war, berichtet selbst, dass er „beim Feuerwehrball einmal von acht Uhr abends bis um drei in der Früh alle Tänze als erste oder zweite Geige"

Abb. 16: Familie Mautner in Gössl um 1898; v.l.n.r. Marie, Stephan, Isidor, Jenny, Konrad, Käthe

gespielt habe.[261] Ein Höhepunkt war auch die von den Mautners veran-staltete „Dirndljause für die ganzen hiesigen Kinder", wie Marie im Sommer 1911 an den Direktor des Burgtheaters Max Burckhard schreibt und sie erläutert: „Wir haben den Bauern gegenüber viele gewohnte gesell-schaftliche Pflichten, die jedes Jahr wiederholt werden müssen."[262] Mit anderen Worten: Die Mautners waren längst aus der Rolle bloßer Stammgäste herausgewachsen, sie hatten inzwischen einen festen Platz im Dorfleben und als wohlhabende Teilzeitlandbewohner auch entspre-chende Erwartungen zu erfüllen.

Konrad Mautner oder die Flucht ins Volkstum

Ein Foto aus dem Jahre 1898 zeigt die Familie Mautner auf der Veran-da des Gasthofes Veit.

„Zurück von der Waffenübung" lautet die Bildunterschrift und tat-sächlich sehen wir links auf dem Bild den 21-jährigen Stephan in fescher Uniform mitsamt einer militärischen Kopfbedeckung, er sitzt lässig auf der Brüstung, an der Brust einen Orden, in der linken Hand einen Skiz-zenblock, in der rechten einen Stift. Auch wenn er sich am Rand des Bildes befindet, erzeugt er doch durch seine erhöhte Sitzposition, seine

Abb. 17: Familie Mautner 1898 auf der Veranda des Gasthauses Veit in Gössl am Grundlsee; v.l.n.r. Stephan, Marie, Käthe, Jenny, Konrad

Erscheinung und seinen direkten Blickkontakt mit dem Betrachter eine dominante Wirkung.

Die drei Damen würdigen ihn allerdings keines Blickes, Marie schreibt, Käthy liest, Jenny stickt, ihre Köpfe sind gesenkt, als würden sie gar nicht merken, dass sie fotografiert werden. Jenny wirkt besonders entspannt, sie hat die Füße halb hochgelegt, vielleicht als leiser Widerspruch zu der biederen Handarbeit, die nicht wirklich ihre Leidenschaft war.

Alle sind mit Lieblingstätigkeiten beschäftigt oder erwecken für die vom Fotografen offenbar sorgfältig arrangierte Szenerie diesen Eindruck. Aber was ist mit Konrad? Als einziger befindet er sich nicht auf der Veranda, sondern im Haus. Als einziger hat er offenbar nichts zu tun. Er stützt sich mit den Unterarmen auf die Fensterbrüstung und blickt aus dem Fenster ins Leere, sehr ernst, fast schon traurig. Offenbar hat er sich entschieden, im Haus zu bleiben und sich nicht auf die leere Bank zu seinen Angehörigen auf der Veranda zu setzen. Warum separiert er sich? Fühlt er sich eher dem Haus der Veits verbunden als den Mautners?

Wie wir bereits wissen, war Konrad ein eigenwilliges Kind, von allen Kindern der Mautners ging er am konsequentesten seinen eigenen Weg und das war nicht der eines Großindustriellen.

Dabei bemühte Konrad sich durchaus, sich zu überwinden und es seinem Vater recht zu machen. So fand er sich bereit, 1902 seinem Vater zuliebe in die Vereinigten Staaten zu reisen und sich dort fast ein Jahr lang in der dortigen Textilindustrie umzusehen. „Das fürchterlichste Jahr meines Lebens"[263], wie Konrad hinterher wissen ließ.

Ebenso war er durchaus bereit, seinen Vater auf dessen Dienstreisen zu begleiten. Aber für den Unternehmergeist seines Vaters fehlte ihm jedes Verständnis: „Der Vater baut eine Fabrik um die andere, was thoan ma damit?"[264]

Im Jahr 1909 war er sogar bereit zu heiraten. Nicht die Bertha Veit, wie es vielleicht sein Wunsch gewesen wäre – Bertha heiratete seinen besten Freund Josef Köberl – sondern seine ein Jahr ältere Cousine Anna Neumann, wie es wohl sein Vater wünschte. Er fand sich sogar bereit, seinem gläubigen Vater zuliebe die Trauung nach hergebrachtem jüdischem Ritus zu vollziehen. Immerhin schenkte sein Vater ihm dafür ein Nachbarhaus des Schlössels in der Khevenhüller Straße 6, aber Konrad hielt sich dort nur selten auf.

Konrads Ehe mit Anna Neumann mag keine Liebesheirat gewesen sein, trotzdem entwickelte das Paar ein enges Zusammengehörigkeitsgefühl, vielleicht gerade wegen des Sonderweges, den Konrad konsequent beschritt. Pünktlich neun Monate später kam 1910 Heinrich Matthias zur Welt; ein Jahr später folgte Franz, aber er starb noch vor seinem ersten Geburtstag und wurde auf dem Pötzleinsdorfer Friedhof beerdigt. 1914 wurde Lorenz geboren, es folgten 1918 Michael und im Jahr 1920 Anna Maria.

Das Verhältnis Konrads zu seinem Vater hatte zweifellos etwas Tragisches. Beide waren durchaus guten Willens, aber sie lebten in verschiedenen Sphären. Hatte der Vater gehofft, dass Konrad begeistert von den technischen Fortschritten in Amerika berichten würde, sprach Konrad nur tief erschüttert, von „hunderttausend armen Teufeln in der Fabriksarbeiterschaft" und befürchtete den „Untergang der gesamten hochentwickelten europäischen Kultur".[265] Führte Isidor voller Stolz seinem Sohn die riesige Fabrikanlage in Rosenberg mit all ihren vorbildlichen sozialen Einrichtungen vor, fragte Konrad nur kopfschüttelnd nach dem Sinn des Ganzen. Die Welt Isidors war die Welt des technischen Fortschritts, der positiven Bilanzen, des Vorstoßens an neue Grenzen. Für Konrad (der sich bis 1910 mit C schrieb) dagegen war der technische Fortschritt nichts als eine zerstörerische Bedrohung seiner Welt, der Welt des einfachen Lebens, einfacher Leute und deren Traditionen.

Insofern wirkt es geradezu wie bittere Ironie, wenn Konrad Mautner in Biografien als Großindustrieller bezeichnet wird.[266] Schon rein formal ist das eine Übertreibung, denn tatsächlich beschränkte sich Konrads Großindustriellentum neben einigen ihm von seinem Vater verschafften Verwaltungsratsposten darauf, dass er von seinem Vater in den Deutschen Textilwerken Mautner AG im fernen Plauen von 1915–1921 einen von drei Vorstandsposten zugewiesen bekam und gemeinsam mit Vater Isidor und Bruder Stephan von 1917 bis 1921 die Pölser Papierfabrik führte. Das war es aber auch schon und es gibt keinen Beleg, dass er im operativen Geschäft irgendwann einmal gestalterisch in Erscheinung getreten wäre.[267]

Denn Konrad interessierte sich nicht für den Konzern seines Vaters. Diese Welt war ihm fremd. Er beschäftigte sich so leidenschaftlich mit Trachten und Volksliedern des Ausseer Landes, dass er seinen Lebensmittelpunkt – und den seiner Familie – an den Grundlsee verlegte. Konrad sprach den Ausseer Dialekt wie ein Einheimischer, kleidete sich wie ein Einheimischer, rauchte eine lange Pfeife wie ein Einheimischer und umgab sich nach Möglichkeit nur mit Einheimischen.[268] Sie lagen ihm so sehr am Herzen, dass er mit den reichlichen Einnahmen, die ihm aus seinem Aktienbesitz, seinen Tantiemen als Verwaltungsrat und seinen Vorstandsvergütungen zuflossen, auf eigene Kosten im Ersten Weltkrieg ein Lazarett in den Karpaten einrichten ließ, in dem viele Soldaten aus dem Ausseer Land lagen.[269]

Isidor Mautner blieb rührend besorgt um das Wohlergehen seines Sohnes. Obwohl er ihm doch zur Hochzeit ein Nachbarhaus des Schlössels geschenkt hatte, damit er in seiner Nähe sein könnte, akzeptierte er Konrads Wunsch, am Grundlsee zu leben. 1919 ließ Isidor Mautner sich sogar am Grundlsee auf der Schweiber Alm ein Blockhaus errichten. Obwohl ihm die Beharrlichkeit, mit der Konrad Volkslieder sammelte und illustrierte, höchst befremdlich erschienen sein muss, übernahm er dennoch mit großer Selbstverständlichkeit die aufwendige Finanzierung der Veröffentlichung von Konrads Volksliedsammlungen.[270]

Das hinderte allerdings Konrad nicht daran, im Jahr 1919 zu konvertieren und sich evangelisch taufen zu lassen. Warum tat er das? Er musste wissen, wie sehr das seinen Vater verletzen würde. Aber anscheinend wollte Konrad die letzten Bande zerschneiden, die ihn noch als Juden von den Einheimischen trennten. Offensichtlich war ihm das ein noch wichtigeres Anliegen, als ein friedliches Verhältnis mit seinem Vater. Immerhin begleitete ihn seine Frau Anna bei diesem Schritt.

Und warum evangelisch – wie übrigens auch sein berühmter Cousin Fritz Wärndorfer – wo doch fast alle Menschen in Österreich katholisch waren? Aufschluss liefert vielleicht die Anekdote über einen bekannten jüdischen Wiener Bankier, der zum Protestantismus übergetreten war. Wieso er denn nicht, wie in Österreich üblich, katholisch geworden sei, wurde er gefragt, als Protestant sei er doch wieder nur Außenseiter. Die Antwort: „Bei den Katholiken gibt es schon zu viele Juden."[271]

Konrad litt, wie Viktor von Geramb es etwas gewunden formuliert, schwer daran, „daß ihn das fremde, wenn auch seit Jahrhunderten eingedeutschte Volkstum seiner Familie zuweilen nicht doch das Tragische eines Zwiespaltes hätte fühlen lassen. Ich habe auch darüber aus seinem Munde ergreifende, ja erschütternde Äußerungen vernommen."[272]

1920 versuchte Konrad sich finanziell von seinem Vater unabhängig zu machen. Er kaufte ein auf einer Anhöhe vor dem Grundlsee gelegenes Hotel mit wundervollem Seeblick, das seinen Namen „Bellevue" zu Recht trug, mitsamt einer Personentransportlizenz zum Ausseer Bahnhof, zugleich auch das daneben liegende Valtlgut mit der Anschrift Archkogl 14, ein weitläufiges Gehöft mit 36.407 Quadratmeter Grund.[273]

Vielleicht hätte das für Anna und Konrad Mautner die Grundlage für eine beschauliche Existenz als Hotelbesitzer werden können. Aber am 1. September 1920 kaufte der berüchtigte Großunternehmer und Börsenspekulant Camillo Castiglioni die schlossartige Villa nebenan am Archkogl Nr. 38. Er ließ das Haus aufwendig umbauen, eine eigene Zufahrtstraße und einen riesigen Garten anlegen, in dem in zwei Glashäusern die größte Orchideensammlung Europas untergebracht wurde.[274] Jedes Wochenende kam Castiglioni angereist, um seine Familie, die dauerhaft in dem Anwesen lebte, zu besuchen. Dieser Einbruch der verachteten Geschäftswelt in seine sorgsam gehütete Grundlseer Idylle scheint für Konrad ganz und gar unerträglich gewesen zu sein. Noch im gleichen Jahr verkaufte er das Hotel wieder, und zwar an die berühmte Pädagogin Eugenie Schwarzwald[275], die dort im Laufe der Jahre unter anderem zahlreiche Schriftsteller beherbergte wie Jakob Wassermann, Carl Zuckmayer oder Sinclair Lewis.

Konrad Mautner widmete sich ganz den Landbewohnern und seinen Studien. 1921 zog er sich ans hinterste Ende des Grundlsees zurück und erwarb das Haus Gössl Nr. 134. Es war nur 47 Quadratmeter groß, offensichtlich wollte Konrad es als Studierstube nutzen und in der Nähe seiner Freunde sein.

Konrad wollte so leben, wie es seiner Veranlagung und seinen Vorstellungen entsprach. Er führte ein konfliktreich ertrotztes Leben, das womöglich seine anfällige Konstitution überforderte, zumal er trotz aller emotionalen Ablehnung vom Geschäftserfolg und damit den Aktienerträgen der väterlichen Unternehmen abhängig blieb. Erst nach dem

Untergang des Firmenimperiums endete diese Alimentation der Familie Konrad Mautner, aber da war Konrad schon lange gestorben. Vielleicht war Konrad Mautners Gesundheit vom Zwiespalt zwischen den Erwartungen seines Vaters und seiner Sehnsucht nach Authentizität und Integrität zermürbt worden. Er starb am 15. Mai 1924 an Magenkrebs.

Ein gutes Jahr später, am 6. September 1925 fand am Fuße der Gössler Wand eine Gedenkfeier für Konrad Mautner statt, bei der eine Gedenktafel für ihn enthüllt wurde. Der Volkstumsforscher Professor Viktor von Geramb (1884–1958) schildert das Ereignis in bewegten Worten:

„Leise und fast zagend bewegten sich die zahlreichen Menschen dem blumengeschmückten Felsen zu; die Angehörigen des Toten, seine engsten Freunde, darunter der Dichter Hugo von Hofmannsthal, Herzog Luitpold von Bayern, der Maler Viktor Hammer, Jakob Wassermann und noch andere Männer von Rang und Namen, dann die Scharen der Gößler, Grundlseer und Ausseer Bevölkerung mit Weibern und Kindern, alle ohne Ausnahme in ihren Trachten, die mit der umgebenden Hochwaldlandschaft in einem kraftvollen schönen Bilde zusammenklangen.

Unter lautloser Stille trat Bürgermeister Spieler von Grundlsee zum Felsen und verlas ein ehrendes Schreiben des Herrn Bundespräsidenten, das an den Jugendfreund des Verewigten, an den Gößler Gemeinderat und Wirt Veit Sepp, den eigentlichen Anreger der Feier, gerichtet war und das in liebevollen, warmen Worten die Verdienste Konrad Mautners um seine österreichische Heimat hervorhob. Das Schreiben löste bei der Bevölkerung stolze Ergriffenheit aus. Und als unter dem schlichten Treuegelöbnis, das der Bürgermeister in ihrem Namen ablegte, die Hülle von der Tafel fiel, und die schöne, steingemeißelte Gedenkschrift, eine meisterliche Arbeit Viktor Hammers, aufdeckte, während gleichzeitig drei dröhnende Böllerschüsse donnernd durch Wald und Felsen rollten, da war nicht wie sonst bei solchen Anlässen ein bewunderndes Murmeln oder gar rauschender Fanfarenklang zu vernehmen. Dafür aber ging ein erschütterndes Schluchzen wie eine Welle durch alle die Leute, ein heftiges, ehrliches, bis ins innerste Herz ergreifendes Weinen; das Weinen einer Heimat um ihren Liebling!

Ich mußte mich reichlich anstrengen, um die Bitte der Gemeinde zu erfüllen und im Sinne des toten Freundes einige Sätze an die Bevölkerung richten zu können. Denn mehr als die schluchzenden Frauen und Kinder taten es mir die harten, schmerzzuckenden, tapfer die Tränen verbeißenden Gesichter der Männer an, der wetterfesten Arbeiter, Holzknechte, Bauern, die doch alle den Krieg mitgemacht hatten und die doch sonst so gar nicht weichmütig waren. Dieses so durchaus ungekünstelte, ehrliche und ergreifende Benehmen der Bevölkerung schnürte mir arg die Kehle.

So mochte ich ihnen denn selber als einer, der zu ihnen gehört, erscheinen, als ich sie alle bat, in Treue zu lieben, was unser Freund so heiß geliebt hatte: ihre Sitten und Lieder und Tänze und Trachten; sie zu pflegen und rein zu halten vor komödiantenhafter Verzerrung und sie weiter zu vererben auf Kinder und Kindeskinder.

Mit tränenerstickter Stimme richtete der Vater des Verewigten noch einige Dankesworte an die Bevölkerung. Und nun – das ist besonders hervorgehoben – sangen Bauernburschen und Mädeln, schlicht und ohne Aufdringlichkeit das alte Almlied:

„Pfiat di Gott, schöne Alm,
i muaß obi ins Tal
So hart wia mir heunt is
Is mir a nia gwen...“

Abermals erdröhnten drei feierliche Böllerschüsse und majestätisch – wie bei einem Heldensalut – rollten die Donner durch die Wände.

Still gingen die Menschen

Abb. 18: Konrad Mautner in der Ausseer Tracht um 1860

auseinander. – Im hellsten Sonnenlichte erstrahlte die Gedenktafel wie im Herzen jedes einzelnen der unvergeßliche Name: Konrad Mautner.“[276]

Keine Frage: die Trauer war echt, die Bevölkerung empfand Konrad Mautner als einen, der ihnen eine Stimme verliehen und zu neuem Selbstwertgefühl gegenüber den sich so überlegen fühlenden Städtern verholfen hatte.

Für Konrad Mautner war die Erforschung und Bewahrung der Volkskultur des Ausseer Landes, die er akut bedroht sah, zum Thema seines Lebens geworden. Bemerkenswerterweise verharrte er aber nicht in der Position des beobachtenden und sammelnden Großstädters, sondern er beteiligte sich aktiv an der Wiederbelebung alter Bräuche, Lieder und

Tänze, wurde „einer von ihnen", man kann ihn somit durchaus als einen Pionier der soziologischen Methode der teilnehmenden Beobachtung betrachten.[277]

So beließ er es nicht nur dabei, jahrelang alte Trachten zu sammeln, die er in einer eigens angelegten Trachtenkammer aufbewahrte, sondern er sorgte 1909 für die Gründung des „Vereins zur Erhaltung und Förderung obersteirischer Volkstrachten, Volksgebräuche und Volkskunst in Obersteiermark"[278], der dann am 22. August 1909 in Bad Aussee ein Trachtenfest durchführte. Seine Gössler Gruppe bildete mit ihren altsteirische Trachten aus der Zeit Erzherzog Johanns die Spitze des Umzugs. Da die Teilnahme nur Einheimischen vorbehalten war, erklärten sich Konrad Mautner und seine Frau kurzerhand zu Veit Conrad und Veit Anna und nahmen auch an den einstudierten Tänzen teil, sogar als Vortänzer. Mit großem Erfolg: Die Gössler Gruppe erhielt den ersten Preis.[279] Die Veranstaltung fand noch die nächsten beiden Jahre statt, wurde dann aber wegen finanzieller Verluste eingestellt.

Ganz nebenbei stellen wir mit einigem Erstaunen fest, dass der als schwächlich und kränklich geschilderte Konrad offenbar gar nicht so schwächlich und kränklich war, wenn es darauf ankam. Wie hätte er sonst als unermüdlicher Vortänzer auftreten können? Auch dies ein Beleg für die Vermutung, dass seine Leiden eher psychosomatischer Natur gewesen sein dürften.[280]

1910 veröffentlichte Konrad Mautner in der *Zeitschrift für österreichische Volkskunde* einen interessanten Beitrag mit dem Titel „Unterhaltungen der Gößler Holzknechte"[281]. In dem Aufsatz geht es nicht, wie man womöglich vermuten könnte, um Gesprächsprotokolle, sondern um Spiele, mit denen man sich die Zeit vertrieb. Konrad Mautners bester Freund, der „Veit-Wirt" Josef Köberl war selbst, bevor er die Gaststätte übernahm, jahrelang Holzknecht gewesen. Konrad fand dessen Bericht so faszinierend, dass er ihn protokollierte und mit einigen Hintergrundinformationen versah.

Wie wir erfahren, waren die Holzknechte von Gössl kaiserliche Angestellte mitsamt Pensionsberechtigung, in deren Genuss gegebenenfalls auch die Witwen kamen. „Hierdurch", so Mautner, „erklärt sich zum guten Teil die frohe Sorglosigkeit und Heiterkeit, welche der Bevölkerung dieses abgelegenen Erdenwinkels am Fuße des Toten Gebirges ihr charakteristisches Gepräge verliehen hat."[282] Es handele sich um eine schwere, aber gesunde Arbeit, die mittags und am Abend genügend Gelegenheit böte, „um allerhand Allotria zu treiben"[283]. Um dies zu dokumentieren, folgen auf den nächsten Seiten 34 wortgetreue mundartliche

Wiedergaben der Spielbeschreibungen Josef Köberls, teilweise mit kleinen Skizzen illustriert.

Im gleichen Jahr veröffentlichte Konrad Mautner ein einzigartiges Werk, das in die Geschichte der Buchkunst eingehen sollte: das „Steyrischen Raspelwerk". Selten ist seit Gutenbergs Bibeldruck ein Buch mit einem derartigen Aufwand hergestellt worden. Allein diese Tatsache verrät schon, wie viel Herzblut Konrad in die Verwirklichung dieses Projektes gesteckt hatte.

Es beginnt schon mit dem äußeren Erscheinungsbild: Ein etwa 10 cm hohes Konvolut, gebunden in Ganzleder, durch zwei Lederriemen verschlossen, geschützt durch einen Schuber, auf dem Rücken in alter Fraktur der Titel des Werkes: „Steyerisches Raspelwerk. Lieder, Vierzeiler und Gasselreime aus Goeßl am Grundlsee." Auf der Innenseite wird noch ergänzt: „Getreu nach der mündlichen Überlieferung in Wort und Weise aufgezeichnet und mit Bildern versehen von Konrad Mautner." Und nun folgen auf 372 festen Seiten handschriftlich verfasste Liedtexte, geschrieben in Grundlseer Mundart, bei jeder Strophe sind die Initialen rot gefasst und kunstvoll verschnörkelt, zudem geradezu liebevoll mit detailfreudigen farbigen Illustrationen versehen. 132 Liedern wurden auch noch altdeutsch gestaltete Noten hinzugefügt. Jedes einzelne Blatt wurde auf eine Kartonseite geklebt, daher auch der enorme Umfang des Werkes.

Kein Wunder, dass der Subskriptionspreis für das Buch bei sage und schreibe 120 Kronen, heute also über 2.000 Euro lag. Immerhin war es Konrad gelungen, mit der Firma Stähelin & Lauenstein in Wien I, Am Hohen Markt 3 einen kompetenten Verleger zu finden, der überhaupt in der Lage war, dieses Projekt drucktechnisch und buchbinderisch zu bewältigen. Die Vorfinanzierung der ersten Auflage in Höhe von 400 Exemplaren hatte allerdings sein Vater übernommen.[184]

Es lohnt sich, den Subskriptionstext zu lesen, der vom Autor zwar in der dritten Person redet, offenbar aber von Konrad Mautner selbst verfasst worden war, wie allein schon anhand der rhetorischen Bescheidenheitsformeln (Büchlein, Bändchen) deutlich wird. Er beginnt mit einem sich über die halbe Seite erstreckenden roten verschnörkelten Initial und erlaubt einen Blick in Konrads seelische Verfasstheit:

„In unserer Zeit der Unrast ist das Entstehen eines Büchleins, wie das hier besprochene, fast befremdlich. Macht doch das dickleibige Bändchen mit seiner krausen Handschrift, den vielen verzierten Initialen und den kleinen bunten, in den Rahmen der Schrift gepaßten Bildern den Eindruck, als habe ein fleißiger Klosterbruder in weltabgeschiedener

Klause seine Tage daran verwendet, in liebevoller Muße ein kleines Brevier mit den bunten Arabesken seiner Erfindung zu schmücken.

Nun, ganz aus der Liebe und köstlichen Muße heraus ist dies Büchlein auch geboren.

Am Fuße des Toten Gebirges im steirischen Salzkammergut liegt der Ort Goeßl, trotz seiner Nähe von Aussee doch durch die eigenartige geographische Lage dem modernen Weltgetriebe entrückt.

Hier hat der Herausgeber seit seiner frühesten Jugend einen Teil des Jahres zugebracht und ist durch freundschaftlichen Verkehr mit den bäuerlichen Bewohnern, gleichsam mit ihnen aufwachsend, nach und nach in den Besitz ihrer gesamten mündlichen Überlieferung

Abb. 19: Konrad Mautner, das steirische Raspelwerk, Seite aus der Einladung zur Suskription

an Tanz- und Gasselreimen, Liedern und Weisen gelangt, die er zunächst nur sich selbst ‚zu einem bleibenden Andenken an die lustigi (sic!) Jugendzeit‘ aufzeichnete und für die Allgemeinheit wohl anfangs kaum bestimmte.“[285]

Die Erscheinung dieses Werkes blieb nicht unbemerkt. Im Feuilleton der *Neuen Freien Presse* erschien eine ausführliche Besprechung des Buches, eine Art literarischer Ritterschlag, heute vergleichbar mit einer Rezension im Kulturteil der Frankfurter Allgemeinen Zeitung. Diese Ehre wird nur unwesentlich dadurch gemindert, dass Max Burckhard, der Verfasser der Besprechung, der Familie Mautner in enger Freundschaft verbunden und von Konrads Schwester Marie auf das Buch hingewiesen worden war. Konrad Mautner war entsprechend gerührt und dankte ihm in einem Brief mit bewegten Worten.[286]

Die nächsten Jahre brachte Konrad Mautner mit der Sammlung weiterer volkstümlicher Lieder zu, diesmal unter Einsatz modernster Technik in Form eines Phonographen zur Aufzeichnung von Liedvorträgen. 1913 war die Sammlung abgeschlossen, sie wurde allerdings zunächst nicht veröffentlicht.

Stattdessen wurde Konrad Mautner am 15. Februar 1915 zum Militärdienst eingezogen, ohne allerdings jemals einen Schuss abzugeben oder gar in Frontnähe zu geraten. Seine Militärakte verrät deutlich die Ratlosigkeit, was man mit ihm anstellen solle: Erst wurde er wegen seines, so wörtlich, „Gebrechens" beurlaubt, dann als „zum Landsturmdienst ohne Waffe geeignet" erklärt, 1917 galt er als tauglich für Hilfsdienste ohne Waffe. Wirklich sinnvollen Einsatz leistete Konrad immerhin in der musikhistorischen Zentrale des k.u.k. Kriegsministeriums am Wiener Stubenring. Seine Aufgabe war dort die Sammlung von Soldatenliedern. Zum Lohn wurde Konrad Mautner am 26. August 1918 „in Anerkennung vorzüglicher Dienstleistung" mit dem „Silbernen Verdienstkreuz mit der Krone am Band" dekoriert, ein zweifellos höchst sympathischer Beleg für die Bereitschaft der k.u.k. Armee, auch unkriegerische Leistungen angemessen zu dekorieren.[287]

Im Frühjahr 1918, also noch während seiner Militärzeit, sichtete Konrad erneut seine Liedersammlung, verfasste ein weiteres, melancholisches Vorwort, zögerte aber wieder mit der Veröffentlichung, bis der Krieg vorüber war. 1919 erschien dann die über 400 Seiten starke Sammlung schließlich im Verlag Stähelin & Lauenstein unter dem Titel „Alte Lieder und Weisen aus dem Steyermärkischen Salzkammergut". Wiederum in altdeutscher Aufmachung, dieses Mal allerdings nicht mit eigenen Illustrationen, sondern mit Holzschnitten von Josef von Diveky. Gewidmet war das Buch „seiner königlichen Hoheit, dem durchlauchtigsten Herren Herzog Luitpold in Bayern"; Konrad sah offensichtlich trotz Ausrufung der Republik, Abdankung aller Fürstenhäuser und Beseitigung der Adelstitel keinen Anlass, diese Widmung zu überdenken.

Konrad Mautner stellt seiner Liedersammlung eine sehr belesene Abhandlung über das Ausseer Land, dessen Geschichte, Bewohner und Liedgut voran, die belegt, wie intensiv er sich mit der Materie beschäftigt hat. So intensiv allerdings, dass er sich gelegentlich in seiner Fixierung auf die unverfälschte Volkskunst zu einer irritierenden Fortschrittsfeindlichkeit hinreißen lässt. So zieht er zornig und voller Verachtung über das „alle guten Volksgeister bannende Grammophon, das Kurtheater und das abscheuliche Kino"[288] her. Konrad Mautner schwärmt stattdessen kompromisslos für „das gute Alte"[289] und so versteht man plötzlich die aus der Zeit gefallene Widmung des Buches: Der Eifer für die Erhaltung des alten Brauchtums lässt Konrad leider gelegentlich die Grenze zum eifernden Reaktionär überschreiten.

Bereits vor dem Krieg hatte Konrad Mautner mit den Vorarbeiten für ein Projekt begonnen, das den Aufwand für die Volksliedsammlungen noch bei weitem übertreffen sollte. Er besaß, wie wir wissen, bereits seit geraumer Zeit eine beträchtliche und wertvolle Trachtensammlung. Nun reifte in ihm der Plan, die steiermärkischen Trachten systematisch zu erforschen und zu publizieren. Er suchte den Kontakt zu dem Volkstumsexperten Viktor von Geramb (1884–1958), der seit 1913 Leiter des Steirischen Volkskundemuseums in Graz war.

1922 erschien nach jahrelangen aufwendigen Recherchen der erste Band des „Steyrischen Trachtenbuches, von der Urzeit bis zur Französischen Revolution"; im Vorwort erläutert Geramb ausführlich die Entstehungsgeschichte des Projekts und den Beitrag Konrad Mautners, mit dem sich im Laufe der Jahre eine enge Freundschaft entwickelt hatte. Geramb betrachtete seine beharrliche Fortführung des Projektes bis zur Vollendung als einen Freundschaftsdienst für Konrad Mautner. Erst 1935, elf Jahre nach Konrads Tod, erschien die letzte Lieferung des zweiten Bandes „Von 1870 bis zur Gegenwart".[290]

Konrad Mautner wurde in Wien auf dem Pötzleinsdorfer Friedhof direkt hinter dem Schlössel begraben. Er hinterließ vier Kinder, sie blieben mit ihrer Mutter Anna in Gössl. Nachdem der Fernsehjournalist und Konrad-Mautner-Forscher Lutz Maurer entdeckt hatte, dass der Friedhof 1989 aufgelassen worden war und die Gräber langsam zuwucherten, sorgte er dafür, dass für Konrad Mautner in seiner Wahlheimat auf dem Friedhof der Gemeinde Grundlsee am 6. August 2010 eine angemessene Grabstelle eingerichtet wurde.[291]

Heute noch ist sein Name in der Gegend präsent: Der Konrad-Mautner-Weg führt vom Grundlsee vorbei am wiederhergestellten Konrad-Mautner-Gedenkstein, den die Nazis gesprengt hatten, zum geheimnisumwitterten Toplitzsee, wo einst vor 200 Jahren Erzherzog Johann seine Anna traf, wo im Zweiten Weltkrieg die Nazis neue Wunderwaffen erprobten und wo nach dem Krieg immer neue Abenteurer nach legendären Nazi-Schätzen suchten.

Ein schärferer Kontrast zu Konrad Mautners friedvoller Heimatforschung ist kaum denkbar. Aber der Toplitzsee hat all dies überstanden. Immer noch gelangt man nur zu Fuß an den See, immer noch kann man nur mit einem Nachen den See erkunden, noch immer bewirkt der ruhige dunkle See inmitten der dicht bewaldeten, steilen Hänge des Toten Gebirges ein ganz eigentümliches Gefühl von Stille. Als sei man am Ende der Welt.

Stephan Mautner oder die Flucht in die Idylle

Am 22. Februar 1877 geboren, war Stephan der älteste Sohn Isidors und als solcher mit großer Selbstverständlichkeit als dessen Nachfolger vorgesehen. Stephan besuchte das Gymnasium am Schottentor in Wien, machte dort 1895 sein Matura, leistete anschließend sein „Einjähriges" ab, jenen verkürzten Militärdienst, der Söhnen aus wohlhabendem Hause offenstand und die Offizierslaufbahn eröffnete. Ein anschließendes Studium war offenbar nicht vorgesehen, lag wohl auch weder im Interesse Stephans noch Isidors. Stattdessen besuchte Stephan 1897 eine Webereischule, vermutlich in Náchod, anschließend einen Handelskurs und wurde dann zu einem Webereipraktikum nach Schumburg geschickt.

Ob Stephan für diesen Berufsweg eine besondere Hingabe entwickelte, darf bezweifelt werden, wie auch deutlich aus den Ausführungen seiner Schwester hervorgeht.[292] Seine Leidenschaft war – neben der Jagd – das Malen und Zeichnen. Dieses Talent wurde von seiner Mutter Jenny früh erkannt und gefördert, er erhielt, wie bereits bekannt, anspruchsvollen Zeichen- und Malunterricht bei anerkannten Koryphäen der Wiener Kunstszene. Von Stephan sind zahlreiche Aquarelle, Zeichnungen und Grafiken überliefert, die ein beachtliches Talent erkennen lassen. Laut seiner Schwester Käthy befinden sich einige seiner Werke sogar in Besitz der Albertina, der berühmten Wiener Graphiksammlung,[293] was sich allerdings anhand des Verzeichnisses dieses Instituts nicht bestätigen lässt: Ein Stephan Mautner ist dort nicht registriert, dafür seine Schwester Marie mit einer Fotografie, die den berühmten Burgschauspieler Josef Kainz zeigt.

Mag sein, dass ein weiteres Mal das Gedächtnis der alten Dame einen Streich gespielt hat, denn öffentlich aufbewahrt werden offenbar nur zwei Arbeiten Stephan Mautners, und zwar nicht in der Albertina, sondern in der Österreichischen Nationalbibliothek. Die eine Arbeit ist eine bemerkenswert professionell gestaltete Lithographie namentlich bekannter Kartenspieler, bei der zweiten Arbeit handelt es sich um ein karikaturistisches Einladungsplakat für ein Soldatenfest aus dem Jahr 1915, das in aller wünschenswerter Symbolhaftigkeit zeigt, wie ein deutscher und ein österreichischer Soldat, Rücken an Rücken und brüderlich untergehakt, sich mit ihren aufgepflanzten Bajonetten gegen eine Welt lächerlicher Feinde verteidigen.[294] Übrigens der einzige Fall, wo sich Stephan Mautner künstlerisch mit der harten Realität auseinandersetzt. Denn er zeigt sich in seinen Arbeiten ansonsten als überzeugter Anhänger der akademischen Malerei, wie sie ihm von Hugo Charlemont vermittelt worden war. Seine besondere Bewunderung galt dem Wiener Maler Rudolf von Alt,[295] der vor allem für seine stimmungsvollen Aquarelle berühmt war, von denen eines auch in der Wohnung in der Löwelstraße hing. Obwohl im Epizentrum des Jugendstils lebend, lassen Stephans Werke erstaunlicherweise keinerlei Einflüsse dieser Kunstrichtung oder gar des Expressionismus erkennen. Immerhin werden aber zumindest zwei auf 1904 datierte kleine Werke aus seiner Hand auf dem Kunstmarkt gehandelt.[296]

Es ist kaum anzunehmen, dass Stephan sonderlich begeistert war, dass er, statt sich in das kulturelle Leben Wiens zu stürzen, das Jahr 1898 mit wenigen Unterbrechungen in einem staubigen Webereibetrieb im Nordosten Böhmens verbringen musste, in der wenig reizvollen Kleinstadt Schumburg mit knapp 3000 Einwohnern, die sich an der Desse (Desna) entlang zog. Aber Stephan war nun mal der „Thronfolger", als ältestem Sohn war es ihm vorbestimmt, in die Fußstapfen seines Vaters zu treten, persönliche Interessen waren demgegenüber nachrangig. Zudem hatte sein Vater ein Arrangement getroffen, das Stephans Leben in der Diaspora eine verlockende Perspektive verlieh: Er sorgte dafür, dass der Präsident der Reichenberger Handelskammer im Herbst 1898 Stephan Mautner als „commerciellen Fachberichterstatter" vorschlug[297] für eine Reiseunternehmung, die ihresgleichen suchte: Eine Schiffsreise – und zwar auf einem österreichischen Ozeandampfer (ja, so etwas gab es damals!) von Triest durch den Suezkanal bis ins ferne China mit dem Ziel, mögliche Perspektiven für den österreichischen Außenhandel in Asien zu erkunden.

Stephan genoss diese Reise mit dem Dampfer Seiner Majestät Kaiserin Elisabeth und verfertigte einen offiziellen Bericht. Von China selbst war Stephan Mautner erkennbar angewidert. Er wird nicht müde, auf den allgegenwärtigen Dreck und Gestank hinzuweisen, auf das ungepflegte Aussehen der Menschen und schließlich auch auf die bestürzende Gleichgültigkeit gegenüber grundlegenden Erfordernissen der Arbeitssicherheit. „Schutzvorrichtungen sind hier unbekannt", stellt Mautner fest, „Verwundungen und Unglücksfälle gehören zur Tagesordnung".[298]

In um so leuchtenderen Farben zeichnet Mautner dagegen das nächste Reiseziel Japan. Mautner spricht von „staunenswerten Culturfortschritten"[299]. Sauber sei es dort, eine hervorragende Infrastruktur gebe es dort, alles sei modern und das Land erkennbar bemüht, die Industriestaaten einzuholen.

Verständlich, dass Mautner wenig Lust verspürte, bei seiner Reisegruppe zu bleiben, als es hieß, es ginge wieder zurück nach China. Zwar hatte er auch in China durchaus einige berichtenswerte Jagdabenteuer erlebt, die er 1921 in seinem zweiten selbst illustrierten Buch veröffentlichte.[300] Aber nun hing sein Herz an Yokohama, man möchte fast vermuten, vor allem an einer bezaubernden jungen Bewohnerin dieser Stadt. Volle fünf Wochen verbrachte Mautner dort, bevor er sich widerstrebend bereit fand, endlich die Rückreise anzutreten. So schiffte er sich auf einem amerikanischen Dampfer nach San Francisco ein, reiste mit der „Central Pacific" von dort nach Chicago, besuchte die Niagara Fälle, verbrachte noch zwölf Tage in New York und bestieg dann am 12. September 1899 den deutschen Vorzeigedampfer „Kaiser Wilhelm der Große", der ihn nach einer fünftägigen Seereise wieder zurück nach Europa brachte.

Auftragsgemäß lieferte Stephan einen Bericht über seine Studienreise ab, dessen praktische Verwertbarkeit sich allerdings auf die Erkenntnis reduzieren lässt, dass das Bremer Bier sich mit dem Schwechater keineswegs messen könne und vor allem für das Pilsener Bier hervorragende Exportchancen bestünden, wenn das Kühlungsproblem gelöst sei. Ansonsten bleibt es bei Allgemeinplätzen. „Das Wichtigste ist und bleibt", so Stephan Mautner, „daß unser Erzeugnis gut und concurrenzfähig ist und daß in Ost-Asien ein sich stetig vergrößerndes Absatzgebiet gewonnen werden kann. Wer die gediegene Sicherheit des englischen Colonialhandels, die emsige Thätigkeit in den aufblühenden deutschen Niederlassungen zu beobachten Gelegenheit hatte, der muß den lebhaftesten Wunsch empfinden, die latenten Kräfte unseres Vaterlandes intensiver an dem Wettbewerbe beteiligt zu sehen, welche die staunenswerthen Culturfortschritte Japans und die beginnende Erschließung Chinas in unseren Tagen entfacht haben."[301] Gewiss keine überraschenden Neuigkeiten für das Handelsministerium, aber was sollte man von einem jungen Mann ohne jegliche Erfahrung mit Handel und Industrie erwarten? Für Stephan selbst bedeutete diese Reise immerhin eine enorme Bereicherung seines Erfahrungshorizontes, die er auch literarisch verwertete. Wir kommen darauf zurück.

Stephan hatte sich hinreichend ausgetobt, nun begann der Ernst des Lebens. Bereits im April 1900 heiratete er die etwa ein halbes Jahr jüngere Else Eissler, Tochter von Jenny und Moriz Eissler (1845–1919), einem

Wiener Großindustriellen, der gemeinsam mit seinem Bruder Robert in Bosnien in der Holzindustrie ein Vermögen gemacht hatte.[302]

Das junge Paar bezog eine repräsentative Villa mit einem parkähnlichen Garten im noblen Cottageviertel,[303] nur einige Häuser weiter wohnte in der gleichen Straße sein Cousin Fritz Wärndorfer, dessen Haus ein Treffpunkt der Sezessionisten war.[304] Stephan und Fritz müssen sich oft begegnet sein, um so erstaunlicher, dass sich keinerlei Beziehungen Stephans zu Künstlern wie Gustav Klimt oder Koloman Moser ergaben, weder persönlich, noch künstlerisch. Stephan blieb zeit seines Lebens bei seiner akademischen Malerei.

Systematisch führte nun Isidor seinen Ältesten an seine Unternehmungen heran. Nach dem Tod Isaac Mautners übernahm Stephan am 27. April 1901 dessen Position als offener Gesellschafter der Firma.[305] Bald schon saß er in diversen Aufsichtsräten, so vor allem auch in den 1905 gegründeten Österreichischen Textilwerken AG ehemals Isaac Mautner & Sohn. Bis 1916 war Stephan in diesem Unternehmen bis zum Vizepräsidenten aufgestiegen.[306] Auch mehrere Ehrenposten hatte er bereits übernommen, so 1912 die Mitgliedschaft in der Einkommensteuerschätzungskommission[307] und 1913 im Schiedsgericht der Warenbranche[308]. 1915 wurde er einberufen, allerdings nicht an die Front, sondern zur Train-Division Nr. 5[309], wo er dennoch 1916 als Leutnant der Reserve für sein tapferes Verhalten vor dem Feind zum Oberleutnant befördert wurde.[310] Zur gleichen Zeit wurde Stephan im Herbst 1915, also während seines Militärdienstes, zusammen mit seinem ebenfalls eingezogenen Bruder Konrad eines der drei Vorstandsmitglieder der Deutschen Textilwerke Mautner AG im sächsischen Plauen. 1916 wurde der nun wieder heimgekehrte Stephan Vorstandmitglied des Verbandes der österreichischen Baumwollspinner[311] und Verwaltungsrat der Pottendorfer Baumwollspinnerei und Zwirnerei AG. 1917 übernahm er gemeinsam mit seinem Vater und seinem Bruder Konrad die Geschäftsführung der Pölser Papierfabrik, wurde im gleichen Jahr Geschäftsführer der Eisenwerke Sandau in Böhmen und Verwaltungsrat der Baumwollzentrale AG in Wien.[312] Anfang 1918 kam ein Verwaltungsratsposten bei der Felixdorfer Baumwollspinnerei AG hinzu, nachdem sein Vater die Aktienmehrheit auch dieses Unternehmens erworben hatte.

So sehen wir im Frühjahr 1918 einen Mann vor uns, der voller Optimismus in die Zukunft blicken konnte. Stephan war gerade 41 Jahre alt geworden, stolzer Vater von vier Kindern, Andreas, genannt Andy, der Älteste, war bereits ein junger Mann von 17 Jahren, die Tochter Elisabeth (Lilabeth) zwei Jahre jünger; Franziska (Franzi) war 1910 geboren[313] und der kleine Karl Friedrich (Karli) zu diesem Zeitpunkt gerade mal drei Jahre alt, was man wohl als Hinweis auf eine intakte Ehe werten kann. Die Geschäfte liefen gut, gerade der Erwerb der Pölser Papierfabrik hatte sich als großer Erfolg erwiesen: Es konnten dort Garne aus Papier herge-stellt werden, dadurch konnte das große Problem der fehlenden Baum-wollimporte aufgrund des Krieges ausgeglichen werden. Nicht zuletzt aus diesem Grund erwirtschafteten die Österreichischen Textilwerke AG im Jahr 1917 den größten Gewinn ihres Bestehens.

Im Gegensatz zu seinem Vater, der rastlos am Ausbau seines Fir-menimperiums arbeitete, nur gelegentlich unterbrochen durch Kur-aufenthalte in noblen Badeorten, um seine Schaffenskraft zu erhalten, hatte Stephan Mautner aber auch noch andere Interessen. Im Laufe der Jahre hatte er zahlreiche Aquarelle und Bleistiftzeichnungen von Trat-tenbach, der Umgebung und seinen Bewohnern angefertigt. Seit 1915 begann er, Notizen über die Gemeinde zusammenzutragen. Im Frühjahr 1918 sah er nun den Zeitpunkt gekommen ein Buch über den Ort zu ver-öffentlichen, an dem sein Herz am meisten hing, über Trattenbach am Wechsel.[315]

Wir erinnern uns: 1893 hatten Isaac und Isidor Mautner in Tratten-bach eine Holzschleiferei aufgekauft und drei Jahre später zu einer Baumwollweberei umgewandelt, der dritten Mautnerschen Weberei neben Náchod und Schumburg. Stephan Mautner berichtet, dass er als 13-Jähriger zusammen mit seinem Bruder Konrad dabei gewe-sen war, als sein Vater die Holzschleiferei besichtigte und sich für den Kauf entschied.[316] Aber wie kamen die Mautners auf Trattenbach? Einen Ort ohne Bahnanschluss, ohne nennenswerte Industriearbei-terschaft, ohne textile Tradition, mit gerade einmal 300 Einwohnern? Wenn schon die räumliche Nähe zu Wien eine Rolle gespielt haben soll-te, dann hob sich dieser Vorteil sofort wieder auf durch die unterent-wickelte Infrastruktur. Warum also? Es gibt nur eine mögliche Antwort: wegen der Jagd.

Es kann nur so gewesen sein: Vater und Söhne hatten sich auf einen Jagdausflug an den Wechsel begeben, entdeckten die Fabrik am Ufer des Trattenbaches und schon war der Gedanke geboren. Konnte man hier nicht Geschäft und Leidenschaft auf das Schönste miteinander ver-binden? Morgens Jäger, nachmittags Fabrikant, abends vielleicht Maler? Gesagt getan. Zunächst wurde noch die Holzschleiferei weiter betrieben, allerdings stiegen die Holzpreise: „Das Holz ward unerschwinglich, die Zufuhr zu teuer.“[318] So wurde aus der Holzschleiferei eine Textilfabrik, das notwendige Personal, sofern es nicht aus halbwegs geschickten

Ortsansässigen zu rekrutieren war, wurde aus Böhmen „importiert" und in bereitgestellten Häusern untergebracht.[319]

Abb. 20: Mechanische Weberei in Trattenbach von Isaac Mautner & Sohn um 1898 (Hugo Charlemont, 1898)

Zwar war der aus dem Fabrikschlot nun unablässig hervorquellende Qualm in dem engen Tal nicht sonderlich gesundheitsfördernd – es sei denn, der Bach war so angeschwollen, dass er alleine die Turbinen antreiben konnte, was gelegentlich vorkam.[320] Dennoch waren zumindest die Arbeiterinnen und Arbeiter der Fabrik dankbar für diese Möglichkeit, ein einigermaßen auskömmliches Einkommen zu verdienen.

Die Mautners bewiesen auch in diesem Fall ihr Gefühl für soziale Verantwortung. Als im Sommer 1916 die Auftragslage so schlecht wurde, dass die Produktion eingestellt werden musste, wurde nicht etwa die Belegschaft entlassen, sondern Stephan Mautner organisierte eine private Arbeitsbeschaffungsmaßnahme. Er ließ auf eigene Kosten und gegen Entgelt von den arbeitslosen Arbeiterinnen eine Straße zu seinem Jagdhaus anlegen. Heute noch zeugt ein aufwendig gestalteter Gedenkstein an der Mautnerstraße, wie sie heute noch heißt, von der Dankbarkeit der Belegschaft für diese patriarchalische Großzügigkeit: „Weberinnen bauten im Kriegsjahre 1916 diesen Gedenkstein", ist auf der einen Seite zu lesen und auf der gegenüberliegenden Seite: „Zur Erinnerung wurde dieser Stein errichtet anno 1918 von Stephan Maut-ner." Die beiden anderen Seiten des übermannshohen Steins sind zum einen mit einem Webstuhl verziert, an dem eine Frau arbeitet und zum anderen mit drei Frauen, von denen eine die Hacke schwingt, die zweite einen schweren Stein schleppt und die dritte eine Schubkarre bewegt. Keine Gelegenheitsarbeit eines dilettierenden Dorfbewohners, sondern meisterhaft ausgeführt von einem professionellen Steinmetz oder sogar Bildhauer.

„Trattenbach". Nehmen wir das Buch zur Hand. Es hat ein ziemlich großes Format, wirkt aber sonst eher unscheinbar. Der Einband ist recht bieder gestaltet. Im Zickzack von oben nach unten aneinandergereihte Tannenzweige, die Zwischenräume abwechselnd gelblich und grünlich eingefärbt, dazu über die Seite regelmäßig verteilt kleine goldfarbene Gebilde, eine stilisierte Gestaltung des Buchstabens M wie Mautner, auf die gleiche Weise hat Stephan Mautner auch einige seiner Bilder signiert.

Dann folgt eine durchaus gekonnt ausgeführte Blei-stiftzeichnung: Ein in Jäger-tracht gekleideter Herr mit Schnauzbart hilft einem etwa zehnjährigen Mädchen, das Jagdgewehr richtig anzule-gen. Daneben steht ein etwas älterer Bub, der verschmitzt und selbstbewusst in Rich-tung eines imaginären Wildes blickt. Es gehört nicht viel Scharfsinn dazu, um zu ver-muten, dass wir hier Stephan als stolzen Vater sehen mit seinem Sohn Andreas und dessen zwei Jahre jüngeren Schwester Elisabeth.

Abb. 21: Stephan Mautner: Trattenbach, eingeklebtes Frontispiz

Auf der nächsten Seite eine Widmung in feiner schwarzer Schönschrift: „Dieses Exemplar ist Dir, lieber Josef mit Petri Heil freund-schaftlich zugeeignet. Trattenbach, den 24. Mai 1918. Stephan Mautner."

Wer war dieser Josef? Nicht gerade ein seltener Name, aber immerhin haben wir einen Anhaltspunkt: Die beiden waren per du. Welcher Josef war mit Stephan so vertraut, dass man sich duzte? Es gibt nur zwei Personen, die dafür in Frage kommen.

Mit einem Josef war Stephan seit Kindheitstagen vertraut: Josef Breitner, der Kunstlehrer, der mit den Buben die abenteuerliche Wanderung über das Tote Gebirge absolviert hatte. Aber ist es im so auf Etikette bedachten Wien vorstellbar, dass ein Schüler seinen Lehrer duzt? Wohl kaum. Ein vertrauliches, gegenseitiges „du" war eigentlich nur möglich, wenn man sehr gut befreundet war und sich auf dem gleichen gesellschaftlichen Status befand. Oder bei einem nahen Verwandtschaftsverhältnis.

Und in der Tat gab es einen nahen Verwandten namens Josef. Seit dem 18. Mai 1894 war für die Wiener Niederlassung der Firma Isaac Mautner & Sohn ein gewisser Josef Mautner als Prokurist eingetragen.[321] Dieser Josef Mautner, geboren am 8. April 1868 in Klein Skalitz bei Náchod,[322] war niemand anderes als der Bruder unserer Urgroßmutter Karoline und damit Cousin Isidor Mautners. Josef Mautner war der erste Sohn des Abraham Mautner und seiner Frau Anna nach drei Töchtern. Nach alter Tradition erhielt er ebenso wie Isidors bereits 1880 verstorbener Bruder den Namen des verstorbenen Großvaters. Am 18. Oktober 1897 heiratete Josef Mautner in Náchod Wilhelmine Tauber. Als Beruf verzeichnet das Náchoder Heiratsmatrikel: „Fabrikant"; das junge Paar bezog dann im Wiener I. Bezirk eine Wohnung in der Neuthorgasse 18. Ab dem 25. Oktober 1898 übten Stephan und Josef gemeinsam die Prokura in der Firma Isaac Mautner & Sohn aus.

Und jetzt wird auch klar, wie das Buch in den Besitz unseres Großvaters Hugo Meisl kam: Er war Josefs Neffe.

Das Buch führt in den ersten 74 Seiten den Leser in einem etwas altväterlichen Ton, der dem Einband und auch den Illustrationen entspricht, in die abgeschiedene Welt eines Mittelgebirgsdorfes ein. Trattenbach liege nur etwa drei Stunden von Wien entfernt, sei aber eben nur mühsam erreichbar und befinde sich so gewissermaßen am Ende der Welt, ein Dorf von 16 Häusern, zu dem in weiterer Umgebung zahlreiche weitere Höfe gehören. Mautner stellt uns nun das Dorf und dessen Bewohner Haus für Haus vor, wandert mit dem Leser sorgfältig, fast schon pedantisch die umgebenden Hänge und Almen ab, ergänzt durch Bleistiftzeichnungen und anrührend idyllische Aquarelle, die allerdings, künstlerisch betrachtet, kein Risiko eingehen.

Ähnlich wie sein jüngerer Bruder Konrad legt Stephan viel Wert darauf, die einheimische Bevölkerung in ihrem Dialekt zu erfassen, seitenweise finden sich Dialoge in der lokalen Mundart. Wie Konrad, so suchte auch Stephan offensichtlich in der einfachen Dorfbevölkerung das Authentische, den Ort, wo man wirklich zu Hause ist. Allerdings ist Stephan in Trattenbach in der Position des bei weitem größten Arbeitgebers vor Ort, was Begegnungen auf Augenhöhe eher schwierig macht. Trotzdem vermeidet Stephan jegliche Überheblichkeit. Er nimmt die einzeln geschilderten Personen ernst, auch wenn durchaus schlichte Gemüter darunter sind.

Wirklich anrührend wirkt die traurige Geschichte des reisefreudigen Dorfbewohners Karl Krausner, der nach seinen Auslandsaufenthalten immer wieder zum Geldverdienen in seine Heimat zurückkehrte und in der Fabrik anheuerte. Stephan Mautner beschreibt ihn als hochbegabten Weltenbummler mit vielfältigen Fähigkeiten und klugen Einsichten: „Er ist ein Philosoph durch und durch, redet nur selten, dann aber gescheidt." Im Jahr 1915 hatte Karl Krausner genügend Geld beisammen, um seine lange geplante Weltreise zu unternehmen. Aber nun kam der Krieg dazwischen, sein Sohn wurde zum Kriegsdienst eingezogen. Und was macht er nun mit dem mühsam erarbeiteten und ersparten Geld? Er kauft Kriegsanleihen! „Er hat bar gekauft", fügt Mautner hinzu, „weil er sagt: ‚I' bleib' neamd, nit amal in Staat, was schuldi', weil i a nit möchte', daß mir der Staat was schuldi' bleibt.'" Und Stephan Mautner fährt lakonisch fort: „Sein Sohn ist voriges Jahr in Rußland gefallen."[323]

Mehrmals wird der Fabrikdirektor erwähnt, dessen Geschäftsführung Stephan Mautner gelegentlich überprüft, gelegentlich übernachtet er auch im Direktorenhaus. Aber Mautner ist weit davon entfernt, ein realistisches Bild der industriellen Tätigkeit und der Lage der Arbeiterschaft zu zeichnen. Nichts davon scheint ihm erwähnenswert, geht es ihm doch darum, mit Worten und Bildern das Idyll einer intakten, zeitlosen, selbstgenügsamen Welt zu entwerfen. Wenn Stephan Mautner nach Trattenbach reiste, dann eben nicht wegen der Fabrikation, sondern ganz offensichtlich, um seiner großen Leidenschaft, der Jagd zu frönen.

Sympathischerweise stilisiert sich Mautner aber nicht zum unfehlbaren Jagdprofi, der gnadenlos alles zur Strecke bringt, was nicht bei drei auf – oder besser hinter – den Bäumen ist. Ausführlich beschreibt er die Überwindung, die es kostet, um zwei Uhr nachts aufzustehen, hinaus in die Kälte zu stapfen, stundenlang auf der Lauer zu liegen, nur um einen Auerhahn zu erlegen. Und wir erfahren auf Seite 47, dass Stephan Mautner einmal auf 15 Schritte Entfernung einen Prachtbock verfehlt hatte. „Aber so gefehlt! Na, ich danke." Ausführlich beschreibt er nun auf der folgenden Seite, wie er die Grenzsteine angefertigt und mit Hilfe des

„guten Alis", seinem „bosnischen Tragtier" eigenhändig auf die Grundstücksgrenzen gesetzt hatte, angrenzend an ein kaiserliches und an ein herrschaftliches Revier. Das klingt durchaus beeindruckend, schau her, lieber Leser, will Stephan damit wohl mitteilen, ich rede nicht nur mit dem Volk wie ein Niederösterreicher, ich gehe auch auf die Jagd wie ein österreichischer Adliger, dort, wo der Kaiser jagt, ist es für mich gerade recht.

Nebenbei erfährt man drei Seiten später, dass Stephan Mautner nur knapp 60 Kilo wog und man erinnert sich wieder daran, dass immer wieder alle Mautners als auffallend klein beschrieben wurden, auch Konrad[324] und vor allem auch Isidor.

Und schließlich führt uns Mautner mit ersichtlichem Besitzerstolz auf die Dernbauernalm, eine Hochalm mit herrlicher Aussicht, die er, wie wir auf Seite 86 lesen, 1908 einem Karl Nothnagel abgekauft hatte. Dort

steht sein Jagdhaus, der Nothnagelhof. „Nur gute Freunde nehme ich mit, ganz ausgewählte", erklärt er, „oder gute Freundinnen." Einer dieser Freunde wird ausführlich erwähnt, es handelt sich um Hanns Sobotka (1877–1947) – Mautner schreibt den Vornamen nur mit einem n –, einen gleichaltrigen Klassenkameraden aus dem Schottengymnasium, mit dem Stephan gemeinsam die Matura gemacht hatte, Sohn des wohlhabenden

Abb. 22: Stephan Mautner: Trattenbach; Der Nothnagelhof; eingeklebtes Aquarell

Wiener Malzfabrikanten Moritz Sobotka (1843–1918)[325].

Und dann wird es Stephan Mautner richtig feierlich zumute: „Zeigen will ich's selbst nur wenigen, und denen sag' ich dann auch noch zu jedem Ding, zu jedem Ort, zu jedem Fleck, was mir dies ist, und von den wenigen nur einigen, was ich dabei gefühlt und wie glücklich ich bin. Gott gebe, es bleibe so! Amen."[326]

Man spürt, hier öffnet ein Mann sein Innerstes, und die letzten beschwörenden Worte kann man nur mit Beklemmung lesen, wenn man an das entsetzliche Schicksal denkt, das Stephan Mautner bevorstand.

Um so schlimmer, wenn in diese Idylle eine Jagdgesellschaft einfällt, derer er sich nicht erwehren kann, weil es sich um Geschäftsfreunde der Vereinigten Österreichischen Textilindustrie handelt. Voller Verachtung berichtet Mautner von einem Teilnehmer in schwarz-weißem Jagdgewand, der abends durch penetrante Großmäuligkeit auffällt und sich morgens als Totalversager entpuppt.

Anschließend lässt Stephan Mautner den Bericht besinnlich ausklingen, er greift sogar zu der Violine, die ihm eigentlich seit dem Geigenunterricht seiner Kindheit verleidet war. Das Jahr geht zuneige, auch Stephans Familie kommt nun zu ihrem Recht und das Buch schließt mit einem anrührenden Selbstporträt, das den Autor bei hochkonzentrierter Zeichenarbeit zeigt. Einer ausklappbare Reliefkarte der Umgebung „nach dem Originalmodell des Verfassers" beschließt das Werk (S. 193).

Das Buch hinterlässt beim Leser eine geradezu wehmütige Stimmung. Das liegt weniger an den literarischen Qualitäten des Buches, das insgesamt eine eher langatmige, gegen Ende auch recht sprunghafte Erzählweise pflegt, sondern daran, dass hier auf geradezu schmerzhaft spürbare Weise die Sehnsucht nach Heimat, nach Zugehörigkeit, nach eindeutiger Identität und Authentizität deutlich wird – das tiefe Dilemma der assimilierten Juden, unter dem auch Konrad Mautner so litt. In Trattenbach scheint Stephan Mautner all dies gefunden zu haben. Deshalb die seitenlangen Dialoge in breitestem Dialekt, deshalb dieser unbändige Stolz auf sein Jagdhaus und sein Revier. Und so kann man dieses Buch auch als einen melancholischen Abgesang lesen auf die letzten Tage jener Monarchie, der die Juden Aufstieg und Gleichberechtigung verdankten.

Stephan Mautner verfasste 1921 noch ein weiteres Buch, das ebenfalls in kleiner Auflage als Privatdruck erschien. „Farbige Stunden" lautet der Titel, wiederum eigenhändig illustriert. Erzählt werden einige Jagdgeschichten, die stets dem gleichen etwas monotonen Muster folgen: Anschleichen, schießen, Beute einsammeln; nur die Tierarten variieren. Daneben finden sich aber auch einige Erzählungen mit exotischem Ambiente, in denen Mautner Erlebnisse seiner fernöstlichen Dienstreise von 1899 wiedergibt. So beschreibt die Erzählung „Fliegende Fische" den Reiz einer tropischen Seereise mit Meeresleuchten und den titelgebenden fliegenden Fischen. Eigentümlich mutet den Leser dagegen die Erzählung „Jagd in China" an. Mautner begibt sich auf die Jagd nach einem Rebhuhn, stiefelt dabei quer durch mühsam angelegte Reisfelder und mault dann auch noch fortwährend über das unzumutbar sumpfige Gelände. Natürlich erschießt er schließlich das Objekt seiner Begierde,

Abb. 23: Stefan Mautner: Farbige Stunden;
Illustration zu: "Mit den Kormoranen"

aber es wirkt doch sehr irritierend, mit welch kolonialistischer Respektlosigkeit er hier agiert.

Ganz anders dagegen eine weitere Erzählung aus China, die den Titel trägt „Mit den Kormoranen". Mautner begleitet einen einheimischen Fischer auf seinem Boot und erlebt, wie er mit Hilfe von Kormoranen einen reichen Fang einfährt. Kulturhistorisch hochinteressant und dieses Mal völlig frei von jeglicher Arroganz des weißen Mannes.

1927 ließ Stephan Mautner seinen „Farbigen Stunden" einen zweiten Band folgen. Wieder Jagdgeschichten, nun allerdings verknüpft mit ausführlichen Landschaftsbeschreibungen. Die Geschichten spielen der Reihe nach in den österreichischen Alpen, der ungarischen Tiefebene, dann in den Karpaten. Anschließend verfrachtet Mautner uns ins Waldviertel, wo er über die „verflucht nahe Grenze des ‚herrlichen' tschechoslowakischen Nachbarstaates" herzieht und vergangener Großstaatlichkeit nachtrauert: „Man darf in unserem armen Land jetzt kaum mehr mit dem Mannlicher schießen; man weiß nicht, ob's nicht am End schon in dem nächsten Sukzessionsstaat einschlägt."[327] Dann folgen einige Erlebnisberichte aus der Trattenbacher Gegend und zum Schluss als große Überraschung zwei gut gelaunte Mundartgedichte. Man liest, ist amüsiert und zugleich gerührt, denn deutlicher kann man seinen Wunsch, dazu zu gehören, wohl kaum dokumentieren.

Auch dieses Buch wird durch eine ganze Reihe gekonnter Bleistiftzeichnungen bereichert, enthält allerdings im Gegensatz zum ersten Band nur ein einziges Aquarell, auf der zweiten Einbandseite eingeklebt, zudem mit einem handschriftlichen Gedicht und Unterschrift versehen. Dennoch handelt es sich nicht um einen Privatdruck. Das Buch erscheint in einer Auflage von immerhin tausend Stück im Steyrermühl Verlag in Wien. Es bleibt allerdings offen, ob der Verlag das Buch auch verlegt hätte, wenn Stephan Mautner nicht Mitglied des Verwaltungsrates dieser Firma gewesen wäre.

Mit dem zweiten Teil der „Farbigen Stunden" hatte Stephan Mautner sein literarisches Werk abgeschlossen, zumindest ist danach nichts mehr aus seiner Feder veröffentlicht worden, auch nicht, nachdem er sich 1930 aus allen Geschäften zurück gezogen hatte. Er hatte offensichtlich beschlossen, sich nur noch der Malerei zu widmen.

Dabei konnte Stephan Mautner schreiben. Dank seines durch die Malerei geschulten Auges gelingen ihm stimmungsvolle Naturschilderungen, auch erfährt man bei ihm so manches Wissenswerte, allerdings gelegentlich in etwas pedantischer Langatmigkeit. Aber er strebte auch gar nicht nach literarischen Ehren. Er schrieb nicht für einen Literaturmarkt und schon gar nicht betrachtete er diese Tätigkeit als Broterwerb, sondern als eine Liebhaberei, an der er Freunde und Verwandte teilhaben lassen wollte. Die ersten beiden seiner drei literarischen Veröffentlichungen waren daher Privatdrucke, in der Regel mit Widmung versehen, Ausdruck einer sympathischen Bescheidenheit, keinesfalls hätte Mautner sich selbst als Schrift-

Abb. 24: Stephan Mautner um 1930

steller bezeichnet. Er war ein Großindustrieller, der nebenbei schrieb und malte, ohne damit weitere Ambitionen zu verbinden.[328]

Kapitel 4
DER ABSTIEG

„L' Autriche ç'est qui reste!"
(Georges Clemenceau, 1918)

Die Republik und das rote Wien

Der Krieg war verloren. Die glanzvolle, traditionsreiche Monarchie war verschwunden, so sehr verschwunden, dass sogar Adelstitel nicht mehr öffentlich geführt werden durften. Das mächtige Habsburger Imperium war zerfallen, die Metropole Wien, Jahrhunderte lang das pulsierende Zentrum eines der mächtigsten Reiche Europas, fand sich nun plötzlich wieder als überdimensionierter Wasserkopf eines unbedeutenden Kleinstaates, in dem Hunger und Elend regierten.

Dabei war der Untergang der Monarchie von vielen Bürgern durchaus begrüßt worden als Befreiung von Standesdünkel, Ausbeutung und verkrusteten Strukturen.[329] So schreibt der Fußballmanager und Journalist Hugo Meisl im Editorial seiner Sportzeitschrift zum Jahreswechsel 1918/1919 unter dem hoffnungsvollen Titel „unsere Zukunft" voller Tatendrang: „Zuerst muß der Sport in die Schulen eindringen und den letzten Rest von Duckmäusertum, Engbrüstigkeit und Ungesundheit hinausfegen. Vergeßt nicht, daß der Sport das beste und edelste Erziehungsmittel ist, besonders in einer Demokratie." Meisl spricht bewusst von Sport, nicht von Leibesübungen. Und die ersten Jahre der Republik sind auch durch einen Aufbruch in eine neue Zeit geprägt. So wurden Achtstundentag, Jugend- und Frauenschutzgesetze, gesetzlicher Anspruch auf Arbeitsurlaub, Streikrecht und Betriebsräte eingeführt, es gab nun Arbeitslosenversicherung, Mieterschutz und Frauenwahlrecht.[330] In Wien wurde in einer enormen finanziellen und organisatorischen Kraftanstrengung die katastrophale Wohnungsnot durch den umfangreichen Bau moderner Sozialwohnungen behoben.[331]

Und was das kulturelle und wissenschaftliche Terrain betraf, konnte Wien ohnehin seine alte Geltung behaupten. Hier schlug immer noch das kreative Herz der Musikszene, nicht nur, was die avantgardistische Zwölftonmusik betraf, sondern vor allem hinsichtlich einer überaus kreativen Produktion erfolgreicher Opern, Operetten und Unterhaltungsmusik. Und nicht nur in der Musik, sondern auch im Bereich der Nationalökonomie, der Medizin, der Philosophie, ja selbst im Fußball sprach man von einer Wiener Schule, im Österreich der zwanziger Jahre schrieben Robert Musil, Stefan Zweig und Joseph Roth Weltliteratur, zahlreiche österreichische Wissenschaftler wurden mit dem Nobelpreis ausgezeichnet.[332]

Aber das änderte nichts am Grundproblem. Wien war die Hauptstadt und Metropole des – abgesehen von Russland – größten Flächenstaats Europas gewesen. Von hier aus war das Riesenreich regiert und verwaltet worden, mächtige Finanzhäuser und Konzernzentralen hatten hier ihren Hauptsitz und steuerten von hier aus die vielen Provinzfilialen und Fabriken. Jetzt waren die Filialen im Ausland, zum Teil sogar im feindlichen Ausland, wie etwa in der Tschechoslowakei oder Italien und die Behörden waren nun völlig überdimensioniert, nur noch für sechs Millionen Menschen zuständig statt für 52 Millionen.

Hinzu kam noch, dass sich dieser Reststaat sehr schwer damit tat, eine eigene Identität zu entwickeln: Man empfand sich als „Bestandteil der Deutschen Bundesrepublik", wie es die provisorische Nationalversammlung unter Einschluss der Deutschböhmen oder Sudetendeutschen Ende 1918 formulierte, historisch gesehen eine Selbstverständlichkeit, denn Österreich war ja nicht nur Bestandteil, sondern über Jahrhunderte hinweg sogar die führende Macht des deutschen Reiches gewesen. Selbst 1866 hatten noch fast alle deutschen Staaten auf Seiten Österreichs gestanden im Kampf gegen die Preußen und dafür mit ihrer Unabhängigkeit bezahlt. Erst nach dem preußischen Sieg bei Königgrätz war Österreich durch Preußen aus dem Deutschen Bund verdrängt worden, was hätte näher gelegen, als sich nun mit Deutschland zusammen zu schließen und damit ein Vermächtnis der Deutschen Revolution von 1848/49 zu vollenden? Vielen Österreichern war dieser Gedanke sehr sympathisch, zumal man schon lange genervt war von den ständigen separatistischen Querelen im Vielvölkerstaat; insbesondere die Tschechen hatten das österreichische Parlament durch penetrante Obstruktion an den Rand der Arbeitsunfähigkeit gebracht.

Ein Zusammenschluss hätte zweifellos dem Selbstbestimmungsrecht der Völker entsprochen, wie es der amerikanische Präsident Woodrow Wilson proklamiert hatte. Aber die Vorstellung, die unter Aufbietung aller Kräfte – und nach Millionen von Toten – besiegten Mittelmächte könnten nun wieder einen großen und bevölkerungsreichen Staat in der Mitte Europas bilden, wirkte vor allem auf Frankreich mehr als beängstigend, auch wenn es sich doch nun um eine demokratische Republik handeln sollte. Da hatte das Völkerrecht zurückzustehen. Im Vertrag von St. Germain musste Österreich dem Anschluss an Deutschland abschwören, das deutschsprachige Sudetenland wurden ebenso von Österreich abgetrennt und der Tschechoslowakei angegliedert, wie das deutsch-sprachige Südtirol an Italien.

Aber das war noch lange nicht das größte Problem für die junge Republik. Die Monarchie hatte den Krieg verloren, die Zeche musste die Republik zahlen. Der Krieg war nicht nur durch Kriegsanleihen finanziert worden (nominal über 35 Milliarden Kronen), sondern vor allem durch die Notenbank, die die Geldmenge während des Krieges von 3,4 auf 42,6 Milliarden Kronen steigen ließ. Dementsprechend war bereits bei Kriegsende der Geldwert auf ein Sechzehntel des Vorkriegswertes gesunken.

Nach dem Krieg brachen nun alle Dämme, denn der Staat erstickte in Schulden: Ausgaben für die Behörden, für die Defizite der Bahnen, für überflüssig gewordene Dienstleister, für Witwen- und Waisenrenten, für Kriegsheimkehrer, die oft traumatisiert, oft verstümmelt, versorgt werden wollten.[333] Und am schlimmsten war der Hunger. Um eine schwere Hungersnot zu verhindern, mussten die Lebensmittel subventioniert werden, was 1919/1920 ein Viertel des gesamten Staatshaushaltes ausmachte, 1920/1921 sogar volle 58 Prozent. Im August 1922 war der Geldumlauf auf mehr als eine Billion Kronen gestiegen, die Lebenshaltungskosten betrugen nun das 14.000-fache der Vorkriegszeit.[334] Erst dann gelang es dem christlich-sozialen Kanzler Seipel mit harten Sanierungsmaßnahmen die Währung zu stabilisieren,

Das größte Problem war, dass die Republik nicht nur auf der Ausgabenseite enorme Belastungen zu tragen hatte, sondern dass die Einnahmen wegbrachen. Im zweiten Halbjahr 1921 konnten die Staatsausgaben nur noch zu 36 Prozent durch Einnahmen gedeckt werden.[335] Der Import von Rohstoffen war nur unter schwierigsten Bedingungen möglich, was wiederum die industrielle Produktion und damit die Sicherung von Arbeitsplätzen behinderte.

Ein konkretes Beispiel hierfür liefert die Bitte der Mautnerschen Textilfabrik in Trattenbach um die Lieferung von zehn Tonnen Benzin. Dort heißt es in einem Schreiben der Österreichischen Textilwerke AG vormals Isaac Mautner & Sohn vom 29. April 1919:

„Wir haben seit einigen Wochen mit vielen Mühen und Kosten unsere Weberei Trattenbach in Betrieb gesetzt und sämtliche Arbeiter, welche in der Arbeitslosenunterstützung waren, wieder aufgenommen. Wir sind weiter mit Rohstoffen und allen anderen zum Betrieb notwendigen Materialien auf ca. 2 bis 3 Monate versehen, um den Betrieb dieser Weberei aufrecht zu erhalten. Es fehlt uns jedoch nur das notwendige Benzin, um den Rohstoff und die anderen Materialien von der Station Gloggnitz bzw. Edlitz-Grimmenstein mittelst Auto nach Trattenbach zu bringen. Infolgedessen mußten wir die Vorbereitung, d. h. die Spulerei und Schlichterei seit drei Tagen bereits wieder einstellen und falls wir nicht innerhalb der allernächsten Tage das notwendige Benzin erhalten, sind wir gezwungen, den ganzen Betrieb einzustellen und sämtliche Arbeiter (ca. 120) wieder in die Arbeitslosenunterstützung zu überweisen."[336]

Wie schlimm die Situation war, zeigt die Antwort der zuständigen Behörde, die nun deutsch-österreichisches Staatsamt für soziale Verwaltung hieß; auf einem Briefbogen, auf dem die Aufschrift k.k. Handelsministerium durchgestrichen war, hieß es:

„Mit Rücksicht auf die bekannte herrschende Betriebsstoffkatastrophe kann dem Ansuchen der Österreichischen Textilwerke A.G. in dem angegebenen Ausmaß derzeit beim besten Willen nicht entsprochen werden, doch wurde lt. zuliegenden Dienstzettels die d. ö. [deutschösterreichische] Erdölstelle veranlasst, für die Zwecke der Textilwerke 2 Faß Mischbenzin freizugeben."

Die Begründung liefert einen anschaulichen Einblick in die katastrophale Versorgungssituation Österreichs nach dem Krieg:

„Die Benzinverhältnisse sind derzeit in Deutschösterreich geradezu katastrophal, indem die vorhandenen Vorräte fast völlig erschöpft sind und die mit allem Nachdruck betriebenen Importe bisher versagen. Mit Rücksicht auf die gegenwärtigen Transportverhältnisse in Ungarn und den Umstand, daß der Donauweg noch nicht frei ist, kann auch der Zeitpunkt des Eintreffens von Importen augenblicklich[337] noch gar nicht abgesehen werden.

Die dermalen noch erübrigenden Vorräte an Benzin und Benzol reichen nicht einmal mehr hin den notwendigen Bedarf der Bergwerke, Feuerwehren, Sanitätsanstalten und der dringenden Approvisionierungsanstalten [Einrichtungen zur Lebensmittelversorgung] für etwa zwei Wochen zu decken. Um jedoch den gewiss berücksichtigungswürdigen Erfordernissen der Weberei Trattenbach, wenn auch nur in eingeschränktem Maße Rechnung zu tragen, wurde unter einem die d. ö. Erdölstelle beauftragt, der Weberei 2 Faß Mischbenzin aus der Floridsdorfer Raffinerie freizugeben. Mehr ist augenblicklich beim besten Willen unmöglich. Wien, am 20. Mai 1919."[338]

Die Textilwerke Mautner AG

In mancherlei Hinsicht wäre das Jahr 1917 ein guter Zeitpunkt für Isidor Mautner gewesen, sich in den wohlverdienten Ruhestand zu begeben. Er war 65 Jahre alt, er konnte sein fünfzigjähriges Dienstjubiläum feiern, er hatte sich mit der Gründung des Mautner-Fonds ein Denkmal gesetzt, er gehörte zu den wohlhabendsten Bürgern der Monarchie[339] und er war nach der Übernahme der Vereinigten Österreichischen Textilindustrie AG und dem Erwerb weiterer Unternehmen nun Herr über den größten Textilkonzern der Monarchie. Mehr ging nicht. Der Gipfel war erreicht.

Vielleicht hätte sich Isidor Mautner tatsächlich vom Geschäft zurückgezogen, wenn seine Söhne – vor allem Stephan, der älteste – entsprechendes Interesse und Talent bewiesen hätten. Aber das war, wie wir wissen, nicht der Fall. Konrad hatte sich in die Idylle des Salzkammerguts zurückgezogen und machte aus seiner Industriefeindlichkeit keinen Hehl und auch Stephan zog die Malerei und die Jagd eindeutig dem Konzerngeschäft vor.

Isidor Mautner dagegen war mit Leib und Seele Unternehmer. Die Herausforderungen nach dem verlorenen Krieg scheinen seine Tatkraft nur noch mehr beflügelt zu haben. Innerhalb von zwei Jahren schaffte es Isidor Mautner, seinen Konzern den neuen Gegebenheiten anzupassen.

Im Industrie-Compass von 1919[340] findet sich eine Übersicht über den Mautner-Konzern, wie er sich Ende 1918 darstellte. Dachgesellschaft waren die Österreichischen Textilwerke AG ehemals Isaac Mautner & Sohn, zugeordnet waren als Konzerntöchter die Vereinigte Österreichische Textilindustrie AG, die Deutschen Textilwerke Mautner AG, die Ungarische Textilindustrie AG und die Ungarisch-Amerikanische Northrop-Webstuhl und Textilfabrik AG.

Deutlich wird auch die Zuordnung der Betriebe. Dabei fällt auf, dass nun nach der Zerschlagung der Monarchie viele Fabriken plötzlich im Ausland lagen: in Italien, in Jugoslawien, in Ungarn, vor allem aber in der Tschechoslowakei. Das bedeutete neue Zollgrenzen, unterschiedliche Währungen, Verwaltungen und Gesetze und erzwang eine umfassende Neustrukturierung des Konzerns.

Zunächst einmal war nun die Firmenbezeichnung Österreichische Textilwerke für die Dachgesellschaft unzeitgemäß geworden, ganz abgesehen davon, dass die umständliche, geradezu barock wirkende Firmenbezeichnung Österreichische Textilwerke AG vormals Isaac Mautner & Sohn so gar nicht in die moderne republikanische Sachlichkeit passte. So wurde noch im Jahr 1919 das Unternehmen in Textilwerke Mautner AG umbenannt.

Das war aber noch nicht alles. Am 11. Dezember 1919 hatte die Tschechoslowakei ein förmliches Gesetz erlassen, demzufolge inländische Firmen nicht vom Ausland aus verwaltet werden durften. „Nostrifizierung" nannte man das. Das hieß: Der Firmensitz musste nun von Wien in die Tschechoslowakei verlegt werden. Und nicht nur das, auch die Aktienmehrheit musste nun an die tschechische Živnostenská banka übertragen werden, die als Regierungsbank fungierte.[341]

Das erforderte ohne Zweifel eine mentale Neuorientierung. Man war seit Jahrhunderten gewohnt, Wien als natürliches Zentrum alles Schaltens und Waltens zu betrachten – das war vorbei. Aber selbst wenn es nicht gesetzlich gefordert worden wäre, hätte es für die Verlegung der Konzernzentrale in die Tschechoslowakei gute betriebswirtschaftliche Gründe gegeben. Die Tschechoslowakische Republik hatte bei den Friedensverhandlungen mit Erfolg die Position durchsetzen können, dass sie, obwohl sie ein Nachfolgestaat der Monarchie war, in keiner Weise für die Verschuldung des untergegangenen Staates zu haften habe. So konnte der neu gebildete Staat auf einer gesunden fiskalischen Ebene starten. Man behielt zwar die Kronenwährung bei, nun aber als tschechische Krone, die im Gegensatz zur österreichischen Krone einen soliden Wert darstellte. Zudem unterlag die Tschechoslowakei als „Siegermacht" keinerlei Restriktionen hinsichtlich Warenhandel oder Geldverkehr.

Für Isidor Mautner war die Nostrifizierung womöglich noch nicht einmal ein mentales Problem. Er dachte sofort an Náchod, zurück zu den Wurzeln, in die alte Heimat, wo seine Familie begraben war – eine durchaus einleuchtende Idee, zumal sich in Náchod mit der Spinnerei und der Weberei zwei Kernbetriebe des Konzerns befanden. So wurde denn auch, „nachdem wir von der tschechoslowakischen Regierung zur Nostrifikation aufgefordert wurden"[342], auf der außerordentlichen Generalversammlung vom 2. Mai 1919 beschlossen, den „Sitz der Gesellschaft von Wien nach Náchod zu verlegen"[343].

Die Konzernzentrale residierte dort allerdings nur zwei Jahre, denn in zwei Erlassen von Mai und Juni 1921 verlangte das Handelsministerium der Tschechoslowakischen Republik ultimativ die Verlegung des Sitzes nach Prag. Immerhin war man aber bereit zu akzeptieren, dass die wirtschaftliche Leitung weiterhin in Náchod blieb.[344]

Als nächstes mussten die Betriebe neu nach staatlicher Zugehörigkeit zusammengefasst werden. Das betraf vor allem die Unternehmen der Vereinigten Österreichischen Textilindustrie AG, die 1916 übernommen worden war. Ihre Betriebe lagen über die ganze ehemalige österreichische (cisleithanische) Reichshälfte zerstreut.

Die Fabriken in Görz, Monfalcone, Ronchi und Aiello, die sich nunmehr auf italienischem Staatsgebiet befanden, waren im Verlauf der zwölf Isonzoschlachten völlig zerstört und bereits abgeschrieben worden. Dagegen waren die Spinnereien in der Krain vom Krieg unberührt geblieben, sie gehörten nun zum neu gebildeten Staat Jugoslawien. Auch dort galt das Prinzip der Nostrifizierung, das in diesem Fall von der Ljubljanska kreditna banka (LKB) umgesetzt wurde. So wurden die Betriebe in Littai (Litija), Priewald (Prebold)[345] und Haidenschaft (Ajdovščina), die der Vereinigten Österreichischen Textilindustrie AG gehört hatten, 1923 zu den Jugoslawischen Textilwerken Mautner AG (Jugoslovenske tekstilne tvornice Mautner D.D.) zusammengefasst. Die LKB behielt dabei 55 Prozent der Anteile, der Verwaltungsrat war dementsprechend so aufgeteilt, dass sechs Vertreter aus Jugoslawien kamen (drei Sitze LKB, drei weitere für die jugoslawische Geschäftswelt) und fünf vom Mutterkonzern (drei Textilwerke Mautner AG, je ein Sitz Bodencreditanstalt und Živnostenská banka).[346]

Das Gleiche geschah auch mit den Betrieben der Vereinigten Österreichischen Textilindustrie AG in der neu gegründeten Tschechoslowakei. Die Aktienmehrheit an der Friedrich Mattausch & Sohn AG in Franzensthal wurde an die Textilwerke Mautner AG übertragen, die Spinnerei in Brodetz im Juni 1920 gegen die Weberei in Trattenbach getauscht.[347] Damit lagen die Betriebe der Textilwerke Mautner AG allesamt in der Tschechoslowakei.

Die Vereinigte Österreichische Textilindustrie AG wurde dagegen zu einer rein deutsch-österreichischen Gesellschaft. Ihre Größe entsprach nun den neuen Gegebenheiten: Dem einst größten Spinnereikonzern der Monarchie verblieben von ehemals 14 Spinnereien nur noch drei, hinzu kamen seit 1920 die Weberei in Trattenbach am Wechsel und die Weberei und Spinnerei in Ebensee am Traunsee.

Auch die Ungarischen Textilwerke in Rosenberg/ Rószahegy mussten nun umbenannt werden, weder die Landeszugehörigkeit noch der Name der Stadt entsprachen der neuen Wirklichkeit. Rószahegy hieß nun Ružomberok und lag auch nicht mehr in Ungarn, sondern in der Slowakei, die nun Teil des neugegründeten Staates Tschechoslowakei geworden war. Der neue Name des Unternehmens, das 1920 über drei Millionen Kronen erwirtschaften konnte, lautete nun auf deutsch Rosenberger Textilwerke Mautner AG. Die Ungarisch-Amerikanische Northrop Webstuhl und Textilfabrik AG hatte ihre Zentrale dagegen seit 1921 ins ungarische Szent-Lörincz bei Pest verlegt, eine Namensänderung war daher nicht erforderlich.

Den Umstrukturierungen folgten Neuerwerbungen. Nachdem die Beteiligung an der Ein- und Verkaufsgenossenschaft tschechoslowakischer Baumwollspinnereien „enorme Verluste" eingebracht hatte,[348] wurde am 14. Dezember 1923 zur Absicherung der Versorgung mit Baumwolle in Amsterdam die Vereenigde Textiel Maatschappijen Mautner N.V. gegründet, die mit einem Aktienkapital von 300.000 holländischen Gulden ausgestattet wurde.[349] 1924 wurde dann das Belgrader Textilunternehmen Milan Ječmenica & Co D.D. übernommen und in Belgrader Textilwerke AG umbenannt. Damit war man auch in der Balkan-Metropole präsent.

Konsolidierung

Nach dem Krieg hatte der Konzern mit großen wirtschaftlichen Hemmnissen zu kämpfen. Da war zum einen die katastrophale Lage in der Energieversorgung, die in dem bereits dargestellten Briefwechsel zwischen der Trattenbacher Fabrik und dem zuständigen Ministerium deutlich wurde. Während aber von dieser Situation nur die österreichischen Betriebe betroffen waren, betraf ein anderes Problem den gesamten Konzern: Im Krieg waren die Betriebe mühevoll auf die Herstellung und Verarbeitung von Papiergarnen umgestellt worden, nun wollte kein Mensch mehr diese Ersatzstoffe kaufen. Folglich musste man die Betriebe stilllegen und auf Baumwolle umrüsten. Kein Wunder, dass die Bilanz der Österreichischen Textilwerke AG für das Jahr 1918 einen Verlust von etwa 150.000 Kronen auswies. Erst ab August 1919 kam das Geschäft langsam wieder in Gang, man konnte – nunmehr als Textilwerke Mautner AG – wieder 1,1 Millionen Kronen Gewinn erwirtschaften, der im Gegensatz zu 1918 in tschechischen Kronen bilanziert wurde. Denn der Umzug in die Tschechoslowakei war bereits beschlossene Sache.

Die Betriebe der Deutschen Textilwerke Mautner AG standen vor dem gleichen Problem. Auch hier musste wieder von Papierverarbeitung auf Baumwolle umgestellt werden. Aber dann entwickelten sich die Geschäfte glänzend, der Geschäftsbericht vom 4. April 1921 weist einen Reingewinn von fast 6 Millionen Reichsmark aus. Zugleich wurde das Aktienkapital auf 20 Millionen Mark erhöht, als Emissionsbank trat nun die Dresdner Bank an die Stelle der österreichischen Bodencreditanstalt.[350] Damit war auch dieses Tochterunternehmen erfolgreich umstrukturiert worden.

1921 erzielte die nunmehr in Prag residierende Konzernmutter Textilwerke Mautner AG einen Reingewinn von 3,4 Millionen Kronen, obwohl die tschechische Krone gegenüber anderen Währungen – vor allem natürlich der inflationären österreichischen Krone – deutlich teurer geworden war. Zugleich verkaufte man die Beteiligung an der Pölser Papierfabrik, man brauchte sie nicht mehr. 1922 stieg der Gewinn auf fast 4 Millionen Kronen, 1923 auf über 9 Millionen. 1924 war laut Rechenschaftsbericht die Nachfrage so groß, dass „teilweise mit Überschicht" gearbeitet werden musste. In Náchod wurde eine moderne Färberei- und Bleichereianlage eingerichtet, die die Erzeugungskosten deutlich senkte. So betrug im Jahr 1924 der Reingewinn über 12 Millionen Kronen, entsprechend wurde eine Dividende in Höhe von 10 Prozent ausgezahlt. Auch der Mautner-Fond wurde mit 150.000 Kronen bedacht, der sich damit auf insgesamt 2,3 Millionen Kronen belief. Die Gesellschaft selbst verfügte nun über Reserven in Höhe von fast 40 Millionen Kronen.[351]

Im Jahr 1925 wurde der Konzern erheblich zentralisiert. Sowohl die Rosenberger Textilwerke Mautner AG als auch die Fried. Mattausch & Sohn AG wurden, wie es heißt „gepachtet", mit anderen Worten: Sie wurden den Textilwerken Mautner angegliedert, Einkauf und Verkauf liefen nun über die Prager Zentrale. Offenbar versprach man sich davon Kosteneinsparungen. Der Reingewinn stieg auf nunmehr 12,5 Millionen Kronen. Wieder wurde in Náchod investiert: Im Jahre 1926 wurden eine Wollfärberei und eine Appretur in Betrieb genommen.

Isidor Mautner war es offenbar gelungen, den neu strukturierten Konzern wieder zu stabilisieren und ihm zu stetigem Wachstum zu verhelfen.

Er selbst blieb in Wien wohnen, seine Frau Jenny weigerte sich kategorisch, ihre Heimatstadt und ihr Schlössel zu verlassen, schon gar nicht für ein Provinznest wie Náchod, wo man fast nur tschechisch sprach. Aber auch Prag kam für sie nicht in Frage. So kam es, dass Isidor Mautner nun über 300 Kilometer von seiner Konzernzentrale entfernt lebte, bisher waren es nur wenige Straßen gewesen.

Allerdings hatte Isidor auch in Wien noch genug zu tun. Er war unter anderem Vizepräsident der Vereinigten Österreichischen Textilindustrie AG, Präsident der Felixdorfer Weberei und Appretur AG, der Pottendorfer Baumwollspinnerei und Zwirnerei AG, der Pottensteiner Baumwollspinnerei AG und Präsident der Wiener Creditgesellschaft für Industrie und Handel GmbH für alle Zweige des Bankgeschäfts unter besonderer Pflege des internationalen Geschäfts.

Die Neue Wiener Bankgesellschaft

Am 22. Mai 1921 vermeldete die *Wiener Zeitung* „die konstituierende Generalversammlung der Neuen Wiener Bankgesellschaft als Aktiengesellschaft".[353] Das Aktienkapital betrug 100 Millionen Kronen zu 200.000 Stück, im Verwaltungsrat finden wir einen alten Bekannten, nämlich Wilhelm Taussig, mit dessen Vater Isidor Mautner bereits 1878 die „Konfektionsanstalt" für die Landwehr gegründet hatte. Auch Isidors Sohn Stephan gehört zu den Mitgliedern des Verwaltungsrates und in der anschließenden ersten Sitzung wurde er zum Präsidenten gewählt.

Man fragt sich erstaunt, welche Qualifikationen Stephan zu diesem Posten befähigt haben sollten. Er hatte nie in einer Bank gearbeitet, verfügte über keinerlei entsprechende Ausbildung, beruflich trat er bisher nur als Vizepräsident und Verwaltungsrat in diversen Unternehmen seines Vaters in Erscheinung.[354]

Tatsächlich steckte Isidor Mautner hinter dieser Neugründung, die nichts anderes war als die Umwandlung der 1892 entstandenen Wiener Creditgesellschaft für Industrie und Handel GmbH für alle Zweige des Bankgeschäfts unter besonderer Pflege des internationalen Geschäfts, eine registrierte Genossenschaft, deren langjähriger Präsident Isidor Mautner gewesen war. Er war auch Hauptaktionär der neuen Gesellschaft, ohne allerdings einen Platz im Verwaltungsrat zu beanspruchen. Offensichtlich wollte er nicht öffentlich in Erscheinung treten. Trotzdem war seine Macht als Hauptaktionär groß genug, um seinen Sohn zum Präsidenten wählen zu lassen.

Warum machte Isidor das? Was war sein Plan? Ganz offensichtlich wollte er sich eine neue Hausbank zulegen, die ihm in seinen Geschäften zur Seite stehen würde. Wir erinnern uns, dass bereits vor dem Krieg sich ein Interessenkonflikt zwischen der Bodencreditanstalt, geleitet von Rudolf Sieghart und Isidor Mautner abzeichnete.

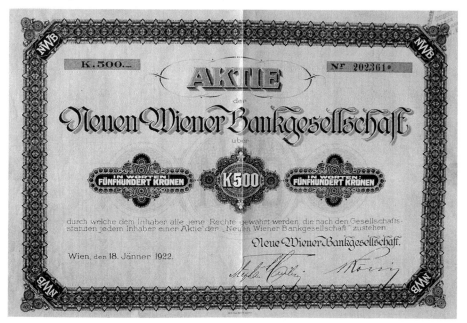

Abb. 26: Aktie der Neuen Wiener Bankgesellschaft vom 18. Januar 1922, signiert von Stefan Mautner

Seit 1921 betrieb die Bodencreditanstalt eine zunehmend aggressivere Politik der Kapitalerhöhung in den von ihr verwalteten Gesellschaften. Zwar gab es durchaus sachliche Gründe, neue Aktien auszugeben, zum einen, um die Inflation auszugleichen, zum anderen, weil die Kapitaldecke der Unternehmen angesichts von Kriegsverlusten und Investitionsbedarf zu gering war. Außerdem gab es im In- und Ausland genügend Nachfrage nach Wertpapieren.[356] Allerdings übertrafen die Maßnahmen der Bodencreditanstalt bei weitem das vernünftige ökonomische Maß: Sie steigerte ihre Beteiligungen von 1920 bis 1923 von 75 Millionen auf nicht weniger als 7,2 Milliarden Kronen, also um fast das Hundertfache. Das war weit mehr als ein Inflationsausgleich und auch weit mehr, als andere vergleichbare Banken riskierten, beispielsweise betrug die Steigerung bei der Credit-Anstalt nur das 75-fache.[356] Zudem fällt auf, dass die Kapitalerhöhungen zunehmend unter Mitwirkung sogenannter Emissionssyndikate durchgeführt wurden, die sich aus Banken, Finanzgruppen, Börsenspekulanten und Bankdirektoren zusammensetzten. Diese Syndikate erhielten die jungen Aktien zu einem Vorzugspreis, der weit unter dem aktuellen Börsenpreis lag. In einer Hausse, wie sie damals herrschte, war dies ein reines Selbstbedienungsgeschäft mit garantiertem Extragewinn: „Während man so die alten Aktionäre um ihr Recht auf Wahrung des verhältnismäßigen Anteils am Gesellschaftsvermögen betrog, bot man den Syndikaten die Neuemissionen zu Kursen an, die teilweise 40 bis 50 Prozent unter dem Börsenkurs lagen."[357] Das taten auch andere Banken, aber auch hier war die Bodencreditanstalt besonders eifrig. Ihre Syndikatsgewinne beliefen sich allein für das erste Halbjahr 1923 auf 193.725 Millionen Kronen, das waren, abgesehen vom Spekulanten-Syndikat Hugo Stinnes/Camillo Castiglioni die höchsten Gewinne aus solchen Geschäften aller Wiener Finanzinstitute.[358] Die Bodencreditanstalt hatte offenbar längst die Richtlinien einer soliden Geschäftsbank über Bord geworfen, man spekulierte hemmungslos in die eigene Tasche in der Hoffnung auf einen kontinuierlichen Kursanstieg, als gäbe es kein Morgen.

Für Isidor Mautner bedeutete dieses auf kurzfristigen Erfolg ausgerichtete Geschäftsmodell, dass er auf diese Weise die Aktienmehrheit in seinem Konzern verlor, weil er mit den ständigen Kapitalerhöhungen nicht mehr mithalten konnte. Sein Aktienanteil sank auf 30 Prozent, ohne Zustimmung der Bodencreditanstalt konnte er somit nichts mehr bewegen. Dabei hatte er doch noch einiges vor.

Die Neue Wiener Bankgesellschaft hatte ihr Büro in der Nähe des Schottenrings im Wiener Bankenviertel, die Adresse lautete Wien IX,

Maria-Theresienstraße 11. Das Gebäude sowie das Nachbargebäude gehörten der Bank selbst. Schwerpunkt der Gesellschaft sollte die „Durchführung internationaler Finanzierungen altösterreichischer Industrien" sein.

Im Amtsblatt der *Wiener Zeitung* wurde dann im August 1921 die Gründung offiziell verkündet.[359] Die Nennung des Namens des Instituts auf englisch, italienisch, französisch, polnisch und tschechisch sollte dessen internationale Ausrichtung betonen. Interessanterweise fehlt die Nennung auf ungarisch. Das ist insofern erstaunlich, als mehrere Mitglieder des Verwaltungsrates aus Ungarn kamen.[360] Interessant ist zudem der Passus: „c. Auf die Erzielung bloßer Differenzgewinne ohne effektive Erfüllung gerichtete Börsenspekulationsgeschäfte sind sowohl für eigene wie für fremde Rechnung vom Geschäftsbetriebe auf jeden Fall ausgeschlossen." Ein Verbot von Leergeschäften also. Das klingt sehr solide und serös.

Die Geschäfte schienen zunächst gut zu laufen. 1921 wurden durch die Entwertung der Krone die österreichischen Waren auf den Auslandsmärkten immer günstiger und die Aktien österreichischer Unternehmen für das Ausland immer attraktiver.[361] Zudem „machte eine etwa zur gleichen Zeit einsetzende Absatzkrise auf den Weltmärkten Österreich als Käufer ausländischer Rohstoffe, Kohle und Lebensmittel interessant, die vielfach auf Kredit geliefert wurden".[362] So konnte die Neue Wiener Bankgesellschaft 1922 einen Reingewinn von über 1,6 Milliarden Kronen ausweisen, 1923 waren es sogar etwas mehr als 2 Milliarden.

Noch im Juni 1924 zeichnete die Reichspost ein sehr positives Bild des Unternehmens. Man liest von einer „sehr befriedigenden Steigerung des Ertrages an Zinsen und Provisionen"[363] und erfährt, dass die Bank „durch ihre englischen Freunde der österreichischen Industrie bedeutende Rembours- und Acceptancekredite zugeführt" habe und sie „besonderes Vertrauen auch im Ausland" genieße, „das besonders durch die Leihgabe von englischen Kapitalien nicht wenig zur Befruchtung der österreichischen Volkswirtschaft" beiträgt". Insgesamt lobt das Blatt „die Gewissenhaftigkeit (...), mit der das Institut verwaltet wird". Diese Beurteilung ist insofern bemerkenswert, als bald darauf der Bank genau das Gegenteil vorgeworfen werden sollte. Tatsächlich ist man überrascht, dass die Dividende bei erstaunlichen 24 Prozent lag, während im Durchschnitt nur 4 bis 4,5 Prozent gezahlt wurden.[364] Das wirkt nicht wie eine nachhaltige Planung, offenbar sollten mit solchen Mitteln Aktionäre angelockt werden, um ein größeres Rad drehen zu können. Ein gefährliches Spiel.

Dem österreichischen Bundeskanzler Ignaz Seipel war es ab Herbst 1922 gelungen, die galoppierende Inflation zu bremsen. Am 4. Oktober 1922 war am Sitz des Völkerbundes in Genf ein Vertrag geschlossen worden, in dem Österreich eine internationale Anleihe in Höhe von 650 Millionen Goldkronen erhielt und sich dafür verpflichtete, den Haushalt ins Gleichgewicht zu bringen und außerdem endgültig auf den Anschluss an Deutschland zu verzichten. Zur Kontrolle wurde ein Generalkommissar eingesetzt, der Niederländer Dr. Alfred Zimmermann, der Ende 1922 seine Arbeit aufnahm. Die Notenpresse wurde stillgelegt, am 1. Januar 1923 nahm die Österreichische Nationalbank ihre Arbeit auf. Die Sparmaßnahmen waren brutal, so wurden 100.000 Beamte entlassen, aber durchaus wirkungsvoll, was die Stabilität der Krone betraf. Nun konnte man auf einen anhaltenden Aufschwung hoffen.

Diese neue Situation verleitete viele Österreicher verstärkt zur Spekulation mit Aktien und Devisen. In der Inflationszeit hatten sich einige „Schieber" wie Camillo Castiglion[365] oder Siegmund Bosel[366] märchenhafte Reichtümer verschafft. Nun sahen auch die kleinen Leute eine Chance, ihre trostlose finanzielle Situation aufzubessern.[367] Ende Januar 1924 erreichte die Hausse ihren Höhepunkt, im Frühjahr 1924 hatte sich die Zahl der Banken gegenüber dem Stand von 1910 auf 1500 verdreifacht.[368] Geradezu hysterische Formen nahm die Spekulation gegen den Französischen Franc an, immer weitere Bevölkerungskreise pumpten ihr – oft geliehenes – Geld in diese Blase, bis sie im März 1924 platzte. Die amerikanische Morgan Bank hatte sich entschlossen, dagegen zu halten und den Franc massiv zu stützen. Die österreichischen Industrieaktien fielen innerhalb eines Jahres um die Hälfte, zum Teil sogar bis auf ein Drittel ihres Wertes.[369] Auf einen Schlag waren zwischen 500 und 1000 Milliarden Kronen „verbrannt", das österreichische Volkseinkommen sank allein durch diese Spekulationsverluste um bis zu 1,3 Prozent.[370] Auch Camillo Castiglioni verlor einen Großteil seines Vermögens. Gewinner war die Morgan Bank.

Ende 1924 wurde die Schillingwährung im Verhältnis eins zu zehntausend eingeführt, eine Milliarde Kronen entsprach nun 100.000 Schilling. Diese Maßnahme brachte unter anderem endlich Ordnung in die völlig undurchsichtigen und unbrauchbaren Bilanzen vor allem der Aktiengesellschaften: „Aufgrund der unterschiedlichen Wertigkeit der in den Bilanzposten aufaddierten Kronenbeträge entbehrten die Jahresabschlüsse längst jeder Aussagekraft."[371]

Damit kehrte vorerst Ruhe ein. Allerdings nicht im völlig übersetzten Bankensektor. Hier kam es zu spektakulären Pleiten. Altehrwürdige Institute mussten schließen, wie die Biedermannbank, die seit 1920 von dem berühmten Nationalökonomen Joseph Schumpeter (1883–1950) geleitet wurde, was ihren Ruin keineswegs verhinderte. Noch skandalöser war der Untergang der Allgemeinen Depositenbank, die von ihrem Präsidenten Camillo Castiglioni hemmungslos zu seiner eigenen Bereicherung missbraucht worden war; zwei Bankdirektoren begingen Selbstmord, Castiglioni setzte sich ins Ausland ab.[373] Andere Kreditinstitute wurden vom Staat gerettet. So wurde die Centralbank, die 1901 gegründete zentrale Stelle der österreichischen Sparkassen, vom Staat mit 1,6 Milliarden Schilling gestützt, nachdem sie wegen leichtfertiger Spekulationen im Juni 1926 zahlungsunfähig geworden war. Die Rettung der Postsparkasse ab Juli 1926, die eng mit der christlich-sozialen Partei und dem neben Castiglioni berüchtigsten Spekulanten Siegmund Bosel verknüpft war, kostete den Staat sogar 2,5 Milliarden Schilling.

Für die Anleger hatten diese Zusammenbrüche katastrophale Folgen, der Verlust von Geld und Ansehen trieb manche in den Selbstmord. Berühmt wurde der Fall des exzentrischen Teppich-Industriellen Philipp Haas, der 1910 in der Liste der reichsten Wiener mit einem Jahreseinkommen von fast 750.000 Kronen (ca. 13,5 Millionen Euro) an 41. Stelle gestanden hatte.[374] Seine Wertpapiere waren weitgehend wertlos geworden. Haas, der gerne Theaterstücke schrieb und die Besucher durch ein üppiges Büffet zu den Uraufführungen anzulocken pflegte, inszenierte einen wahrhaft theatralischen Abgang. Er schickte vor seinem Selbstmord an die *Neue Freie Presse* folgendes Gedicht, das auch tatsächlich nebst einem ausführlichen Artikel veröffentlicht wurde:

„Bin nun mausetot, juchhuu!!
Nirgends drückt mich mehr der Schuh
Schöneres kann es nicht geben
Ich hab Ruh, der Tod soll leben!!!"[375]

Makabre Pointe der Geschichte: Haas hatte seit 1918 in panischer Angst vor revolutionären Umtrieben gelebt, die ihn womöglich enteignen könnten. Er hatte deshalb überall in seinem Palast geladene Gewehre deponiert. Nun war er tatsächlich enteignet worden, aber keineswegs von den Bolschewisten, sondern von seinesgleichen. Er erschoss sich zwecks größtmöglicher Wirkung mit einem großkalibrigen Mannlicher-Jagdgewehr.[376]

Vergleichsweise kleine Banken wie etwa die Neue Wiener Bankgesellschaft konnten nicht auf staatliche Hilfen hoffen. Dabei kann man der Bankgesellschaft noch nicht einmal leichtsinnigen Devisenhandel vorwerfen, wenn man davon ausgeht, dass sich die Neue Wiener Bankgesellschaft an ihre Satzung hielt, die Devisenspekulationen untersagte. Aber natürlich war die Bank von deren Folgen trotzdem erheblich betroffen, denn man hatte den Devisen- und Aktienspekulanten – auch aus dem eigenen Hause – sehr bereitwillig die dafür gewünschten Kredite zur Verfügung gestellt.[377] Diese Kredite waren nun verloren, viele Kreditnehmer ruiniert, wie auch der eigene Vizepräsident, der Weingroßhändler Peter Voschau. Schlimmer noch: Die bisher hoch bewerteten Industrieaktien sanken dramatisch im Wert, ausländische Investoren und Finanzhäuser verloren das Interesse an Österreich. Damit brach das Kerngeschäft der Neuen Wiener Bankgesellschaft zusammen. Ende 1924 war sie wie viele andere Banken praktisch bankrott, die Nationalbank stand unmittelbar davor, ihr die Lizenz zu entziehen.

Damit entstand für Isidor Mautner eine bedrohliche Situation. Er hatte fast sein ganzes Vermögen dieser Bank anvertraut, auch Stephans guter Ruf stand auf dem Spiel. So sah Isidor nur noch einen Ausweg: Er übernahm für die Bank eine Bürgschaft bei der Nationalbank über eine Million Schilling und gab dafür seinen gesamten Immobilienbesitz mitsamt dem Schlössel als Pfand. Die Nationalbank akzeptierte, die Bank konnte ihren Betrieb fortsetzen. Allerdings wurde nun alles nur noch schlimmer. Die Bank versuchte sich durch Industriebeteiligungen zu sanieren, allerdings erwiesen sich die Finanzierungen als faule Kredite.[378] Ende 1925 beliefen sich die Verluste auf 2,3 Millionen Schilling, die sich bis Ende 1926 auf über 4 Millionen Schilling aufsummierten. Am 28. Oktober 1926 wurde das „Ausgleichsverfahren" eröffnet, am 31. Oktober unter Vorsitz Stephan Mautners die Auflösung der Bank beschlossen. Aber damit war noch nicht alles vorbei.

Ein letzter Versuch: Die Aktiengesellschaft der Baumwollspinnereien, Webereien, Bleiche, Appretur, Färberei und Druckerei zu Trumau und Marienthal

1925 befand sich Isidor Mautner in einer schwierigen Situation. Es war ihm zwar gelungen, seinen Konzern erfolgreich den Nachkriegsgegebenheiten anzupassen, aber die Bank seines Sohnes, für die er gebürgt hatte und deren Hauptaktionär er war, war praktisch bankrott, seine Geldeinlagen nahezu wertlos, sein Immobilienbesitz verpfändet und in seinem eigenen Konzern hatte er nur noch eine Minderheitenposition. Es drohte ein unrühmliches Ende seiner Unternehmerkarriere, ja sogar der finanzielle und damit auch der gesellschaftliche Ruin.

Um diesem Unheil zu entkommen, versuchte der inzwischen 73-jährige Isidor Mautner einen mutigen Befreiungsschlag. 30 Kilometer südöst-

lich von Wien, in dem kleinen Ort Gramatneusiedl, stand die abgewirt-
schaftete Textilanlage Trumau-Marienthal mitsamt 1116 mechanischen
Webstühlen und 16 Northrop-Webstühlen zum Verkauf.[380]

Die Geschichte dieses Unternehmens beginnt 1820 mit einer wasser-
kraftbetriebenen Flachs- und Wergspinnfabrik, die 1830 in den Besitz
des jüdischen Unternehmers Hermann Todesco gelangte, der dort nicht
nur eine Baumwollspinnerei einrichtete, sondern auch die erste mit
Wasserkraft betriebene Baumwollweberei Österreichs.[381] Bereits seit
1846 besaß die Fabrik einen Eisenbahnanschluss. 1864 wurde die Fabrik
von Eduard und Moritz Todesco, den Söhnen Hermanns sowie Vinzenz
Miller mit der Baumwollspinnerei im benachbarten Trumau verschmolzen und zu einer Aktiengesellschaft umgewandelt.

Als in den 1880er Jahren die Familie Todesco ihre Anteile an dem Trumau-Marienthaler Textilunternehmen zum Verkauf anbot, übernahm
die Familie Miller-Aichholz die Mehrheit der Anteile. Aber auch Isidor
Mautner war mit Aktien im Wert von immerhin 676.000 Gulden beteiligt.[382] Im Laufe der nächsten Jahrzehnte entwickelte sich das Unternehmen zu einem ausgedehnten Industriekomplex, der schließlich Mitte
der 1920er Jahre eine Spinnerei mit 40 Gebäuden, eine Weberei mit 39
Gebäuden, eine Bleiche und Appretur mit 33 Gebäuden sowie eine Färberei, Wäscherei und Druckerei mit 45 Gebäuden umfasste.[383] Dominiert
wurde die Anlage von fünf Schornsteinen. Zur Fabrik gehörte zudem,
ähnlich wie in Rosenberg, eine kleine Stadt mit Arbeiterwohnhäusern
und Gebäuden, die der Infrastruktur dienten, wie Kaufladen, Spital,
„Kinderbewahranstalt", Grundschule, Gasthaus, Theater, Badeanla-
ge, Kegelbahn, Musikpavillon und Grünanlagen. Nach dem Krieg geriet
die Familie Miller-Aichholz in große finanzielle Schwierigkeiten und bot
1925 das Unternehmen zum Verkauf an.[384]

Für Isidor Mautner war das ein unwiderstehliches Angebot und es
gelang ihm tatsächlich, Artur Kuffler, den Präsidenten der Vereinigten
Österreichischen Textilindustrie, für das Projekt zu gewinnen. Nicht
ganz so einfach war allerdings die Finanzierung. Die Bodencreditanstalt
scheint sich zunächst geweigert zu haben, das Vorhaben zu unterstützen,[385] auch wenn Isidor Mautner bereits seit langer Zeit einen erheblichen Aktienanteil an der Gesellschaft besaß.

Die Zurückhaltung der Bodencreditanstalt war zweifellos nicht unbe-
rechtigt, denn immerhin bestanden in Österreichs Spinnereien erhebliche Überkapazitäten und Isidor Mautners Unternehmen waren bereits
hoch verschuldet. Erst nachdem Isidor Mautner sich bereit erklärt hatte,
die Altschulden der Trumau-Marienthaler Gesellschaft bei der Boden-

creditanstalt zu übernehmen, konnte das Geschäft schließlich durchgeführt werden.

So erwarben im Juni 1925 Isidor und Stephan Mautner gemeinsam mit der Vereinigten Österreichischen Textilindustrie die restlichen Anteile der Aktiengesellschaft der Baumwollspinnereien, Webereien, Bleiche, Appretur, Färberei und Druckerei zu Trumau und Marienthal mit fast 1200 Webstühlen und 80.000 Spindeln.[386] Präsident wurde Isidor Mautner, Arthur Kuffler leitender Verwaltungsrat. Weitere Gesellschafter neben Stephan Mautner wurden Direktor Adolf Stern als Vertreter der Bodencreditanstalt[387] sowie Otto Deutsch, Direktor der Warenverkehrsstelle AG[388], der auch bei den Textilwerken Mautner AG im Verwaltungsrat saß.[389] Als „kommerzieller und technischer Leiter" wurde Siegfried Löwenbach berufen, der zuvor Direktor bei dem Seidenhersteller M. B. Neumanns Söhne in Königinhof (Dvůr Králové) war.[390]

Die Belegschaft in Trumau und Marienthal, die schon die Werksschließung befürchtet hatte, schöpfte neue Hoffnung, zumal Mautner eine bereits in den tschechischen Betrieben erprobte neue Geschäftsidee mitbrachte, nämlich die Erzeugung von Kunstseide.[391]

Voller Optimismus investierte Isidor Mautner in Erwartung steigender Mitarbeiterzahlen in den Bau neuer Wohnbaracken für die Arbeiter und eines Wohnhauses für die Angestellten der Fabrik, das sogenannte Mautner-Haus.[392] Im Juli 1926 gab es zwar einen schweren Einbruch, aber dann ging es tatsächlich in Trumau-Marienthal voran, Isidor Mautner schien wieder einmal mit seinem Geschäftssinn recht behalten zu haben. Am 30. Oktober 1926 wurde auf der Generalversammlung eine Satzung beschlossen, der zufolge der Gesellschaft „die Anlage neuer und Erwerbung oder Pachtung bereits bestehender Textil- und anderer Fabriken" erlaubt wurde. Man hatte also noch große Pläne. 1928 wurde in der Spinnerei eine zweite Schicht eingeführt und im Januar 1929 hatte die Fabrik den höchsten Personalstand ihrer Geschichte, etwa 1.200 Arbeiterinnen und Arbeiter sowie 90 Angestellte.[394]

Dann aber geschah etwas, was alle Hoffnungen jäh zerstörte: Die Neue Wiener Bankgesellschaft AG wurde endgültig liquidiert. Damit hatte Isidor Mautner unwiederbringlich einen Großteil seines Vermögens verloren und stand vor einem Berg von Schulden.[395] Schlimmer noch: Wie sich herausstellte, waren aus dem Vermögen der Trumau-Marienthaler Fabrik 997.085 Schilling der Neuen Wiener Bankgesellschaft zur Verfügung gestellt worden, um ihre Liquidität zu erhalten.[396] Das Geld fehlte nun, um offene Warenrechnungen zu bezahlen. Die Baumwolllieferanten aus Triest bestanden daraufhin auf Vorkasse. Dafür reichten aber die Barreserven der Fabrik nicht aus, woraufhin die Lieferungen nur noch mit Verzögerung eintrafen oder ganz eingestellt wurden.[397] Isidor Mautner bat nun die Bodencreditanstalt um Hilfe, aber vergeblich: „Als er Fakturenkredit für Trumau-Marienthal suchte – nahm man in Wien nicht mehr seine Wechselunterschrift", schreibt der *Prager Börsen-Curier*.[398]

Das war das Ende. Isidor Mautner musste, wie der *Börsen-Courier* schreibt, „zu Kreuze kriechen". Er war gezwungen, Trumau-Marienthal an die Bodencreditanstalt abzugeben und sich aus der Geschäftsführung zurückzuziehen.

Damit riss Isidor Mautner aber auch die Bodencreditanstalt mit in den Abgrund, denn diese hatte selbst enorme Liquiditätsprobleme. Das Letzte, was man in der Situation brauchen konnte, war ein insolventes, hoch verschuldetes Unternehmen. So wurde ab März 1929 die Produktion in Trumau-Marienthal eingeschränkt, im Juni die Spinnerei geschlossen, im Juli die Weberei, im August die Druckerei und im September 1929 schließlich die Bleiche und Appretur. Aber es war zu spät, am 5. Oktober 1929 musste die Bodencreditanstalt sich für zahlungsunfähig erklären.[399]

Es drohten katastrophale Konsequenzen für die österreichische Volkswirtschaft, denn die Bodencreditanstalt war das zweitgrößte Finanzinstitut Österreichs, absolut systemrelevant, wie man heute sagen würde. So war nicht nur der Mautner-Konzern, sondern auch einer der größten österreichischen Arbeitgeber, der Steyr-Konzern, von diesem Kreditinstitut abhängig.

Ohne Zweifel war die Insolvenz der Bodencreditanstalt selbst verschuldet, aber das nützte nun nichts, die Bank musste gerettet werden. In dramatischen Verhandlungen und mit massivem Druck erreichte Bundeskanzler Schober, dass die größte Bank Österreichs, die von Louis Nathaniel von Rothschild geführte Credit-Anstalt für Handel und Gewerbe, am 18. Oktober 1929 die bankrotte Bodencreditanstalt mit allen ihren Verpflichtungen und ihrem umfangreichen Portfolio an Industriebeteiligungen übernahm.

Nur wenige Wochen später brach die New Yorker Börse zusammen und im Laufe der nächsten Wochen und Monate die gesamte Weltwirtschaft. Das war das Ende. Unter diesen Umständen war überhaupt nicht daran zu denken die stillgelegte Textilfabrik Trumau-Marienthal wieder in Betrieb zu nehmen. Im Gegenteil. Ab Februar 1930 begannen die Abbrucharbeiten,[400] bis Juli war fast die gesamte Fabrikanlage abgerissen, die Maschinen wurden überwiegend ins Ausland verkauft, unter anderem an die immer noch mit Gewinn wirtschaftende Unternehmung in Belgrad.[401]

Damit war auf einen Schlag eine ganze Gemeinde, die sich über die Zugehörigkeit zu einer Fabrik definiert hatte, plötzlich von Massenarbeitslosigkeit betroffen, ohne irgendeine Aussicht auf Besserung der Lage. Eine dramatische Situation, die man in dieser Form noch nicht kannte. Eine Gruppe Wiener Soziologen führte daraufhin dort eine epochemachende soziologische Feldstudie durch, die unter dem Titel „die Arbeitslosen von Marienthal" in die Annalen einging.[402]

Zwischenspiel: Die Wiener Schauspielhaus Aktiengesellschaft

Am 1. April 1924 erlebte Wien ein gesellschaftliches Ereignis ersten Ranges: Der weltberühmte Regisseur Max Reinhardt hatte die älteste Bühne Wiens, das Theater an der Josefstadt übernommen und fast ein Jahr lang nach seinen Wünschen umbauen lassen. Reinhardt, der aus Baden bei Wien stammte, hatte durch wegweisende Inszenierungen neue Maßstäbe gesetzt und um 1920 gemeinsam mit Richard Strauss und Hugo von Hofmannsthal die Salzburger Festspiele begründet. Nun wollte er, der bereits in Berlin einige Theaterhäuser privatwirtschaftlich betrieb, auch in Wien eine eigene Bühne bespielen.

Endlich war es so weit, das Theater wurde im Beisein von Bundespräsidenten Dr. Hainisch und Bürgermeister Seitz feierlich eröffnet. „Schon lange vor 7 Uhr drängte sich ein dichtes Spalier von Neugierigen in der Josefstädterstraße, um der Auffahrt der Automobile zuzuschauen, die in endloser Reihe vor dem Theater vorfuhren. Auch in der Piaristengasse herrschte ein solches Gedränge von Wagen und Passanten, daß der Verkehr fast völlig unterbrochen war. Die prächtig beleuchtete Fassade des Hauses, an dem bis in die letzten Tage fieberhaft gearbeitet worden war, unterbrach festlich die dunkle Häuserzeile", berichtet die *Neue Freie Presse* und fährt fort: „Das gesellschaftliche Ereignis war so außerordentlich, daß es das künstlerische fast verdunkelte. Man wurde nicht müde, das entzückende Haus, die Vorräume und Gänge zu bewundern, auch als der Vorhang hochgegangen war und das Stück bereits begonnen hatte." Selbst die Kleidung erschien der Presse berichtenswert: „Im Parkett waren die Damen in großer Toilette, die Herren in Frack oder Smoking."[403]

Als Hauptfinanzier gilt bis heute ein Mann, dessen Name sehr viel mehr an einen Zauberkünstler oder Jongleur in einer Kleinkunstbühne erinnert, als an einen seriösen Geschäftsmann, der er wohl auch nicht war. Die Rede ist von Camillo Castiglioni, einem Geschäftsmann, der der überhitzten Phantasie eines mittelmäßigen Kolportageromanautors entsprungen zu sein scheint.

Geboren am 22. Oktober 1879 in Triest als Sohn eines Rabbis – was ihn nicht hinderte, zum Protestantismus zu konvertieren – wurde er bereits in jungen Jahren Generaldirektor eines großen Gummiunternehmens und erwarb im Krieg vor allem durch Beteiligungen im Fahrzeug- und Flugzeugbau seine ersten Reichtümer. Dabei arbeitete er einige Jahre eng mit dem legendären schwäbischen Flugzeugpionier Ernst Heinkel zusammen,[404] mit dem er zeitlebens freundschaftlich verbunden blieb.[405] Nach dem Krieg ließ er sich, obwohl er in Wien lebte, die italienische Staatsangehörigkeit verleihen und genoss somit als Angehöriger einer „Siegermacht" besondere Privilegien. Nachdem er Präsident der Depositenbank geworden war, erwarb er auf Kredit ein riesiges Industrieimperium, die Schulden zahlte er in entwerteten Kronen zurück. Castiglioni genoss höchste Protektion sowohl durch Österreichs Bundeskanzler Ignaz Seipel, wie auch durch die faschistischen Führer Horthy (Ungarn) und Mussolini (Italien), denen er als Finanzier zu Diensten war. Obwohl mehrfach angeklagt, war er einfach juristisch nicht zu fassen, auch deshalb, weil immer wieder auf mysteriöse Weise wichtige Akten verschwanden. Er besaß einen üppig mit Kunstwerken ausgestatteten Palast in Wien, ein Privatflugzeug und den ehemals kaiserlichen Salonwagen, in dem er am Wochenende zu seiner schlossartigen Villa am Grundlsee im Salzkammergut reiste, wo sich seine Frau mit ihren beiden Töchtern aufhielt.

Im Jahr 1923 befand sich Castiglioni auf dem Höhepunkt seines Erfolgs. Er verfügte über einen schwindelhaften Reichtum, genoss allgemeine Bewunderung, was Karl Kraus fassungslos von einer „lesebuchreifen Anbetung der Haifische" schreiben ließ.[406]

Castiglioni war seit 1916 mit der 16 Jahre jüngeren bezaubernden Burgschauspielerin Iphigenie Buchmann verheiratet. Vielleicht wollte er ihr nur imponieren, vielleicht sah er nun eine Gelegenheit seinen schlechten Ruf als Finanzhai durch großzügiges Mäzenatentum aufzubessern, vieles spricht allerdings dafür, dass seine Theaterbegeisterung echt war. Tatsache ist jedenfalls, dass er Max Reinhardt anbot, ihm in Wien ein Theater seiner Wahl zu kaufen und nach seinen Wünschen umbauen zu lassen.[407] Ohne zu murren, bezahlte Castiglioni für den Umbau insgesamt 1,5 Millionen Schweizer Franken,[408] Devisen also, ganz gegen seine übliche Geschäftspraxis, deren Erfolg auf der immer weiter fortschreitenden Inflation beruhte.

Als Gegenleistung ließ sich Castiglioni die beste Loge reservieren, die er meist erst nach Vorstellungsbeginn aufzusuchen geruhte. Mehr noch: Er schlüpfte nicht etwa unauffällig hinein, um niemanden zu stören, sondern er inszenierte seine eigene Vorführung: „In benachbarten Logen wartende Agenten", so wird berichtet, hatten sein Erscheinen während der Vorstellung mit herzlichem Beifall zu begrüßen.[409]

Dabei hatte Castiglioni kurz vor Eröffnung des Theaters im März 1924 gewaltige Verluste erlitten, nachdem er vergeblich auf einen sinkenden Franc-Kurs gesetzt hatte. Die Depositenbank geriet in Zahlungsschwierigkeiten, seine 1922 gegründete Castiglioni-Bank wurde zahlungsunfähig. Zwei Bankdirektoren der Depositenbank begingen Selbstmord, zwei weitere flüchteten auf Nimmerwiedersehen ins Ausland, auch Castiglioni setzte sich nach Italien ab, kehrte dann aber, geschützt von Ignaz Seipel, nach Wien zurück, und erhielt 1926 anstandslos die Konzession für die Gründung einer neuen Privatbank. Später setzte die Weltwirtschaftskrise auch Castiglioni zu, er entzog sich 1935 durch Flucht einer Zahlungsaufforderung, musste aber hinnehmen, dass das Inventar seiner Paläste versteigert wurde. Den Krieg überlebte er zunächst in der Schweiz und dann als verkleideter Mönch in San Marino, war danach nochmals als Finanzier tätig und starb schließlich am 18. Dezember 1957 in Rom.

Es war allerdings keineswegs so, dass Camillo Castiglioni der einzige Geldgeber des Reinhardtschen Theaters an der Josefstraße gewesen war, auch wenn in einschlägigen Darstellungen oft dieser Eindruck erweckt wird.[410] Zur finanziellen Abdeckung des Erwerbs und des Betriebs wurde am 23. April 1924 eine Aktiengesellschaft gegründet, die Wiener Schauspielhaus AG mit einem Grundkapital von 3 Milliarden Kronen. Hauptaktionär war Castiglioni mit einem Anteil von 65 Prozent.

Beteiligt war aber auch Isidor Mautner, und zwar mit immerhin 25 Prozent.[411] Der Unterschied war allerdings der, dass Castiglioni nicht bereit, vielleicht aber auch nicht in der Lage war, innerhalb der Gesellschaft Verantwortung zu übernehmen. Castiglioni ließ sich als großzügiger Mäzen in der Presse feiern, die Tagesarbeit überließ er anderen. Er hatte Besseres zu tun.

So wurde Isidor Mautner zum Präsidenten der Gesellschaft berufen. Wieso ernennt man einen Textilfabrikanten zum Präsidenten einer Theatergesellschaft? Die Antwort ist wohl recht einfach und naheliegend. Isidor Mautner verfügte zu dem Zeitpunkt über einen soliden Reichtum. Mit einem solchen Präsidenten an der Spitze schien die Kreditwürdigkeit des Unternehmens garantiert. Man darf nicht vergessen, dass das Theater in der Josefstadt im Gegensatz etwa zum Burgtheater mit keinerlei Subventionen rechnen konnte. Es war privatwirtschaftlich organisiert, musste sogar noch eine nicht unbeträchtliche Vergnügungssteuer an die Stadt Wien bezahlen. Alle Betriebskosten mitsamt den nicht unerheblichen Gagen für Schauspieler, Regisseure und sonstige Mitarbeiter mussten selbst erwirtschaftet werden.

Um so erstaunlicher, dass der Textilunternehmer Isidor Mautner sich bereitfand, völlig fachfremd und zusätzlich zu seinen vielfältigen sonstigen Verpflichtungen die Leitung einer Theatergesellschaft zu übernehmen. Aus welchem Grund?

Die Antwort kennen wir bereits. Seit vielen Jahren pflegten die Mautners einen engen Kontakt zur Wiener Theaterszene. Mit dem berühmten Burgschauspieler Josef Kainz waren sie so gut befreundet, dass sie gemeinsame Reisen und Urlaubsaufenthalte unternahmen, er wurde sogar nach seinem Tod im Jahr 1910 in der Wohnung der Mautners aufgebahrt.

So hatten die Mautners auch keine Einwände, als ihre jüngste Tochter Marie, die Josef Kainz sehr verehrt hatte, im Jahre 1919 den Schauspiellehrer und Regisseur Paul Kalbeck (1884–1949) heiraten wollte. Paul Kalbeck, der bereits seit 1916 mit Max Reinhardt zusammen arbeitete, war es auch, der den Kontakt zwischen Isidor Mautner und Reinhardt herstellte. Nicht ganz ohne Eigennutz, denn er war für das neue Theater in der Josefstadt als Regisseur vorgesehen.

Später sollte auch die junge Paula Wessely, die am Theater in der Josefstadt ihre ersten großen Erfolge feierte, zu einer der engsten Freundinnen der Familie Mautner werden. Sie nahm sogar nach dem „Anschluss" eine Sammlung der Mautners mit Grafiken von Josef Nikolaus Kriehuber (1800–1876) in Verwahrung, als diese vor den Nazis flüchten mussten.[412]

Isidor Mautner war daher sofort bereit gewesen, Max Reinhardts Projekt zu unterstützen. Auch sein Sohn Stephan erwarb Aktien und war deshalb im Verwaltungsrat vertreten.

1925 wurde das Aktienkapital auf 500.000 Schilling umgestellt. Die Stabilisierung der Verhältnisse trug dazu bei, dass der Theaterbetrieb hinreichende Einnahmen bescherte. 1926 trat daraufhin ein alter Bekannter von Isidor Mautner in den Verwaltungsrat ein, der Reichenberger Teppichfabrikant und Brauereibesitzer Willy Ginzkey (1856–1934), der in Wien lebte; seine Frau, die Konzertsängerin Julia Bertha Kulp war eine enge Freundin der musikbegeisterten Jenny Mautner.[413]

Der rastlose Max Reinhardt vernachlässigte allerdings nach einem furiosen Start mit mehreren mitreißenden Inszenierungen innerhalb weniger Wochen das Theater in der Josefstadt zusehends, er musste sich um seine Bühnen in Berlin kümmern, veranstaltete Gastspiele in den Vereinigten Staaten, überließ die Arbeit Regisseuren wie Isidor Mautners Schwiegersohn Paul Kalbeck und fand noch nicht einmal die Zeit, zur

Goldenen Hochzeit der Mautners persönlich zu erscheinen, immerhin verfasste er aber folgende pathetische Widmung für seinen großzügigen Sponsor und dessen Frau Jenny:

„Mit Ehrerbietung und herzlicher Liebe grüß' ich zum Feste der goldenen Hochzeit das jubilierende Ehepaar, Frau Jenny Mautner und Isidor Mautner, beide mit baumstarken Wurzeln im Erdreich fruchtbar gesegneter Wirklichkeit. Trotzdem die Wipfel in köstlicher Unruh immer bewegt sind von spielenden Winden, von tanzenden Lichtern und Schatten des Scheins. Er saust am Webstuhl des Tages hin und her mit zorniger Lust und führt sicher sein Webschiff zukunftswärts weiter durch Sturm und Gefahr. Sie hat ein Stück der Vergangenheit Wiens mit wahrhafter Kunst und genialischem Weitblick in ihrem Hause lebendig gemacht. Beide verbunden mit Freunden, belaubt und voll Blüten, weithin verzweigt in Kindern und Enkeln, bereiten der Kunst ein gastliches Dach. Und es erfreut sich die Kunst dieses Bundes. Wie vor der heiligen Lade der König, tanzt sie einher und singt ihnen zu Ehren.

Max Reinhardt."[414]

Ein bisschen viel Schwulst und Pathos spricht aus diesen Worten, das Bild mit dem Baum scheint nicht ganz glücklich gewählt, manches wirkt sogar unfreiwillig komisch, man stelle sich nur den zu dem Zeitpunkt 74-jährigen Isidor am Webstuhl des Tages hin und hersausend vor. Und das auch noch mit zorniger Lust! Keine Frage, Max Reinhardt war eher ein großer Regisseur als ein großer Dichter. Aber dennoch wird hinreichend deutlich, wie beeindruckt der damals längst weltberühmte Regisseur von der Gastfreundlichkeit und Großzügigkeit der Mautners war.

Zwei Jahre später, am 25. August 1928, trat Isidor Mautner als Präsident zurück und verließ auch den Verwaltungsrat.[415] Man möchte zunächst einmal vermuten, dass dies aus Altersgründen geschah, denn er war nun bereits 76 Jahre alt. Aber das dürfte nicht der ausschlaggebende Grund gewesen sein. Isidor Mautner war hoch verschuldet, offensichtlich musste er seinen Aktienbesitz an der Wiener Schauspielhaus AG verkaufen und hatte deshalb keinen Anspruch mehr auf eine Vertretung im Verwaltungsrat.

Stephan Mautner blieb noch bis zum 20. Mai 1930 in diesem Gremium, dann zog auch er sich zurück, Camillo Castiglioni und Max Reinhardt traten nun selbst in den Verwaltungsrat ein. Die wirtschaftliche Situation verschlechterte sich in den folgenden Jahren zusehends. 1935 übernahm Camillo Castiglioni großzügig alle Aktien und Schulden, aber im Sommer 1937 musste das Theater mangels Einnahmen zeitweise geschlossen werden und ab dem 12. März 1938 wüteten in Wien die

Nazis. Am 14. Juni 1938 wurden Camillo Castiglioni und Max Reinhardt als Verwaltungsräte der Wiener Schauspielhaus AG gelöscht,[416] das Theater „arisiert". Damit war die spektakuläre Ära Reinhardt/Castiglioni für das Theater in der Josefstadt beendet.

Das Ende ist nicht ohne Ironie. Camillo Castiglioni, der viele Menschen durch seine rücksichtslosen Spekulationsgeschäfte in Unglück gestürzt hatte, war nun selbst gleich in mehrfacher Hinsicht bei dem ganzen Projekt der Hauptgeschädigte. Zum einen erlitt er enorme finanzielle Verluste. Er hatte ja nicht nur 65 Prozent des Kaufpreises finanziert, sondern auch den gesamten Umbau mit Kosten von 1,5 Millionen Schweizer Franken aus eigener Tasche bezahlt. Auch für die aufgelaufenen Verluste des laufenden Betriebes musste er nun geradestehen, 1935 übernahm er die Haftung „hinsichtlich aller Verpflichtungen u. Schulden, insbes. auch der Steuerschulden und Abgaben aus der Theaterbetriebsführung durch R."[417].

Aber das war noch nicht alles. Er hatte Max Reinhardt bewundert und vertraut. Zum Dank half Max Reinhardt 1935 Castiglionis Frau Iphigenie, sich mit ihrer Tochter nach Hollywood abzusetzen, wo Iphigenie als Filmschauspielerin noch eine bemerkenswerte Karriere hinlegen sollte. Trotzdem bemühte sich Castiglioni weiterhin um Reinhardts Freundschaft. Aber mehrere Versuche, Kontakt zu Reinhardt aufzunehmen, wurden von diesem konsequent ignoriert. So schrieb Castiglioni Ende des Jahres aus Mailand:

„Lieber Freund, warum dieses Stillschweigen? Seit einem Jahr habe ich kein Lebenszeichen von Ihnen erhalten! Was ist los? Ich habe Ihnen zu Ihrem Geburtstag telegrafiert, nicht einmal eine Silbe Antwort! Das habe ich wirklich nicht verdient! Zu meinem Geburtstag auch Todesstille! (...) Ich liebe Sie wie immer. Ich verehre Sie wie immer, seit 15 Jahren sind meine Gefühle unverändert dieselben! Was ist geschehen? Ich bin mir nicht bewusst, Sie jemals gekränkt oder vernachlässigt zu haben!! Ich bitte Sie, mein lieber Max Reinhardt, brechen Sie endlich dieses schmerzliche Stillschweigen und schreiben Sie mir ein paar freundliche Zeilen! In dieser Erwartung grüße ich Sie beide sehr herzlich wie immer, als Ihr getreuer Castiglioni."

Camillo Castiglioni mag ein gewissenloser Spekulant gewesen sein, der zu Recht als Finanzhai bezeichnet wurde. Aber zum Schluss bleibt doch ein Stück Mitleid mit diesem Mann, der von den zwei Menschen, an denen er am meisten hing, so bitter enttäuscht und verraten worden war.

Der Zusammenbruch

Ab 1926 wurde die Affäre um die Neue Wiener Bankgesellschaft für Isidor Mautner immer dramatischer. Um die Bank zu retten, hatte er seinen Immobilienbesitz verpfändet. Als Hauptaktionär drohten ihm riesige Verluste und es traten immer weitere Fakten zutage, die nicht nur dem guten Ruf des Präsidenten Stephan Mautner schadeten, sondern auch Isidor Mautner selbst in Misskredit brachten. Wie sich zeigte, waren von der Neuen Wiener Bankgesellschaft für 1925 kein Rechenschaftsbericht und auch keine Bilanz vorgelegt worden. Bei der letzten Kapitalerhöhung auf sechzig Millionen Schilling hatte Isidor Mautner 1,5 Millionen Aktien erhalten, ohne sie bezahlen zu müssen. Wie sich zudem herausstellte, hatte der ehemalige Bankdirektor Höniger bereits 1923 und 1924 darauf verwiesen, dass die Bilanzen nicht den Tatsachen entsprachen.[418]

Hinzu kamen auch noch Probleme mit der Belegschaft. Die Bankangestellten („Beamten") erhielten 1926 ihr Gehalt nur noch nach Kassenlage. Nachdem im Juni fest zugesagte Zahlungen ausgeblieben waren, kam es zu erheblichen Protesten. Präsident Stephan Mautner stimmte in Verhandlungen mit dem Vertrauensmann zu, „die vorhandenen Barmittel für Gehaltszwecke heranzuziehen"[419]. Betriebsobmann Jellinek hob daraufhin kurzerhand 7.500 Schilling an der Kasse ab und verteilte sie unter die Belegschaft. Der Vorstand der Bank betrachtete dieses Vorgehen als unzulässige Eigenmächtigkeit und kündigte allen Beteiligten fristlos. Vierzig Beamte klagten vor dem Gewerbegericht und bekamen recht, das Ansehen der Bank war weiter beschädigt.

Bis Ende 1927 hätte die Bank liquidiert werden sollen. Allerdings entstand nun Streit über die Konkursmasse. Der Vorwurf lautete, Isidor Mautner habe seine Effekten der Liquidationsmasse entzogen, indem ihm die Bank bescheinigte, dass sie ihm rund 2 Millionen Schilling schulde, während andere Hauptgläubiger, wie die christlichsoziale Niederösterreichische Landeshypothekenanstalt mit 840.000 Schilling oder die Österreichische Nationalbank mit 1.915.964 Schilling leer ausgegangen seien.[420]

Schwerwiegende Vorwürfe, zumal sich die leitenden Angestellten der Bank die ganze Zeit weiterhin ihre Bezüge auszahlen ließen. So erhielten die Liquidatoren, die angeblich den Konkurs hinausgezögert hatten, seit 1925 insgesamt 50.000 Schilling an Tantiemen. Schlimmer noch: Eine Reihe von Verwaltungsräten und Direktoren ließen sich offenbar von der Bank Geld auszahlen, das sie dann anschließend unter Deckkonten gegen die üblichen Tageszinsen der Bank wieder zur Verfügung stellten, ein Drehtürgeschäft also.

Am 31. Juli 1928 fand schließlich die lange geforderte Generalversammlung der immer noch nicht liquidierten Bank statt.[421] Dabei stellte sich heraus, dass das Ausgleichsverfahren im Jahre 1925 nicht durchgeführt werden konnte, weil die Quote von 35 Prozent nicht finanzierbar war. Für die Fortführung der Liquidation hätten nur 2.000 Schilling zur Verfügung gestanden. Am 26. August 1928 legte schließlich die Bank ihre Bilanz und das Gläubigerverzeichnis vor. Der Verlust betrug nunmehr über 6 Millionen Schilling. Die Forderung der Nationalbank lag bei rund 3 Millionen Schilling, für die Isidor Mautner „durch Pfänder als auch durch Giro" haftete. Isidors Forderungen an die Bank beliefen sich auf nicht weniger als 4.817.331 Schilling, er war der größte Pfandgläubiger; auch die Trumau-Marienthaler AG hatte knapp eine Million Forderungen.

Wegen der Unregelmäßigkeiten verklagte die Aktionärsminderheit die Bank, um die Liquidation vor Klärung aller Sachverhalte zu verhindern. Zugleich wurde ein Schadensersatz in Höhe von einer Million Schilling gefordert.[422] Erst am 8. März 1930 fand die Verhandlung statt, sie endete schließlich mit einem Vergleich.[423] Isidor Mautner war zu diesem Zeitpunkt bereits todkrank.

Für Isidor Mautner war die ganze Angelegenheit in vielerlei Hinsicht eine Katastrophe. Zunächst einmal war sein Geld weg, fast 5 Millionen Schilling, ein riesiges Vermögen, je nach Berechnungsgrundlage bis zu 100 Millionen Euro. Zudem war sein Plan, sich mit Hilfe der Neuen Wiener Bankgesellschaft aus der Abhängigkeit von der Bodencreditanstalt zu lösen, desaströs gescheitert. Und vielleicht noch schlimmer, weil nun auch Jenny leiden musste: Seine Immobilien, vor allem das Schlössel, wurden nun endgültig von der Nationalbank gepfändet.

Und nicht zu vergessen: auch der gute Ruf war angeschlagen. Geplant war, Isidor Mautner im Jahre 1927 zu seinem 75. Geburtstag das Große Ehrenzeichen für Verdienste um die Republik Österreich zu verleihen.[424] Aber daraus wurde wegen des Skandals um die Neue Wiener Bankgesellschaft nichts. In den Staatsakten, in denen es um die Zuerkennung eines Ehrentitels für Isidor Mautner geht, befindet sich eine umfangreiche Sammlung von Zeitungsausschnitten, die über die Neue Wiener Bankgesellschaft berichten, und zwar von 1924 fortlaufend bis 1930.[425] Lauter skandalöse Details, nicht immer journalistisch sorgfältig belegt, aber hinreichend dubios, um eine Ehrung inopportun erscheinen zu lassen.

Aber auch im Mutterkonzern in der Tschechoslowakei war Isidor Mautners Geschäftspolitik zunehmend umstritten. Trotz hoher Verschuldung setzte er weiter rastlos auf Expansion, übernahm 1926 eine Baumwollweberei im nordböhmischen Marienthal (Mariánské Údolí) (nicht zu verwechseln mit der Textilfabrik Trumau-Marienthal in Niederösterreich). Zugleich erhöhte er die Beteiligung an dem Baumwollhandelsbetrieb Vereenigden Textiel Maatschappijes Mautner um eine Million holländische Gulden, also immerhin 13 Millionen tschechische Kronen. Und damit nicht genug legte er sich auch noch mit seiner Hausbank Živnostenská banka an, indem er an ihr vorbei gemeinsam mit der Böhmischen Union-Bank in Prag die Ujpester Tuchfabrik AG in Ungarn gründete.

Damit hatte sich Isidor Mautner mit beiden Hausbanken, der Živnostenská banka und der Bodencreditanstalt überworfen. Das konnte nicht gut gehen. Zum Jahresende 1928 musste er nach über sechzig Jahren Unternehmertätigkeit, in denen er zu einem der mächtigsten und erfolgreichsten Industriellen Europas geworden war, sein Amt als Präsident der Textilwerke Mautner AG zur Verfügung stellen. Sein Nachfolger wurde der langjährige Vizepräsident Alfred Herzfeld von der Bodencreditanstalt. Zugleich wurde Arthur Kuffler zum Generalbevollmächtigten eingesetzt.

Und auch bei den Deutschen Textilwerken Mautner AG waren Isidor Mautners Tage gezählt. 1926 hatte man über 800.000 Reichsmark für Modernisierungsmaßnahmen in der Spinnerei und der Weberei investiert,[126] ein Jahr später musste man ernüchtert feststellen, dass die Entwicklung „nicht zufriedenstellend" war und das lag nicht nur daran, dass das Unternehmen einen dreiwöchigen Streik zu verkraften hatte. Isidor Mautner war zu dem Zeitpunkt bereits weitgehend entmachtet, er wird nur noch als Ehrenvorsitzender aufgeführt.[427] Am 20. November 1928 wurde das Werk in Langenbielau mit Verlust verkauft, eine Hypothek über 300.000 Reichsmark an die Österreichische Bodencreditanstalt abgetreten[428], zu Lasten Isidor Mautners, wie man wohl annehmen muss. Das Werk in Plauen organisierte sich neu als Plauener Baumwollspinnerei AG, Isidor Mautner allerdings war daran nicht mehr beteiligt,[429] die Deutschen Textilwerke Mautner AG hatten aufgehört zu existieren.

Ein Mautner-Konzern ohne Mautner

Der Rückzug Isidor Mautners bedeutete allerdings keineswegs das Ende seines Konzerns, denn der Name blieb. Am 7. Oktober 1929 meldet die *Neue Freie Presse*, dass eine Neuorganisation des Mautner-Konzerns geplant sei, nämlich eine Aufteilung in eine tschechoslowakische und eine österreichische Gesellschaft.[430] Alfred Herzfeld musste seinen Präsidentenposten zur Verfügung stellen, das ganze Management wurde ausgetauscht, Präsident wurde der Generaldirektor der Živnostenská banka Dr. Jaroslav Preiss, im Verwaltungsrat der Textilwerke Mautner AG saßen nun überwiegend Tschechen.

Noch gravierender war eine weitere Maßnahme durch den neuen Mehrheitsaktionär, die Österreichische Creditanstalt für Handel und Gewerbe: Alle übernommenen Anteile der Bodencreditanstalt, also auch die an den Gesellschaften des Mautner-Konzerns, wurden im Verhältnis 1:8 umgetauscht. Das heißt im Fall von Isidor Mautner, dass sein Aktienbesitz von 127.000 auf ganze 15.875 Stück schrumpfte, ein weiterer enormer Vermögensverlust.

Am 24. Oktober 1929 brach an den Börsen der Vereinigten Staaten Panik aus, die Kurse stürzten ins Bodenlose und rissen am nächsten Tag auch die europäischen Börsen mit. Dieses Ereignis leitete eine der schwersten Wirtschaftskrisen der Geschichte ein. Dementsprechend trübe sah es für die Textilwerke Mautner AG aus. Ende 1929 betrugen die Verluste des Konzerns insgesamt über 135 Millionen Kronen. Solche Verluste konnten allerdings nicht erst seit Ausbruch der Weltwirtschaftskrise entstanden sein.

Die Creditanstalt unternahm eine radikale Umgestaltung des Konzerns, um zu retten, was zu retten war. So wurde die Baumwolleinkaufszentrale in Amsterdam aufgelöst, die Aktien der Beogradska Textilna Industrija D. D. wurden verkauft, ebenso die Fabriken in Tetschen, Engenthal und Pottenstein. Zudem wurden die böhmischen Betriebe in Marienthal, Schumburg, Tiefenbach und Bensen (Scharfenstein und Neuland) geschlossen, ebenso in Niederösterreich Nadelburg, Neunkirchen, Sollenau und Trattenbach. Die erfolgreiche Wollwarenverkaufs AG in Wien, Nachfolger der guten alten „Konfektionsanstalt", sollte die Wollweberei in Günselsdorf pachten, der übrige Teil der Günselsdorfer Fabrik sollte ebenfalls stillgelegt werden. Die Pottendorfer Spinnerei und Zwirnerei AG wurde mitsamt der Spinnerei in Rohrbach mit der Felixdorfer Weberei und Appretur AG zur Pottendorfer Spinnerei und Felixdorfer Weberei AG zusammengefasst, die auch die Spinnerei und Weberei Ebensee von der Vereinigten Österreichischen Textilindustrie pachtete. Präsident der Gesellschaft wurde Arthur Kuffler. Das Aktienkapital der Vereinigten Österreichischen Textilindustrie, einst der größte Spinnereikonzern der Monarchie, wurde abgestempelt, die Gesellschaft führte nun nur noch ein Schattendasein in stiller Liquidation und wurde 1938 mit dem Pottendorfer-Felixdorfer Unternehmen verschmolzen.

In Jugoslawien erwirtschaftete die Jugoslovanske textilne tvornice Mautner D. D. in Zagreb immer noch Gewinne, sie blieb daher unbehelligt, das Gleiche galt für die Firma Soc. Anon. Romana pentru Industra de Bumbac in Bukarest.

Insgesamt wurde durch diese Maßnahmen die Kapazität des Konzerns ungefähr halbiert. Zur Deckung der Verluste wurde erneut das Aktienkapital herangezogen. Es wurde von 100.000 auf 5.000 Kronen abgeschrieben, also auf ein Zwanzigstel abgewertet. Damit waren von Isidor Mautners ursprünglichem Aktienpaket von 127.000 Stück am Ende nur noch ganze 794 Anteile übrig geblieben.

Die massiven Rekonstruktionsmaßnahmen hätten unter anderen Umständen vielleicht Erfolg gehabt, nicht aber unter den Bedingungen der Weltwirtschaftskrise. 1931 brach die Creditanstalt selbst unter der Last der übernommenen Verpflichtungen zusammen. Hatte sie 1929 noch unter staatlichem Druck die Bodencreditanstalt retten müssen, musste nun der Staat selbst die Creditanstalt retten, indem er deren Aktienmehrheit, später auch deren Schulden übernahm.[431]

Bleibt die Frage, welchen Anteil Isidor Mautner am Niedergang seines Konzerns hatte. Ein ausführlicher Beitrag von Adalbert Worliczek im *Deutschen Volkswirt* vom 14. November 1930 sieht eine Ursache in der „Überdimensionierung des Konzerns". Sie sei noch dadurch verschärft worden, „daß die Leitung völlig zentralisiert war, wodurch die Übersicht über die Rentabilität der einzelnen Konzernunternehmungen fast völlig verloren ging und die Betriebsführung unökonomisch wurde".[432]

In der Tat hatte Mautner 1926 das wenig ertragreiche Rosenberger Unternehmen, das seit 1923 keinen Gewinn mehr erwirtschaftet hatte, direkt an den Konzern gebunden, anstatt diese Gesellschaft zu verkaufen oder umzustrukturieren. Möglicherweise aus Sentimentalität, denn mit dem Rosenberger Industriekomplex war für Isidor Mautner seine größte unternehmerische Leistung verknüpft.

Auch die Überdimensionierung könnte ein berechtigter Vorwurf sein. Wozu brauchte der Konzern eine eigene Einkaufsgesellschaft in Amsterdam, die zudem durch Fehlspekulationen hohe Verluste einfuhr? Wozu noch eine Tuchfabrik in Ungarn? Eine weitere Weberei in Nordböhmen?

Auch die Tatsache, dass die Textilwerke Mautner AG Jahr für Jahr einen ordentlichen Gewinn auswiesen, wirkt im Nachhinein nicht ganz überzeugend. Woher kam dann der exorbitante Fehlbetrag von 135 Millionen Kronen, den die Creditanstalt Ende 1929 feststellte? Worliczek bleibt hier bei Andeutungen: „Wie hoch sich die eigentliche Zinslast während der letzten Jahre belief, läßt sich nicht feststellen, da auch hier Verschleierungen erfolgten und nur Teilbeträge ausgewiesen wurden." Immerhin kann er aber konkret auf eine Vorkriegsanleihe in Höhe von einer Million englische Pfund verweisen, die „voll valorisiert zur Rückzahlung gelangen muß". Eine echte Leiche im Keller also, die das Unternehmen seit 1914 in den Bilanzen mitschleppte. Und weiter: „Es scheint, daß im Vorjahr ein Reingewinn nur dadurch erzielt wurde, daß unter anderem fällige Zinsen lediglich teilweise bezahlt und die nur tatsächlich bezahlten Zinsen ausgewiesen wurden." Das allerdings ginge schon in Richtung Bilanzfälschung. Und so fällt zum Schluss ein Schatten auf die enorme Lebensleistung Isidor Mautners.

Dennoch darf man nicht übersehen, dass es ihm gelungen war, nach dem Zerfall der Monarchie den Konzern neu aufzustellen und über schwierige Jahre hinweg erfolgreich zu steuern.

Offenkundig sah er in der Abhängigkeit von der Bodencreditanstalt, die die Aktienmehrheit besaß, eine große Gefahr für seine Unternehmen. Nicht zu Unrecht, denn der riskante Kurs dieser Bank endete 1929 bekanntlich im Bankrott. Die Gründung der Neuen Wiener Bankgesellschaft 1921 und die Übernahme des Unternehmens Trumau-Marienthal 1925 muss man daher als Versuche verstehen, sich aus dieser verhängnisvollen Abhängigkeit zu lösen. Isidor Mautners Unglück war, dass die Neue Wiener Bankgesellschaft die Turbulenzen der Spekulationszeit nicht überstand. Seine verzweifelten Rettungsversuche endeten mit dem Verlust nahezu seines gesamten Vermögens, das ihm dann fehlte, um Trumau-Marienthal erfolgreich zu führen.

Abb. 27: Isidor Mautner um 1928

Im Jahr 1928 wurde Isidor Mautner aus allen Ämtern verdrängt, vielleicht zu Recht, vielleicht war er tatsächlich ein starrsinniger alter Mann geworden, der, wie so viele Firmenpatriarchen, nicht erkennen wollte, dass seine Zeit vorüber war und der zum Schluss seinem Unternehmen mehr schadete als nutzte. Aber das ändert nichts an seiner Lebensleistung. Er war einer der ganz großen Unternehmer in der Mitte Europas, der stets offen war für technische Innovationen, immer wieder unternehmerischen Mut bewies und sich zudem in bemerkenswertem Maße für das Wohlergehen seiner Arbeiterinnen und Arbeiter engagierte.

Der Tod eines Großindustriellen

Der Döblinger Friedhof grenzt direkt an den Wiener Bezirk Währing, er liegt ganz in der Nähe des feinen Cottage-Viertels und dementsprechend prominent sind viele der dort Begrabenen, was auch durch entsprechend ausgestaltete Grabstätten dokumentiert wird. Zahlreiche Persönlichkeiten, die wir bereits kennen gelernt haben, wurden dort in Ehrengräbern bestattet, wie der Maler Hugo Charlemont, der Grafiker und Fotograf Ferdinand Schmutzer, der Schauspieler Josef Kainz, auch Theodor Herzl, der Begründer des Zionismus, bis seine sterblichen Reste 1949 nach Jerusalem überführt wurden. Der Textilindustrielle Eduard von Todesco hat dort eine tempelartige Grabstätte, in der auch weitere Nachfahren untergebracht sind und ganz am Rand des Friedhofs, an der Friedhofsmauer findet sich auch das Grab Isidor Mautners. Keine Grabarchitektur, keine kunstvollen Steinmetzarbeiten, keine Vergoldungen. Nur ein polymorpher mannshoher Felsen aus dem Toten Gebirge, aus der Nähe des Grundlsees also, wo die Mautners ihre glücklichsten Tage verbracht hatten. Eingraviert in Augenhöhe nichts weiter als der Name Isidor Mautner und darunter die Jahreszahlen 1852–1930. Weiter unten folgen dann die Namen weiterer Familienmitglieder.

Isidor Mautner, auf dem Höhepunkt seines Erfolges Herr über 23.000 Mitarbeiter und 42 Fabriken, stand am Ende seines Lebens vor einem Scherbenhaufen. Sein Lebenswerk war zerstört, sein Ruf beschädigt, das Schlössel, in dem die Familie so viele glückliche Stunden verbracht und so viele bedeutende Gäste empfangen hatte, war verpfändet – und selbst die Arbeiter von Marienthal gaben ihm noch die Schuld an ihrem Unglück: „Der Mautner?", so wird ein Arbeiter zitiert, „ach der ist mit 100 Millionen in Pension gegangen. Weiß Gott, wo der sich von seinen ‚Strapazen' erholt."[433]

Ein tragisches Ende für eine so bedeutende Unternehmerpersönlichkeit. Auch dies dürfte zum Ausbruch der Krebserkrankung beigetragen haben, der er schließlich am 13. April 1930 im Alter von 77 Jahren erlag. Die *Neue Freie Presse* vermeldete seinen Tod am 14. April 1930 auf der ersten Seite. Man hatte ihn also nicht vergessen. Und vielleicht noch vielsagender: Auch in der *Arbeiterzeitung*, dem Zentralorgan der Sozialdemokratischen Partei Österreichs, erschien eine eigene Traueranzeige für Isidor Mautner, eine bemerkenswerte Anerkennung für Isidors Einsatz für eine soziale Absicherung seiner Arbeitnehmer.

Am 15. April wurde Isidor Mautner um 13 Uhr auf dem Döblinger Friedhof beerdigt. Die *Neue Freie Presse* berichtete ausführlich:

„Gestern fand die Beerdigung des Textilgroßindustriellen Isidor
Mautner statt. Die außerordentliche Beteiligung weitester Kreise an
der Leichenfeier legte Zeugnis von der Beliebtheit und Wertschätzung
ab, deren sich der Verbli-
lichene erfreute. Bereits
um 12 Uhr mittags war
das Trauerhaus von meh-
reren hundert Personen,
die dem Verblichenen die
letzte Ehre erweisen wollten, erfüllt. Der Sarg verschwand beinahe unter
Kränzen und Blumen.
Unter den Leidtragen-
den, welche die trauernde
Familie umgaben, befan-
den sich (Graf) Wilzek[434],
Botschafter a.D. (Graf)
Mensdorff, die (Fürstin-

Abb. 28: Grabstein Isidor Mautners auf dem
Döblinger Friedhof in Wien

nen) Dietrichstein, Schwarzenberg und Fugger die (Grafen) Dubsky,
Richard Condenhove[435], die (Gräfinnen) Rechberg und Hartenau, die
Chefs der Bankhäuser Richard Schoeller[436] und Theodor Liebieg, Herr
und Frau Max Wertheimer[437], sowie viele andere Vertreter der Wirtschaft,
der Industrie und der Bankwelt. Aus Künstlerkreisen waren Generaldirektor Schneiderhan[438], eine Deputation des Theaters an der Josefstadt, zu dessen Gründern der Verewigte gehört hat, sowie zahlreiche
Mitglieder der Wiener Bühnen erschienen. Die Literatur war durch eine
Reihe prominenter Schriftsteller vertreten. Auch der Pen-Club hatte eine
Deputation entsendet. Da der Verewigte letztwillig verfügt hatte, daß
von Trauerreden abgesehen werde, wurde der Sarg nach einem Trau-
erchoral gehoben und in der Familiengruft auf dem Döblinger Friedhof
zur Ruhe bestattet. Auf dem Friedhof hielt Oberrabbiner Dr. Grunwald[439]
einen Nachruf und im Namen der persönlichen Freunde Isidor Mautners
sprach Dr. Stiaßny[440] tiefgefühlte Worte des Abschieds.“[441]

Der Bericht macht deutlich, welche Bedeutung Isidor Mautner für die
Wiener Kulturszene besaß. Das dokumentiert die Anwesenheit Franz
Schneiderhans (1863–1938), des Generaldirektors der österreichischen
Bundestheater und damit auch obersten Chefs des Burgtheaters.

Noch auffälliger ist allerdings die Teilnahme zahlreicher Adliger – und zwar nicht etwa geadelter Unternehmer, die sich bis 1919 Baron, Ritter, Edler oder Freiherr nennen durften, sondern alter Adel, echte Grafen und Fürsten, die nun allerdings ihre Titel nicht mehr öffentlich tragen durften. Weshalb der Redakteur – der die meisten Namen falsch schrieb – die Titel in Klammern setzen musste. Alte Adelsgeschlechter wie die Dubskys, die Schwarzenbergs, die Rechbergs oder die Fuggers finden wir darunter. Üblicherweise hielt sich dieser Personenkreis für etwas so viel Besseres, dass er den Umgang mit Juden gerne vermied. Wieso war das bei Isidor Mautner anders? Die Antwort ist überraschend einfach. Die im Bericht genannte Fürstin Dietrichstein war die Witwe Hugo von Mensdorff-Pouilly-Dietrichsteins (1858–1920). Die Adresse dieser Familie lautete Löwelstraße 8[442] – wie die der Mautners. Offensichtlich hatte sich eine enge Freundschaft zwischen den beiden Nachbarn entwickelt. Den Mautners öffnete sich so der private Zugang zu Adelskreisen, die ihrerseits wiederum gerne die Einladung zu den kultivierten und anregenden Mautnerschen Soiréen annahmen. Der ebenfalls erwähnte Botschafter a.D. Graf von Menzdorf war der Schwager dieser Witwe Dietrichstein. Er spielte gegen Ende der Monarchie als Diplomat eine bedeutende Rolle.[443] Zudem war Johanna Gräfin von Hartenau, eine begeisterte Sängerin und Förderin des Wiener Musiklebens, eng mit Jenny Mautner befreundet. Sie half ihr bei den Arrangements für ihre Soiréen und schlug Jenny vor, ein Gästebuch zu führen.[444]

Auch das *Prager Tagblatt* nimmt ausführlich Abschied von Isidor Mautner: „Isidor Mautner war der prominenteste Textilindustrielle der österreichischen Monarchie. Er war der Gründer einer großen Zahl hervorragender Unternehmungen in Niederösterreich, in Böhmen und in Ungarn. Zeitweilig hat er den Textilmarkt Österreichs vollkommen beherrscht." Wieder wird auf Mautners Bedeutung für das Wiener Kulturleben hingewiesen: „Er führte einen Salon, in dem die prominentesten Künstler verkehrten. Er war ein Freund Daniel Spitzers und Josef Kainz´.(...) Eine der Töchter ist mit dem bekannten Regisseur der Reinhardtbühnen Paul Kalbeck verheiratet."[445]

Nach Isidors Tod mussten nun die drängenden finanziellen Angelegenheiten geregelt werden. Die Lage war katastrophal. Das Aktienvermögen war auf einen unerheblichen Restbetrag zusammengeschrumpft. Auf der anderen Seite gab es eine persönliche Wechselgarantie bei der Nationalbank, mit der Isidor Mautner Stephans Neue Wiener Bankgesellschaft (und damit auch seine eigenen Einlagen) vor dem Zusammenbruch retten wollte. Bereits im Mai 1929 hatte die Nationalbank „ein

Simultanpfandrecht auf allen Liegenschaften Mautners in der Höhe von S 755.000,-- zu ihren Gunsten einverleiben lassen"[446]. Nun drohte die Pfändung der Immobilien. Es gab keinen Ausweg, die prachtvolle Wohnung in der Löwelstraße 8 musste aufgelöst werden.

Zwei Tage lang, vom 17. bis zum 18. November 1930, wurden all die wertvollen Gemälde, Möbel und Einrichtungsgegenstände, auf die Jenny so stolz gewesen war und auf deren Erwerb sie so viel Mühe und Leidenschaft verwendet hatte, im Wiener Dorotheum versteigert.[447] Man kann kaum ermessen, wie schwer dieser zweite schwere Schlag nach dem Tod ihres Mannes die alte Dame getroffen haben musste.

Jenny Mautner verlegte nun ihren Wohnsitz ins Schlössel, aber auch hier war nichts sicher. Erst 1933 gelang es Stephan gemeinsam mit seinem Neffen, dem Juristen Dr. Georg Breuer, die Gläubigerbank von einer Zwangsversteigerung des Schlössels abzubringen. Die Hypotheken blieben jedoch aufrecht.[448]

Stephan Mautner trat im Verlaufe des Jahres 1930 von allen Ämtern zurück und ging gewissermaßen mit 53 Jahren in Pension. Er war alles andere als ein leidenschaftlicher Unternehmer, der in stundenlangen Aufsichtsratssitzungen Bündnisse schmieden und Unternehmensstrategien entwerfen konnte. Im Gegenteil. Wenn aus seinem „Trattenbach"-Buch eines spricht, dann die Sehnsucht nach einem kontemplativen, selbstgenügsamen Leben in der Natur, in der Welt einfacher Leute. Sein Leben lang war er der gehorsame Sohn seines Vaters gewesen, hatte dessen Willen gehorcht, war dessen Plänen gefolgt. Nun endlich im Jahr 1930 wollte und konnte er selbst über sein Leben entscheiden.

Er konnte sich das leisten. Er besaß eine wundervolle Villa in der Weimarer Straße 53 im noblen Cottage-Viertel. Der Lebensunterhalt für seine Familie konnte aus dem Vermögen seiner Frau Else, seinem verbliebenen Aktienbesitz und den Pensionszahlungen der Unternehmen bestritten werden, in deren Verwaltungsrat er gesessen hatte.

Im Übrigen aber betätigte er sich nun ausschließlich als Maler, ohne allerdings in nennenswertem Umfang auf dem Kunstmarkt in Erscheinung zu treten. Das Malen diente ihm offenbar eher als Selbstzweck, ebenso wie die Jägerei, die er immer noch mit großer Leidenschaft in seinem Trattenbacher Jagdrevier betrieb. Das dritte Hobby, die Schriftstellerei, hatte Stephan Mautner zum letzten Male im Jahre 1927 ausgelebt, als er den 2. Teil seiner „farbigen Stunden" veröffentlichte. Man registriert diesen Zeitpunkt allerdings nicht ohne Verwunderung, denn zur gleichen Zeit stand er als Präsident eines Geldinstituts, das sich unter dubiosen Umständen in Liquidation befand, in heftiger öffentlicher Kritik. Das Lebenswerk seines Vaters, ja sogar dessen Eigentum war durch die Liquidation in höchstem Maße bedroht. Mag sein, dass sich Stephan Mautner durch diese Veröffentlichung ein wenig vom belastenden Alltag ablenken wollte, wohl auch vom tragischen Tod seiner vierzehnjährigen Tochter Franziska (Franzi) am 4. November 1924. Trotzdem ist man etwas irritiert.

Schwerer hatte es allerdings Konrad Mautners Witwe Anna. Sie musste seit dessen Tod am 15. Mai 1924 ihre vier Kinder Matthias, Lorenz, Michael und Anna Maria alleine durchbringen. Sie besaß zwar das Haus in Wien neben dem Schlössel, das Isidor Mautner ihr und Konrad zur Hochzeit geschenkt hatte, die meiste Zeit lebte sie aber mit ihren Kindern am Grundlsee, wo sie sich zu Hause fühlten. Anna war die ersten Jahre nach Konrads Tod von Zuwendungen der Verwandtschaft abhängig, denn der verbliebene Aktienbesitz reichte schon lange nicht mehr für den Lebensunterhalt. Mag sein, dass dies zu einer gewissen seelischen Verhärtung führte, ihre Tochter beschreibt sie jedenfalls als streng und wenig herzlich.[449]

Ende der 1920er Jahre begann sie mit der Handdruckerei für Trachtenstoffe zu experimentieren und richtete im Haus am Archkogl 36 in Grundlsee eine Stoffdruckerei ein, in der zunächst nur Blaudrucke hergestellt wurden. Das Geschäft begann zu florieren und es gelang Anna Mautner, eine selbstständige Existenz aufzubauen. Seit 1936 führte sie auch den Buntdruck von Seidentüchern ein und bei der Weltausstellung in Paris 1937 gewann Anna Mautner sogar eine Silbermedaille.[450] Ihre Einkünfte reichten schließlich aus, um ihrem ältesten Sohn Matthias ein Medizinstudium zu ermöglichen.

Käthy Breuer war seit 1926 verwitwet. Seit 1906 wohnte sie in dem Haus Khevenhüller Straße 4, ebenfalls ein Hochzeitsgeschenk ihres Vaters, direkt zwischen dem Schlössel und dem Wohnhaus der Familie Konrad Mautners. Käthys Sohn Georg, geboren 1907, absolvierte wie sein Vater ein Jurastudium und schloss es mit der Promotion ab. Er spielte in den schwierigen Zeiten nach dem Tod Isidor Mautners eine wichtige Rolle bei den Verhandlungen mit den Gläubigern seines Großvaters. Franz, zwei Jahre jünger als Georg, promovierte ebenfalls, allerdings in Chemie, was ihm später bei der Emigration in gewisser Weise zugutekommen sollte, wie wir noch sehen werden. Gustav (Gustl), der 1915 geboren wurde, ging wiederum einen ganz anderen Weg, ihn zog es zum Theater.

Das verband ihn mit seinem Onkel Paul Kalbeck, der 1919 Marie Mautner geheiratet hatte. Paul Kalbeck, dessen Vater so gut mit Johannes Brahms befreundet war, dass dieser Pauls Taufpate wurde, hatte zunächst 1916 Helene Thimig geheiratet, die Schwester seines Freundes Hans Thimig. Nach zwei Jahren wurde die Ehe aber bereits wieder geschieden, Helene Thimig heiratete nunmehr Max Reinhardt, der wiederum Paul Kalbeck als Regisseur für das Theater in der Josefstadt engagierte.

Paul Kalbeck seinerseits betrieb seit 1923 gemeinsam mit Hans Thimig in der Tendlergasse 13 im IX. Wiener Bezirk die Neue Schule für dramatischen Unterricht, aus der 1929 das Max Reinhardt Seminar hervorging. 1936 wurde Paul Kalbeck sogar der Titel eines Professors verliehen.

Paul und Marie Kalbeck wohnten bis 1938 mit ihren Kindern, dem 1920 geborenen Florian und der zwei Jahre jüngeren Marianne, ganz in der Nähe des Schlössels in einer Villa in der Starkfriedgasse 58.

Das Ende des Mautner-Konzerns

Isidor Mautner, eine der ganz großen Unternehmerpersönlichkeiten der österreichischen Monarchie, war letztlich an den neuen Verhältnissen gescheitert. Aber auch nach seinem Rücktritt und seinem Tod bestanden die Textilwerke Mautner noch weiter.

Gegen Ende 1931 erfolgte eine endgültige Aufteilung des Konzerns gemäß den Staaten, in denen die Unternehmen ihren Sitz hatten. So wurden die Textilwerke Mautner AG und die ihr gehörenden Unternehmen Rosenberger Textilwerke Mautner AG, Friedrich Mattausch & Sohn AG für Textilindustrie in Franzensthal und die Eisenwerke Sandau AG der „tschechoslowakischen Interessensphäre"[451] zugeordnet. Alle anderen Unternehmen gehörten zur österreichischen Sphäre. Demgemäß räumten die Vertreter der Creditanstalt geschlossen ihre Sitze im Verwaltungsrat der Textilwerke Mautner AG. Damit war das letzte cisleithanische Band, das letzte Relikt der Vorkriegszeit also, zerschnitten, die Textilwerke Mautner AG waren nun eine rein tschechoslowakische Gesellschaft.

Die Weltwirtschaftskrise traf die Textilwerke Mautner AG schwer, eine ganze Reihe von Betrieben, wie etwa die Weberei in Schumburg, in der 800 Arbeiter beschäftigt waren, mussten für mehrere Jahre stillgelegt werden.[452] Aber dann ging es langsam wieder aufwärts, 1937 stieg der Rohgewinn von 17,1 auf 19,6 Millionen Kronen, auch die Rosenberger Textilwerke und die Friedrich Mattausch AG erzielten kleine Überschüsse.

Aber dann wurde das Sudetenland am 30. September 1938 im Abkommen von München dem Deutschen Reich zugesprochen, was die meisten Sudetendeutschen sehr freute. Für die jüdischen Mitbürger allerdings setzte nun die gleiche Entrechtung und Verfolgung ein, wie sie in Deutschland schon seit fünf Jahren und in Österreich seit sechs Monaten herrschte. Dazu gehörte vor allem auch die Arisierung jüdischen Besitzes. Darunter fielen nun auch die Betriebe der Textilwerke Mautner AG in Náchod, Friedland, Grünwald und Schumburg, die Betriebe der Friedrich Mattausch & Söhne AG in Franzensthal und Bensen (Friedrichsthal, Scharfenstein, Neuland) und die Eisenwerke Sandau AG. Die Dresdner Bank übernahm deren Vermittlung an arische Interessenten und kassierte dafür ordentliche Gebühren.[453]

Eine dubiose Rolle spielte dabei übrigens auch die Živnostenská banka, die eng mit der Dresdner Bank kooperierte. Während der Weltwirtschaftskrise hatten die Textilwerke Mautner AG einige Betriebe an die Živnostenská banka verkauft und anschließend zurückgepachtet. Nun wollte diese die Gelegenheit nutzen und zur Verbesserung der eigenen Liquidität die Betriebe an potente deutsche Unternehmer veräußern. Stephan Mautner versuchte in mehreren Briefen, das zu verhindern.[454] Ohne Erfolg, letztlich gingen die Betriebe in Franzensthal, Friedrichsthal und Grünwald an einen Vertreter der Dresdner Bank und zwei Unternehmer aus dem Rheinland. Die Unternehmen in Friedland und Bensen übernahm der von den neuen Reichsbehörden eingesetzte kommissarische Leiter praktischerweise gleich selbst. Auch die Weberei und die Spinnerei in Náchod wurden arisiert, immerhin entstanden aber dort 1939 eine fünfstöckige weitere Spinnerei und 1942 eine neue Weberei mit Lager und Verwaltung.[455]

Damit waren die Textilwerke Mautner AG aufgelöst, das Lebenswerk Isaac und Isidor Mautners hatte aufgehört zu existieren.

Die Betriebe bestanden allerdings weiter, nach dem Krieg wurden sie 1946 verstaatlicht und zu einem Unternehmen mit dem Namen Tepna zusammengefasst, das immerhin 10.000 Arbeitnehmer beschäftigte, die Produkte wurden fast ausschließlich in den Ostblock geliefert. 1990 wurde das Unternehmen privatisiert, es war aber auf Dauer der fernöstlichen Konkurrenz nicht gewachsen. Seit 2006 sind die Mautnerschen Fabrikanlagen in Náchod endgültig stillgelegt und größtenteils abgerissen worden. Auf dem Gelände der ehemaligen Mautner-Spinnerei befindet sich heute ein großer Einkaufsmarkt. Übrigens deutscher Herkunft.[456]

Kapitel 5
Das Ende

„Und während Unsichtbare mich bespeien,
‚Ich hab ja nichts getan‘, hör ich mich schreien,
‚Als daß ich eure: meine Sprache sprach.‘"
(Franz Werfel, 1938)

Der „Anschluss"

Die parlamentarische Demokratie hatte in Österreich noch weniger
Chancen als in Deutschland. Ähnlich wie in Deutschland lag eine Ursache
in der mangelnden Identifikation der Bevölkerung mit dem neuen Staat,
der von einem florierenden Gemeinwesen, auf das man stolz sein konnte, weit entfernt war. Die Republik Österreich war eben nicht Ergebnis
einer erfolgreichen, identitätsstiftenden Revolution, wie etwa in Frankreich, sondern ganz im Gegenteil verknüpft mit einem verlorenen Krieg
und dessen Folgen. Dieses zusammengestutzte Staatsgebilde „Restös-
terreich" enthielt so wenig Bindungswirkung, dass 1919 die Mehrheit
der Vorarlberger für einen Anschluss an die Schweiz stimmte und im
Jahr 1921 es in Tirol und Salzburg eine fast 100-prozentige Zustimmung
zum Anschluss an Deutschland gab. Das entsprach der Stimmung vieler
Österreicher, ihnen wäre ein Zusammenschluss mit Deutschland lieber
gewesen, die Sozialdemokraten hatten diese Forderung sogar erst 1933
nach der Machtergreifung der Nazis aus ihrem Parteiprogramm gestri-
chen.

Hinzu kam, dass die über Jahrhunderte zur multikulturellen Metropole herangewachsene Hauptstadt Wien, bis 1918 Zentrum des zweit-
größten Flächenstaates Europas, nun als überdimensionierter urbaner
Fremdkörper in einem weitgehend agrarisch und katholisch geprägten
kleinen Alpenstaat lag. Jeder dritte Österreicher war ein Wiener. Extreme Kontraste prallten so aufeinander, denen auch eine unversöhnliche
politische Frontstellung entsprach: Auf der einen Seite die Sozialdemokraten, die die Städte und vor allem das „Rote Wien" beherrschten,
auf der anderen Seite die klerikalkonservativen Christdemokraten, die
die Landbevölkerung hinter sich wussten. 1927 führte dies erstmals
zur gewaltsamen Konfrontation. Im burgenländischen Schattendorf
waren im Frühjahr 1927 Mitglieder des sozialdemokratischen Schutz-
bundes erschossen worden, darunter ein Kind. Bei der Gerichtsverhand-
lung gegen die Täter in Wien vor einem Geschworenengericht wurden
die Täter freigesprochen. Dieses „Schattendorfer Urteil" löste empörte

Demonstrationen aus, die dazu führten, dass das Parlament und vor allem das Justizministerium gestürmt und in Brand gesetzt wurden. Der Wiener Polizeipräsident und spätere Bundeskanzler Schober erteilte strikten Schießbefehl, 89 Menschen starben, 1054 wurden verletzt.[457]

Auch wirtschaftlich gesehen waren die Bedingungen überaus schwierig. Nach dem schweren Sanierungsschock der frühen 1920er Jahre begann sich Österreichs Wirtschaft nur langsam zu erholen, fand bis 1929 langsam wieder Anschluss an die Weltwirtschaft und wurde dann mit voller Wucht von der Weltwirtschaftskrise getroffen. Bis 1933 schoss die Arbeitslosenzahl in Österreich auf einen Höchststand von 557.000, das war eine Arbeitslosenquote von unglaublichen 26 Prozent. Und es wurde kaum besser: Bis 1937 blieb die Zahl der Arbeitslosen über der 20 Prozentmarke.[458]

1932 wurde der erklärte Antidemokrat Engelbert Dollfuß zum Bundeskanzler gewählt. Am 5. März 1933 entmachtete er durch Notverordnungen das Parlament, Ende 1933 hob er wesentliche Teile der Sozialgesetzgebung auf, am 12. Februar 1934 kam es schließlich zum offenen Bürgerkrieg, den die Heimwehr, und damit Dollfuß, für sich entschieden. Die Sozialdemokratische Partei wurden aufgelöst, der Ständestaat proklamiert.

Damit hatte Dollfuß seine Herrschaft allerdings noch lange nicht gesichert. Nach der „Machtergreifung" der Nationalsozialisten in Deutschland 1933 forderten deren Anhänger in Österreich verstärkt und durchaus gewaltbereit den Anschluss an das Reich. Dollfuß konterkarierte diese Bedrohung, indem er am 19. Juni 1933 die NSDAP verbieten ließ und zugleich versuchte, ein österreichisches Nationalbewusstsein zu generieren. Keine einfache Aufgabe angesichts der Kluft zwischen Stadt und Land, zwischen Sozialisten und Klerikalfaschisten, und das auch noch angesichts einer trostlosen wirtschaftlichen und sozialen Lage. Aber Dollfuß erkannte die Identifikationsangebote des Sports. Er suchte die Nähe des „Vaters des Wunderteams", des jüdischen „Bundeskapitäns" Hugo Meisl, dessen Fußballnationalmannschaft um den legendären Matthias Sindelar von Sieg zu Sieg eilte und von aller Welt bewundert wurde.[459] Zugleich sicherte sich Dollfuß außenpolitisch ab, indem er sich eng mit Italiens faschistischem Führer Mussolini zusammenschloss, der Österreich als Sicherheitspuffer gegenüber den aggressiven deutschen Großmachtphantasien betrachtete.

Bei einem misslungenen Putschversuch der Nationalsozialisten am 25. Juli 1934 kam Dollfuß ums Leben, sein Nachfolger wurde Kurt Schuschnigg, der jedoch sehr schnell auf verlorenem Posten stand: Hitler unterstützte den international isolierten Mussolini 1935 bei seinem

Kolonialkrieg in Abessinien (Äthiopien), als Gegenleistung überließ Mussolini Österreich seinem Schicksal.

Schuschnigg unternahm noch einen letzten verzweifelten Versuch, Österreichs Unabhängigkeit zu retten. Er rief für den 13. März 1938 zu einer Volksabstimmung auf. Tatsächlich scheinen seine Chancen nicht schlecht gestanden zu haben. Das sahen allerdings die Nazis genauso. Sie drohten mit militärischer Gewalt und zwangen Schuschnigg zum Verzicht auf die Volksabstimmung und zum Rücktritt, den er in einer Rundfunkansprache am Abend des 11. März 1938 verkündete. Damit war der Weg frei für den Anschluss Österreichs an das Deutsche Reich. Nach der Rücktrittserklärung Schuschniggs aber geschah etwas Ungeheuerliches.

Anschlusspogrom und Gestapo-Terror

Der Dramatiker Carl Zuckmayer kam am 11. März aus dem Theater in der Josefstadt, wo sein neues Stück mit der Mautner-Freundin Paula Wessely und ihrem Mann Attila Hörbiger geprobt wurde, als er Zeuge völlig enthemmter Straßenszenen wurde:

„Die Unterwelt hatte ihre Pforten aufgetan und ihre niedrigsten, scheußlichsten, unreinsten Geister losgelassen. Die Stadt verwandelte sich in ein Alptraumgemälde des Hieronymus Bosch: Lemuren und Halbdämonen schienen aus Schmutzeiern gekrochen und aus versumpften Erdlöchern gestiegen. Die Luft war von einem unablässig gellenden, wüsten, hysterischen Gekreische erfüllt, aus Männer- und Weiberkehlen, das tage- und nächtelang weiterschrillte. Und alle Menschen verloren ihr Gesicht, glichen verzerrten Fratzen: die einen in Angst, die andren in Lüge, die andren in wildem, haßerfülltem Triumph. Ich hatte in meinem Leben einiges an menschlicher Entfesselung, Entsetzen oder Panik gesehen. Ich habe im Ersten Weltkrieg ein Dutzend Schlachten mitgemacht, das Trommelfeuer, den Gastod, die Sturmangriffe. Ich hatte die Unruhen der Nachkriegszeit miterlebt, die Niederschlagung von Aufständen, Straßenkämpfe, Saalschlachten. Ich war beim Münchner ‚Hitler-Putsch' mitten unter den Leuten auf der Straße. Ich erlebte die erste Zeit der Naziherrschaft in Berlin. Nichts davon war mit diesen Tagen in Wien zu vergleichen. Was hier entfesselt wurde, hatte mit der ‚Machtergreifung' in Deutschland, die nach außen hin scheinbar legal vor sich ging und von einem Teil der Bevölkerung mit Befremden, mit Skepsis oder mit einem ahnungslosen, nationalen Idealismus aufgenommen wurde, nichts mehr zu tun. Was hier entfesselt wurde, war der Aufstand des Neids, der Mißgunst, der Verbitterung, der blinden, böswilligen Rachsucht – und alle anderen Stimmen waren zum Schweigen verurteilt. Revolution wird wohl immer grauenvoll sein, doch mag das Grauen ertragen, verstanden, überwunden werden, wenn es aus einer echten Not geboren wurde, wenn es Überzeugung und Geist war, vom Geiste kam, was die Materie zum Aufruhr trieb. Hier war nichts losgelassen als die dumpfe Masse, die blinde Zerstörungswut, und ihr Haß richtete sich gegen alles durch Natur oder Geist Veredelte. Es war ein Hexensabbat des Pöbels und ein Begräbnis aller menschlicher Würde."[460]

Es mag nicht die Mehrheit der Wiener gewesen sein, vielleicht sogar nur eine kleine Minderheit, aber die hasserfüllte Grausamkeit, mit der sie in den Tagen nach dem „Anschluss" über ihre jüdischen Mitbürger herfielen, um sie zu demütigen, zu bespucken, zu beschimpfen, zu misshandeln, bleibt eine ewige Schande für die Stadt Wien. Denn es waren offenbar keineswegs nur von SA-Horden inszenierte Hassaktionen, sondern es waren brave Wiener Bürger, die mit der gleichen Begeisterung, mit der sie auf dem Heldenplatz der „Anschlussrede" Hitlers am 15. März 1938 gelauscht und zugejubelt hatten, über ihre jüdischen Nachbarn herfielen. Besonders beliebt war es, Juden auf Knien mit einer Bürste den Fußweg schrubben zu lassen, sie mussten die Parolen entfernen, die zu Schuschniggs Abstimmung über den Anschluss Österreichs aufgerufen hatten. Auch Käthy Breuers Sohn Gustav wurde auf diese Weise gedemütigt und dabei auch noch bespuckt und als „Saujud" beschimpft.[461]

Alfred Hridlicka hat diesem Verbrechen ein Denkmal gesetzt, das an Deutlichkeit nichts zu wünschen übrig lässt. Kein Wunder, dass viele Wiener über diese „Nestbeschmutzung" empört waren, zum Teil auch immer noch sind. Zumal als Standort auch noch ein überaus belebter Platz im Zentrum Wiens gewählt wurde, gegenüber Albertina, Staatsoper und Hotel Sacher, dort, wo besonders viele Touristen herumlaufen. Musste das sein? Natürlich musste das sein und es ehrt die Wiener Stadtverwaltung, dass sie trotz aller wütenden Attacken weder von Hridlicka noch vom Standort abließ.

Systematisch wurden Juden aus ihren Wohnungen und Häusern geholt, verhört, gefoltert, nach Dachau verschleppt. Einige entzogen sich der Festnahme durch Selbstmord, wie am 16. März der bekannte Kulturphilosoph Egon Friedell (1878–1938), der sich aus dem 3. Stock stürzte. Angeblich soll er vorher noch die Passanten gewarnt haben, damit sie nicht zu Schaden kommen.[462] Offensichtlich gab es bereits fertig ausgearbeitete Listen, die nun abgearbeitet wurden. Dr. Max Grunwaldt gehörte dazu, der als leitender Wiener Rabbi Isidor Mautner beerdigt hatte. Er wurde nach Dachau abtransportiert, kam aber frei und emigrierte nach Palästina.

Auch der erst 19-jährige Michael Mautner, der jüngste Sohn Anna und Konrad Mautners, wurde im Zusammenhang mit den Novemberpogromen am 9. November 1938 von der Gestapo aus dem Haus gezerrt und verschleppt.[463] Aber Dachau war noch nicht die Hölle, nur die Vorhölle. Man wurde dort erniedrigt, angebrüllt, gedemütigt, misshandelt, aber man hatte noch eine Chance zu überleben, sogar wieder freigelassen zu werden. Michaels Mutter, die selbst höchst gefährdet war, wusste, dass nur aus dem Ausland Hilfe kommen konnte. Es gelang ihr, Kontakt zu ihrer in Ungarn lebenden Nichte Vera aufzunehmen. Vera Zwack (1901–1976), geborene von Wahl, hatte in zweiter Ehe den reichen ungarischen Likörfabrikanten János Zwack geheiratet und wohnte in Budapest.[464] Ungarn war befreundetes Ausland, eine faschistische Diktatur zwar, noch aber ließ sie ihre Juden weitgehend in Ruhe. Vera setzte von Budapest aus sofort alle Hebel in Bewegung, um ihren Cousin Michael zu befreien und ihre Intervention war tatsächlich erfolgreich, Michael wurde entlassen. Am 2. Februar 1939 emigrierte er nach England, wo er sich der internationalen Brigade der englischen Armee anschloss und den Namen Michael Christopher Mortimer annahm. Er war gegen Kriegsende im Dachsteingebiet im Einsatz,[465] der neue Name sollte ihn für den Fall der Gefangennahme vor den Nazis schützen.[466]

Auch Michaels älterer Bruder Lorenz, von allen nur Lenz genannt, geriet in die Fänge der Gestapo. Er wurde wie Michael aus dem Haus geholt, wochenlang in Wien festgehalten, gefoltert und verhört, dann aber freigelassen.[467] Lenz, der bereits sein Medizinstudium absolviert hatte, emigrierte am 10. Dezember 1938 in die Schweiz und von dort aus nach England. Seine medizinische Ausbildung wurde dort nicht anerkannt, es wurde ihm auch nicht erlaubt, dort die entsprechenden Prüfungen zu absolvieren. Stattdessen musste er in einem landwirtschaftlichen Betrieb arbeiten. Nach der Kapitulation der Niederlande am 15. Mai 1940 wurde er, vermutlich aufgrund einer Denunziation, sogar als gefährlicher Ausländer eingestuft und auf der Isle of Man interniert. Von dort aus wurde er schließlich in ein Lager nach Kanada deportiert, wo er sich dann in Toronto als Arzt niederließ.

Jenny Mautner und das Schlössel

Jenny Mautner hatte den „Anschluss" noch erlebt. Sie hatte erfahren, was in den Straßen Wiens geschehen war, dass ihr Enkel Gustl beschimpft und bespuckt wurde. Schreckliche Nachrichten für eine hilflose alte Frau. Drei Wochen später starb sie, am 9. April 1938, nur wenige Wochen vor ihrem 82. Geburtstag. Vielleicht wollte sie nicht länger leben.

Nun versammelte sich die gesamte Familie Mautner noch ein letztes Mal um Jenny Mautner, so wie es Jahrzehnte lang der Brauch gewesen war. Das letzte gemeinsame Treffen, bevor sie die Emigration in alle Himmelsrichtungen auseinandertrieb.

Es gibt keine Todesanzeige, die *Neue Freie Presse* war gleichgeschaltet. Immerhin aber durfte Jenny Mautner am 15. April 1938 im Familiengrab im Döblinger Friedhof beerdigt werden, neben Isidor und der früh verstorbenen Enkeltochter Franziska.

Damit endete eine Epoche. Fünfzig Jahre lang war das Schlössel der Mittelpunkt der Familie gewesen, fanden hier rauschende Feste statt und großartige Vorführungen berühmter Musiker. Immer wieder hatte Jenny es verstanden, ihren Salon mit Geist und Kultur zu füllen, einen letzten Höhepunkt erlebte das Schlössel im Jahre 1926 zur Goldenen Hochzeit, erst nach Isidors Tod war es dort einsamer geworden. Nun war alles vorbei.

Immerhin hatte Jenny bis zu ihrem Lebensende im verpfändeten Schlössel wohnen dürfen, in ihrem gewohnten Ambiente mit all den Möbeln, Bildern und Gebrauchsgegenständen, die ihr nach der Versteigerung der Einrichtung der Löwelstraße 8 geblieben waren.

Aber Jenny Mautner hatte, wie sich zeigte, über ihre Verhältnisse gelebt. Laut der letzten Abrechnung vom 5. Dezember 1938, die Stephan Mautner für die Vermögensverkehrsstelle (VVST) anfertigen musste, beschäftigte Jenny bis zum Schluss ein fünfköpfiges Hauspersonal. Insgesamt waren so Schulden in Höhe von genau 5.214,65 Reichsmark entstanden.[468] Am 9. und 10. Dezember wurden die Einrichtungsgegenstände des Schlössels im Dorotheum versteigert, überwiegend Biedermeiermöbel, Jennys große Leidenschaft, ein Aquarell Franz von Alts, ein Billard mit sechs Elfenbeinbällen und 19 Queues, weitere Sammlerstücke wie Biedermeierstrümpfe, eine Pelzgarnitur, ein Pfeifenständer. Auch Jennys geliebter Bösendorfer-Flügel war im Angebot, der Flügel, der ihr so wichtig war, dass sie ihn bis zum Grundlsee schleppen und beim Veit in den ersten Stock wuchten ließ. 800 Reichsmark lautete das Mindestgebot, aber niemand wollte ihn haben.[469] Am Ende kamen knapp 17.000 Reichsmark zusammen[470], das reichte, um die Schulden zu bezahlen und einen Teil der Kosten für die Emigration.

Blieb noch das Schlössel, das nun leer und seelenlos seinem Schicksal entgegensah. Die Österreichische Nationalbank war mit der Deutschen Reichsbank verschmolzen worden und damit gingen die Forderungen der Österreichischen Nationalbank an die Deutsche Reichsbank über, also auch die Pfandrechte in Höhe von 755.000 Schilling am Schlössel und den sonstigen gepfändeten Liegenschaften, die nun in Höhe von nunmehr 503.333,33 Reichsmark eingefordert wurden.[471]

Die Reichsbank plante nun die Zwangsversteigerung aller verpfändeten Liegenschaften, auch des Schlössels, das am 9. September 1938 unter Denkmalschutz gestellt worden war, was bedeutete, dass keine baulichen Veränderungen an dem Gebäude und der Gesamtanlage vorgenommen werden durften.[472] Nach Verhandlungen mit Dr. Georg Breuer als Anwalt der Familie Mautner stellten am 31. Januar 1939 die Erben und Erbinnen der Deutschen Reichsbank eine entsprechende Vollmacht aus. In einem Gutachten wurde nun der Wert des Schlössels mit 120.000 Reichsmark bewertet.[473]

Die Stadt Wien kaufte für 17.000 Reichsmark einen Teil der Liegenschaft mit dem Stallgebäude, das sie 1940 abreißen ließ, um die Straße zu verbreitern. Eine fatale Maßnahme, denn nun war das Grundstuck frei zugänglich, das Schlössel begann zunehmend zu verwahrlosen und zu verfallen. Die Reichsbank plante nun sogar den Abriss des Gebäudes, um auf dem Grundstück ein Erholungsheim und Wohnhäuser für Mitarbeiter der Deutschen Reichsbank zu errichten. Das allerdings verhinderte das Kulturamt der Stadt Wien, das die Aufhebung des Denkmalschutzes verweigerte.[474] Der Zustand des Gebäudes wurde immer katastrophaler, 1941 tauchten Klagen auf, dass das Gebäude „von irgendwelchen lichtscheuen Personen" als Schlafquartier genutzt werde.[475] Im Herbst 1941 wurden Fenster und Türen mit Brettern gesichert, aber es nützte nicht viel, bald waren die Verschläge wieder heruntergerissen, sogar die schwere Haustür wurde aufgebrochen.[476] Nachdem im Jahre 1943 die Wien-Film Ges.m.b.H. Interesse am Erwerb des Anwesens zeigte[477] – womöglich auf Betreiben Paula Wesselys – wurde am 13. Juli 1944 die Reichsbank endgültig als Eigentümer der Mautnerschen Liegenschaften im Grundbuch eingetragen. Pläne, das Anwesen sinnvoll zu nutzen, wurden erwogen, aber nicht umgesetzt. Das Schlössel blieb bis Kriegsende unbewohnt und unbewohnbar.

Das Gildemeester-Hilfsbüro

Bis auf Stephan Mautner und seine Frau Else, auf die wir noch zurückkommen werden, gelang allen anderen Mitgliedern der Familie Mautner die Emigration in ein sicheres Aufnahmeland. Die drei Kinder von Else und Stephan Mautner, Andreas, Karl und Elisabeth fanden ebenso in den Vereinigten Staaten eine Zuflucht wie Gustav, der jüngste Sohn Käthy Breuers.

Heinrich Matthias, der älteste Sohn Anna Mautners, flüchtete mit seiner Frau Flora, die übrigens vom Grundlsee stammte, und dem gemeinsamen Sohn bereits am 24. August 1938 nach Bukarest und wartete dort auf seine Mutter, die zuvor noch das Hab und Gut regeln musste. Am 27. März 1939 folgte Anna Mautner per Donauschiff. Mit gefälschten Pässen schlugen sie sich von dort „auf geheimen Umwegen", wie die Tochter Anna Maria in ihren Erinnerungen schreibt,[478] nach Portugal durch; 1941 glückte ihnen mit dem letzten Schiff vor dem Kriegseintritt der USA ebenfalls die Ausreise nach Amerika.[479]

Anna Maria gelangte dagegen am 11. Dezember 1938 vergleichsweise problemlos mit Hilfe einer Quäkerorganisation nach England, wo sie „bei einem lieben alten Ehepaar" unterkam.[480]

Auch fast alle anderen Familienmitglieder emigrierten nach England. Besonderes Glück hatte Franz Breuer (1909–2001), der zweite Sohn Käthys. Der promovierte Chemiker hatte bereits in den 1930er-Jahren in den Alpen Freundschaft mit seinem englischen Kollegen Sir Harold Hartley (1878–1972) geschlossen. Sir Hartley half Franz Breuer und dessen Frau bei der Emigration nach England und beschaffte ihm sogar eine recht gut bezahlte Arbeit. Das Ehepaar Breuer konnte so in England ein vergleichsweise gut abgesichertes Leben führen. Wie sich später herausstellte, war es allerdings Sir Hartley selbst, der Franz Breuer die ganze Zeit das Gehalt bezahlt hatte.[481]

Als letzte der Mautners harrten noch Käthy Breuer und Marie Kalbeck-Mautner in Wien aus. Marie wollte gemeinsam mit Käthy nach England flüchten, aber ihr Mann und auch ihr Sohn Florian weigerten sich, sie wollten in die deutschsprachige Schweiz. Paul Kalbeck sah dort eine Chance, weiter für das Theater zu arbeiten und Florian, der schriftstellerische Ambitionen hatte, wollte in Basel studieren. So zog Käthy am 21. April 1939 zunächst alleine nach England und kam bei ihrem Sohn Franz unter. Marie folgte ihr am 3. Mai 1939 gemeinsam mit ihrer damals sechzehnjährigen Tochter Marianne.[482]

Dass allen Mautners eine geregelte Ausreise gelang, lag daran, dass zu diesem Zeitpunkt das Ziel der nationalsozialistischen Judenpolitik noch nicht die Vernichtung war, sondern „nur" deren Vertreibung und Enteignung. Die brutalen Exzesse in den Tagen nach dem „Anschluss" hatten zu teils panischen Fluchtaktionen vor allem an die Grenzen zur Tschechoslowakei und der Schweiz geführt. Allerdings hatten nur die wenigsten Juden und Oppositionellen so viel Glück, dass sie ungehindert die Grenze passieren konnten. In den überfüllten Zügen und spätestens an den Grenzstationen wurden demütigende und willkürliche Kontrollen durchgeführt, in den meisten Fällen wurden die Flüchtlinge zurückgeschickt.[483] Denn es reichte den Nazis keineswegs, dass die Juden nur einfach so das

Land verließen. Man wollte sie ja nicht nur los werden, man hatte es vor allem auch auf deren Hab und Gut abgesehen. Außerdem wollte man sich an all jenen rächen, die sich ihrer „Machtergreifung" in den Weg gestellt hatten.

In den ersten Wochen nach dem „Anschluss" zogen örtliche Parteieinheiten und Formationen der SA und SS durch die Straßen, plünderten jüdische Wohnungen. So wurde aus der Wohnung der Schwestern Kuffner im vornehmen Döbling Guthaben und Schmuck im Wert von über 150.000 Reichsmark mitgenommen.[484] Viele jüdische Läden oder Gewerbebetriebe wurden überfallen und dermaßen verwüstet und ausgeraubt, dass ein Weiterbetrieb nicht mehr möglich war. Andere jüdische Geschäftsinhaber wurden gezwungen, ihre Unternehmen für einen Spottpreis in „arische" Hände zu geben.[485]

Das allerdings ging nun langsam auch der Parteiführung zu weit, schließlich sollte das jüdische Vermögen nicht die Sturmbannführer bereichern, sondern den nationalsozialistischen Staat, der dringend Geld für seine Aufrüstung benötigte. Und so begann nach den anfänglichen wilden Exzessen, Plünderungen und Verhaftungen nun eine organisierte und systematische Vertreibungs- und Enteignungspolitik.

Am 26. April 1938 erschien die Verordnung über die Anmeldung des Vermögens der Juden, der zufolge eine Vermögensverkehrsstelle einzurichten war. Gegenüber dieser Stelle musste das gesamte jüdische Vermögen deklariert werden, soweit der Gesamtwert über 5.000 Reichsmark lag. Die Angaben wurden durch Polizei, Finanzbehörden, Zollfahndung und Gestapo überprüft.[486] Als Nächstes wurde am 14. Juli 1938 per Verordnung bestimmt, dass ein Verzeichnis aller jüdischen Betriebe anzulegen sei. Damit hatte man eine solide Grundlage, um nun systematisch die Enteignung und Vertreibung der jüdischen Bevölkerung in Angriff zu nehmen.

Erster Schritt war die Zerstörung der beruflichen Existenz. Jüdische Beamte, Ärzte, Rechtsanwälte oder Journalisten erhielten Berufsverbote, jüdische Unternehmen „kommissarische Verwalter", mit der Folge, dass bis Ende 1938 bereits 79 Prozent der jüdischen Unternehmen in „arischen" Besitz überführt worden waren.[487] Hinzu kamen immer wieder Übergriffe gegen jüdische Bürger, die den Auswanderungsdruck noch steigerten. So wurden am 23. April 1938, dem Pessachfeiertag, im Prater Juden von einem SA-Trupp zusammengetrieben und zur allgemeinen Belustigung gezwungen, Leibesübungen durchzuführen und dabei zu rufen, „wir danken der SA, dass wir noch am Leben sind".[488] Im Mai und Juni wurden fast zweitausend jüdische Intellektuelle, Ärzte,

Ingenieure und Rechtsanwälte verhaftet, gefoltert und nach Dachau verschleppt.[489]

Hinzu kamen demütigende Schikanen, die den jüdischstämmigen Bevölkerungsteil vom Alltagsleben ausgrenzten. So war es seit dem 21. Juni 1938 Juden verboten, Trachten zu tragen, für die Mautners mit ihrer engen Verbundenheit zur Ausseer Tracht eine besondere Demütigung. Ab dem 15. November 1938 durften jüdische Kinder keine deutschen Schulen mehr besuchen, ab dem 3. Dezember durften Juden nicht mehr selbst Auto fahren, ihre Führerscheine wurden für ungültig erklärt. Ab dem 24. Januar 1939 mussten auch in der „Ostmark" alle Jüdinnen und Juden den Zusatznamen „Israel" bzw. „Sara" annehmen, alle offiziellen Dokumente und Ausweise waren entsprechend zu ändern. Im Amts- und Geschäftsverkehr mussten sie „unaufgefordert auf ihre Eigenschaft als Jude" hinweisen. Ab dem 25. September 1939 war es Juden verboten, nach 20 Uhr ihre Wohnungen zu verlassen. Das Tragen des gelben Judensterns war seit dem 15. September 1941 vorgeschrieben.

Bereits kurz nach der Unterwerfung Polens begannen in Wien als erster Stadt im gesamten Reichsgebiet die Deportationen. Am 20. Oktober 1939 wurden 912 und am 26. Oktober 1939 weitere 672 Wiener Juden ins polnische Nisko verschleppt, wo man ein „jüdisches Reservat" einzurichten gedachte.[490] Von Februar 1941 bis Oktober 1942 wurden dann fast alle verbliebenen Wiener Juden deportiert, meist nach Theresienstadt. Anfang November 1942 schließlich begann der systematische Abtransport aller noch verbliebenen Juden nach Auschwitz und Lublin.[491]

Organisiert wurde die Vertreibung ab dem 20. August 1938 durch die Zentralstelle für jüdische Auswanderung. Sie befand sich demonstrativ im Palast des ehemals reichsten Wieners, dem Palais Rothschild, Leiter der Behörde wurde Adolf Eichmann. Seine Aufgabe war klar: Österreich sollte judenfrei werden, und zwar systematisch und unter Zurücklassung eines möglichst großen Teiles des Vermögens.

Die Emigration war mit einem enormen bürokratischen und auch finanztechnischen Aufwand verbunden. Alleine schon die Tatsache, dass viele potenzielle Aufnahmeländer vom Emigranten den Nachweis bestimmter Fremdwährungsbeträge verlangten, erforderte eine entsprechende Devisenfreigabe durch die Reichsbank. Ohne Hilfe sachkundiger Organisationen war dies so gut wie unmöglich.

In dieser Situation tauchte kurz nach dem Anschluss der (nicht-jüdische) Niederländer Frank van Gheel-Gildemeester in Wien auf, der seit den 1920er Jahren immer wieder in Europa Hilfsaktionen organisiert hatte, übrigens auch für inhaftierte Nationalsozialisten in Österreich vor

1938.[492] Er wurde im Hotel von einer kleinen jüdischen Delegation – darunter Isidor Mautners Enkel Dr. Georg Breuer – aufgesucht, die ihn um Unterstützung bei der Organisation einer geordneten Emigration bat. Mit Erfolg, das „Gildemeester-Auswanderungshilfsbüro" nahm bereits Ende März 1938 am Kohlmarkt 8 seine Arbeit auf, ab September befand sich das Büro dann in der Wollzeile 7.[493] Dieses Büro, in dem zeitweise etwa 80 Mitarbeiter beschäftigt waren,[494] sollte wohlhabenden Juden sowie jenen Bürgern helfen, die nicht der Israelitischen Kultusgemeinde angehörten, aber dennoch nach den nationalsozialistischen Rassegesetzen als Juden galten. Auch die Mautners, Breuers und Kalbecks gehörten dazu.

Gildemeester selbst zog sich nach der Klärung der Formalitäten zurück, an der Spitze dieser Einrichtung finden wir nun einen guten alten Bekannten: den Großindustriellen Arthur Kuffler, ehemals Präsident der Vereinigten Österreichischen Textilindustrie, der bereits 1896 zum evangelischen Glauben übergetreten war.[495] Ihm zur Seite stand Isidor Mautners Enkel Dr. Georg Breuer, der für die juristische Beratung zuständig war.[496]

Das Geschäftsprinzip der „Aktion Gildemeester", die unter anderem mit der Caritas, den Quäkern (Christian Society of Friends) und der schwedischen Mission zusammenarbeitete, sah so aus, dass die Bewerber zehn Prozent ihres Vermögens in einen Auswanderungsfonds einzahlen mussten, aus dem dann die Emigration mittelloser jüdischstämmiger Emigranten finanziert wurde. Hinzu kamen weitere fünf Prozent Verwaltungsgebühren, außerdem musste das gesamte Vermögen bei einer Treuhandbank deponiert werden.[497] Die Zentralstelle für jüdische Auswanderung übernahm dieses Modell auch für die Antragsteller, die von der Israelitischen Kultusgemeinde betreut wurden. Sie führte eine sogenannte Passumlage ein, die nach dem Restvermögen der Antragsteller nach Abzug aller Abgaben berechnet wurde. Sie wurde fällig ab einem Vermögen von 1.000 Reichsmark, mittellose Antragsteller erhielten aus diesem Fonds durchschnittlich 122 Reichsmark Fahrtkostenzuschuss.

Die Antragsteller mussten stundenlanges, oft vergebliches Warten in Kauf nehmen, wurden dabei oft auch noch von SS-Männern drangsaliert. „Vor dem Rothschild-Palais standen Menschen ab 6 Uhr morgens angestellt und warteten bis mittags, oft vergeblich. Die in der Zentralstelle stationierten SS-Leute (...) liefen mit Hundepeitschen herum, mit denen sie nicht selten blutig schlugen. Nachdem man der Gemeinde, dem Staat, den Körperschaften schuldende Beträge restlos ausgezahlt hatte, hatte man seinen Obulus zu entrichten den im Zentralamt zentralisierten Ressorts des Steueramtes, der Zollgefälldirektion, Post- und Telegraphendirektion, Taxamt, Gremium der Wiener Kaufmannschaft, Magistrat usw. Man ging von Fenster zu Fenster, reichte bei jedem ein Gesuch ein und hatte auf ihre Erledigungen erst 14 Tage, später einen Monat lang zu warten."[498]

Bis Februar 1939 wurden von der Aktion Gildemeester mehr als 46.000 Anträge bearbeitet,[499] dann wurde die Einrichtung von den Behörden geschlossen und in den „Auswanderungsfonds Wien" überführt.[500] Die Organisatoren der Aktion Gildemeester selbst wurden von den Nationalsozialisten durchaus respektvoll behandelt. Artur Kuffler erhielt im Juli 1938 sogar offizielle Genesungswünsche übermittelt und auch der Briefwechsel zwischen Georg Breuer und Adolf Eichmann ist nüchtern geschäftsmäßig, ohne jeglichen abwertenden Nebenton.

Es gelangen spektakuläre Aktionen wie die Ausreise von 122 Kindern am 19. Februar 1939, von denen 31 in den Niederlanden verblieben, während die restlichen 91 Kinder nach England gelangten, wo sie bei Pflegeeltern untergebracht wurden.[501] Auch die damals noch minderjährige Anna Maria Mautner, die nach der Konvertierung ihrer Eltern wie ihre Geschwister protestantisch getauft war, gehörte zu diesem Personenkreis.

Wie schwer dieser ständige Umgang mit den Nazis Georg Breuer belastet haben muss, erschließt sich aus seinem weiteren Lebensweg. Ihm gelang es, noch rechtzeitig vor Kriegsausbruch nach England zu emigrieren, er trat dort alsbald in die englische Armee ein und meldete sich für eine Spezialeinheit des britischen Geheimdienstes SOE (Special Operations Executive), die mit der Aufgabe betraut war, in Österreich Widerstandszellen aufzubauen und Sabotageakte durchzuführen. 1944 nahm er zu seinem Schutz den Namen George Herbert Bryant an. Allerdings unterlag die SOE einer eklatanten Fehleinschätzung der Lage. Man nahm an, dass die Österreicher sich als von den Nazis besetztes und unterdrücktes Volk empfanden, das nur auf Unterstützung wartete, um sich zu befreien. Tatsächlich blieben aber die lebensgefährlichen Einsätze ohne Wirkung, die Österreicher dachten gar nicht daran, sich auf riskante Widerstandsaktionen einzulassen.[502] Lediglich im Salzkammergut bildete sich um den kurz vor Kriegsende per Fallschirm abgesetzten Albrecht Gaiswinkler (1905–1979) aus Bad Aussee eine Widerstandsgruppe, die ursprünglich den Auftrag hatte, den am Grundlsee residierenden Josef Goebbels zu ermorden. Da sich Goebbels jedoch schon abgesetzt hatte, tauchte die Gruppe unter und wartete ohne Verrichtung irgendwelcher widerständigen Aktivitäten auf das Eintreffen der US-Streitkräfte. Auch an der Sicherung der legendären Kunstschätze, die im Salzbergwerk in Altaussee lagerten, war Gaiswinkler entgegen seinen eigenen Behauptungen in keiner Weise beteiligt.[503]

Vielleicht erklären diese Erfahrungen, warum sich Breuer-Bryant nach dem Krieg nicht wieder in Wien niederließ, sondern nach Vancouver in Kanada auswanderte.

Enteignung, Vertreibung und Vernichtung

Um legal ausreisen zu dürfen, benötigte man – neben vielen anderen Dokumenten – auch eine Unbedenklichkeitsbescheinigung des Finanzamts, die belegte, dass keinerlei steuerliche Forderungen mehr bestanden.

Zu diesen Forderungen gehörte die Reichsfluchtsteuer. Diese Steuer war in der Weimarer Republik eingeführt worden, um zu verhindern, dass reiche Staatsbürger aus Steuergründen einfach so ihren Wohnsitz ins Ausland verlegten. Die Nazis nutzten nun dieses Gesetz für ihre Zwecke. Die Summe, ab der das Gesetz wirksam werden sollte, wurde 1933 auf ein Gesamtvermögen von 50.000 Reichsmark herabgesetzt, zugleich wurde der abzuführende Betrag auf ein Viertel des gesamten Vermögens gesteigert. 1933 schwollen so die Einnahmen schlagartig von einer auf fast 18 Millionen an. Im Jahr 1938 explodierte diese Summe dann sogar auf 342 Millionen Reichsmark.[504] Die Pogrome taten ihre von den Nazis offensichtlich erwünschte Wirkung.

Stephan und Else Mautner besaßen ihrer Vermögensanmeldung zufolge am 14. Juli 1938 ein Vermögen von 140.645 Reichsmark, überwiegend Immobilienbesitz. Am 7. Oktober 1938 erließ das Finanzamt einen Bescheid, in dem die Reichsfluchtsteuer auf 35.161 Reichsmark festgesetzt wurde. Das war mehr als das gesamte Barvermögen, das Stephan Mautner zu diesem Zeitpunkt noch verblieben war. Seine einzige Einnahmequelle waren Pensionszahlungen der Pottendorfer Spinnerei AG und der Textilwerke Mautner AG in Prag, die ab Mitte 1938 vorübergehend ganz eingestellt wurden und 1939 zusammen nicht mehr als 1.846 Reichsmark betrugen.[505] Daher musste Else ihr Wertpapierkonto auflösen, sie bezahlte am 25. Oktober 1938 10.000 Reichsmark aus ihrem Vermögen. Für die restlichen 25.161 Reichsmark musste sie am 16. November 1938 eine ihr zu einem Viertel gehörenden Immobilie mit einer Hypothek belasten.[506]

Als Nächstes wurde nach der Reichspogromnacht eine Judenvermögensabgabe (JUVA) eingeführt. Das bedeutete, dass ab dem 12. November 1938 alle Juden mit einem Vermögen von mehr als 5.000 Reichsmark bis zum 15. August 1939 zwanzig Prozent ihres Vermögens in vier Raten an ihr Finanzamt abführen mussten.

Stephan hatte zwar überhaupt kein Geldvermögen mehr, aber da war ja noch Elses Immobilienanteil. Prompt erhielten beide eine JUVA-Steuererforderung über 3.028,55 Reichsmark, wieder musste Else als „Bürge und Zahler" einspringen, ihr Liegenschaftsanteil wurde in entsprechender Höhe als Sicherheit weiter belastet.[507] 1940 wurde dieser Immobilienanteil dann zwangsweise an das Deutsche Reich veräußert. Vom Kaufpreis blieb rechnerisch ein Guthaben von 6.207,62 Reichsmark übrig. Aber „was mit dem Guthaben über RM 6.207,62 geschehen ist", stellt der Restitutionsbericht lakonisch fest, „konnte das Finanzamt 1958 nicht mehr feststellen"[508]. „Arisierung" nannte man das.

Auch die anderen Immobilien wurden „arisiert". Die Wiener Villa in der Khevenhüllerstraße 6, die Anna und Konrad Mautner zur Hochzeit geschenkt bekommen hatten, wechselte 1939 den Eigentümer, nachdem bereits am 5. August 1938 die gesamte Wohnungseinrichtung während Annas Abwesenheit ausgeräumt worden war, teilweise ohne Inventaraufnahme. Bei einer zweiten Aktion am 23. September 1938 verschwand dann auch das gesamte private Archiv Konrad Mautners spurlos.[509]

Das Anwesen am Grundlsee, Archkogl 14, der Lebensmittelpunkt von Anna und Konrad Mautner, wurde zunächst beschlagnahmt und dann für 27.000 Reichsmark an eine Berlinerin namens Klothilde Brücklmeier verkauft, Gattin des 1944 in Plötzensee hingerichteten Diplomaten Eduard Brücklmeier.[510] Die Trachtenkammer mit Konrads berühmter Sammlung wurde am 23. November 1938 von der Gestapo beschlagnahmt, dann von Gauleiter August Eigruber am 22. April 1939 der Gemeinde Bad Aussee geschenkt, die damit das neu gegründete Ausseer Heimathaus ausstattete. Auch das Inventar der Häuser von Anna Mautner und ihren Kindern ging den gleichen Weg.[511]

Das Haus Bräuhof Nr. 76, in dem Matthias Mautner mit seiner jungen Familie gelebt hatte, wurde ebenfalls beschlagnahmt, Käuferinnen waren die Schwestern Elisabeth Böttcher und Margarethe Zimprich, die ihren Mädchennamen angab, damit nicht öffentlich wurde, dass sie die Ehefrau des Reichsinnenministers Frick war.[512] Das Almgrundstück mit der Hütte, die sich Isidor Mautner am Grundlsee hatte errichten lassen, war nun endgültig verloren. Es gehörte zum gepfändeten Immobilienbesitz Isidor Mautners und wurde nun von der Deutschen Reichsbank an die Fliegertechnische Schule in Wischau verkauft.[513]

Nichts sollte mehr an die Mautners erinnern, die doch dort so viele Spuren hinterlassen hatten. Es wäre ja auch zu peinlich gewesen, wenn jeden Tag die Familie Goebbels, die sich 1939 am Grundlsee in der Villa Roth bei Gössl einen Sommersitz eingerichtet hatte,[514] am Gedenkstein für den Juden Konrad Mautner hätte vorbeilaufen müssen. Demonstrativ wurde daher die im Jahr 1925 feierlich eingeweihte Gedenktafel für Konrad Mautner, der sich wie kein anderer um die Grundlseer Volkskultur verdient gemacht hatte, zerstört.

Marie Kalbeck-Mautner war insofern in einer anderen Situation, als ihr Mann Paul Kalbeck sogenannter Halbjude war. Nach der gemeinsamen Flucht entstand nun die bizarre Situation, dass im Jahre 1941 gemäß der 11. Verordnung des Reichsbürgergesetzes[515] der hälftige Anteil an dem gemeinsam genutzten Haus in der Starkfriedgasse 58 zwangsversteigert wurde. Als „Arisierer" traten die Familienfreundin Paula Wessely und ihr Mann Attila Hörbiger auf. Sie ersteigerten Maries Anteil für 20.000 Reichsmark zuzüglich 5.600 Reichsmark „Entjudungsgebühr".[516] Paul Kalbeck versuchte, die Wohnungseinrichtung zu retten, indem er sie seiner Schwester Flora Luithlen schenkte, die als „Arierin" galt. Allerdings wurde das Umzugsgut von der VUGESTA (Verwaltungsstelle für jüdisches Umzugsgut) beschlagnahmt und dann einfach veräußert.[517] „Arisiert" wurde auch Paul Kalbecks Liegenschaft in der Tendlergasse 13, in der sich die Schauspielschule befunden hatte. Sie wurde 1942 von einer Arzneiwarengroßhandlung erworben.[518] Viel schlimmer war allerdings für Marie, dass ihnen auch das am Grundlsee gelegene Haus Gössl 124, ein aus Norwegen importiertes Holzfertighaus, weggenommen wurde. Am 25. November 1941 wurde es endgültig enteignet.[519]

Noch härter traf es wiederum Stephan Mautner. Sein geliebtes Jagdhaus oberhalb Trattenbachs, über das er ein ganzes Buch geschrieben hatte, wurde ihm abgenommen und kam unter die kommissarische Verwaltung Alois Schachners, des Jagdgehilfen Stephan Mautners, der ihm dort eine Wohnung eingerichtet hatte.[520] Auch die dort untergebrachte umfangreiche Sammlung von volkstümlichen Gegenständen, die vom verstorbenen Konrad stammten, sowie von Bauernmöbeln und Jagdbestecken wurde „sichergestellt". Insgesamt handelte es sich um etwa 400 Einzelstücke im Schätzwert von etwa 11.000 Reichsmark. Das Geld kam „natürlich" nicht Stephan Mautner zugute, sondern die Sammlung wurde überwiegend dem Heimathaus in Altaussee übergeben.[521]

Er musste auch einige Bilder seines Lieblingsmalers Rudolf von Alts an einen Kunsthändler verkaufen, der Gegenstände für die Sammlung Adolf Hitlers erwarb. Der Erlös betrug 7.650 Reichsmark, die Stephan Mautner halfen, weitere Steuerforderungen zu begleichen.[522] Im November 1938 und erneut im Oktober 1939 stellte Stephan Mautner insgesamt vier Anträge um Ausfuhrgenehmigung für seine verbliebene Kunstsammlung und seine eigenen Arbeiten.[523] Achtzehn Arbeiten wurden für die Ausfuhr gesperrt, darunter Bilder von Lenbach, Alt, Wilhelm Busch, Waldmüller und Schwind.[524] Die restlichen Kunstwerke wurden zwar freigegeben und bei der Spedition eingelagert, dann aber nach 1941 von der VUGESTA beschlagnahmt und versteigert. Der Erlös betrug 19.726,60 Reichsmark.[525]

Von seiner wertvollen Sammlung blieb Stephan Mautner nichts.

Am 3. November 1938 meldete Stephan Mautner sich und seine Frau nach Budapest ab. Warum sie sich für Ungarn entschieden und nicht für die Vereinigten Staaten, wohin ihre Kinder emigrierten, oder für England, wie Stephans Schwestern, bleibt unklar. Vielleicht aus Mangel an Devisen? Vielleicht, weil das Aufnahmekontingent schon erschöpft war?

Vermutlich deshalb, weil Stephan Mautner dort viele Bekannte hatte, auch Verwandte, wie Vera Zwack, die seinen Neffen Michael aus Dachau befreit hatte. In Szent-Lörincz bei Budapest befanden sich zudem auch noch die Ungarischen Textilwerke Mautner AG, an denen er beteiligt war. Die Dividenden flossen auf sein ungarisches Konto, damit war die Existenz einigermaßen gesichert. Else und Stephan Mautner fanden eine Unterkunft in der Stadt Szentes im Komitat Csongrád, etwa 150 Kilometer südöstlich von Budapest.[526] Der ungarische Staat war eng mit dem Reich verbündet, kämpfte auf Seiten der deutschen Armee in Jugoslawien und der Sowjetunion und hatte dank deutscher Unterstützung seit 1938 sein Staatsgebiet um Teile der Slowakei, Rumäniens und Jugoslawien erweitern können. Zwar wurden Gesetze erlassen, die die Rechte der jüdischen Bevölkerung erheblich einschränkten, allerdings war man nicht bereit, sich an Maßnahmen zur Judenverfolgung zu beteiligen, Else und Stephan Mautner konnten sich also durchaus sicher fühlen.

Nach der Schlacht von Stalingrad begann sich aber die Lage zu ändern. 1943 verlor die ungarische Armee bei Woronesch 200.000 Mann, es gab erste Kontakte zu den Alliierten. Um zu verhindern, dass Ungarn wie schon zuvor Italien vom Bündnis abfallen könnte, fiel am 19. März 1944 die Wehrmacht in Ungarn ein. Unverzüglich etablierte sich in Budapest ein Sonderkommando unter Führung von Adolf Eichmann. Am 27. April 1944 begannen die Deportationen nach Auschwitz. Dabei konnten sich, wie der jüdisch-ungarische Historiker Paul Lendvai schreibt, „die Gestapo, die SS und Eichmanns Schergen auf die freiwillige und energische Mitarbeit nicht nur der ungarischen Polizei und Gendarmerie, sondern praktisch der gesamten staatlichen Verwaltung stützen (...) Eichmann und seine Mitarbeiter", so Lendvai weiter, „waren von der ,ungewöhnlichen Schnelligkeit' der ungarischen Behörden bei der Vorbereitung der Gettoisierung und später der Deportation ,entzückt'"[527].

Innerhalb von knapp zwei Monaten, zwischen dem 15. Mai und dem 7. Juli wurden insgesamt 437.402 Menschen deportiert, eine Zahl, die Eichmann mit tief empfundenem Stolz erfüllte, hatte er doch seine Arbeit mit größter Effizienz verrichtet.

Was mit Stephan Mautner und seiner Frau geschah, ist nicht eindeutig belegt. Es gibt eine letzte Zeichnung aus der Hand Stephan Mautners. Sie zeigt einen Jagdfreund, einen älteren Herrn mit Schnauzbart in Jagdmontur, der auf einem Baumstumpf hockt. Im Begleitschreiben heißt es: „Blgd. ein Foto von der Zeichnung von St. Mauthner, meinen Vater darstellend, entstanden Sept. 1944 in Ungarn."[528]

Aber kann das sein? Stephan Mautner wäre in dem Fall nicht nur den Vernichtungsaktionen entkommen, er hätte sich offenbar auch noch frei bewegen können. Das ist allerdings kaum vorstellbar. Möglicherweise hat sich der Sohn bei der Datierung geirrt. Allerdings hielt sich auch nach dem Krieg das Gerücht, Stephan Mautner sei aus Ungarn nach Österreich zurückgekehrt. Stephans Sohn Karl reiste sogar aus den USA nach Wien, um sich auf die Suche nach seinen Eltern zu begeben, aber es fand sich keine Spur.[529] Dann hieß es, Stephan und Else seien am 8. Mai (ausgerechnet!) von einem sowjetischen Soldaten erschossen worden. Tatsächlich wurde dieses Todesdatum 1947 amtlich eingetragen.[530] Am letzten Tag des Krieges von einem Befreier erschossen? Tragischer ging es nicht. Wenn es so gewesen wäre.

Tatsächlich war es wohl ganz anders und noch viel schlimmer. Stephan Mautners Cousin Josef Schur, der nach Haifa emigrieren konnte, füllte am 26. März 1956 für die Holocaust-Gedenkstätte Yad Vashem in Jerusalem ein Formular aus, in dem er angab, dass Stephan und Elsa Mautner im Juli 1944 im Lager Pest-Pilis-Solt-Kiskun bei Budapest waren und ums Leben gekommen seien.[531] Merkwürdig nur, dass es laut Auskunft des Fritz-Bauer-Institutes in Frankfurt am Main gar kein Lager dieses Namens gab.[532] Tatsächlich bezeichnet diese Kombination aus Städtenamen auch nur ein Komitat, also eine Art Landkreis, zu dem allerdings auch Budapest gehörte. Insofern hilft der Eintrag von Josef Schur nicht wirklich weiter.

Tatsächlich war es so, dass die ungarischen Juden in einem Lager in der Szabolcs utca in der Nähe des Budapester Güterbahnhofs versammelt wurden. Aus diesem Lager fuhren unaufhörlich Züge in nur eine Richtung, nach Auschwitz. Allerdings nicht alle, denn da gab es auch diese unglaublichen Hilfsaktionen des schwedischen Diplomaten Raoul Wallenberg, dem es gelang, tausende von Juden zu retten, indem er ihnen schwedische Papiere verschaffte und sie mit dem Zug in die Freiheit entkommen ließ.[533] Hätten nicht auch Stephan und Else diese Chance nützen können? Sie hatten doch immer noch einflussreiche Freunde! Tatsächlich scheint es so gewesen zu sein. Auch Stephan und Else sollen bereits mit solchen Papieren ausgestattet gewesen sein. Aber was immer sie aufgehalten haben mochte, als sie eintrafen, so heißt es, war der rettende Zug am Tag zuvor abgefahren.[534]

Und so kam es, wie Stephans Schwester Marie schreibt: „Stephan wurde 1944 zum letzten Mal gesehen, als er und seine Frau in Ungarn von den Nazis in einen Gastransport einwaggoniert wurden."[535] Tatsächlich ist auch in dem Formular von Yad Vashem deutlich lesbar eingetragen: „Budapest, Gaszug."[536] Stephan und Else wurden demzufolge im Juli 1944 vom Lager in Budapest nach Auschwitz verschleppt. Wie man weiß, wurden jeweils 70 Personen in einen Güterwaggon gepfercht, mitsamt nur einem Kübel mit Wasser und einem für Exkremente.[537] Dann wurde der Waggon versiegelt und erst nach mehrtägiger Fahrt in Auschwitz geöffnet. Dort hatten beide nicht die geringste Chance, beide waren 67 Jahre alt, sie wurden gleich an der Rampe separiert und ins Gas geschickt.

Vorher allerdings geschah noch etwas anderes. Sie wurden von Mitarbeitern des Referats „Erkennungsdienst" der politischen Abteilung in Birkenau fotografiert. Ein ordnungsliebender SS-Mann hatte die Fotos dann sorgfältig in ein Album geklebt und kommentiert.[538] Das sogenannte Auschwitz-Album, das jüdische Transporte aus Ungarn im Juni und Juli 1944 zeigt, existiert heute noch, im Auschwitzprozess in Frankfurt am Main 1964 spielte es eine bedeutende Rolle, heute befindet es sich im Dokumentationszentrum Yad Vashem in Jerusalem.

Eines dieser Fotos zeigt eine Gruppe viel zu warm gekleideter älterer Herren vor einem Güterzug. In der ersten Reihe steht im Mittelpunkt des Bildes ein kleiner Herr mit straff zurückgekämmtem schütteren Haar. Seine Kleidung wirkt vornehm, er trägt einen hellen Mantel, darunter einen gediegenen Geschäftsanzug mit Jackett und Weste, ein Hemd mit Stehkragen, die Krawatte ist leicht verrutscht. Ein Mann mit Stil und Geschmack und einem schmalen intelligenten Gesicht, das er offensichtlich seit einigen Tagen nicht mehr rasieren konnte. Sein Blick ist leer, die Arme hängen kraftlos herunter. Auf der Brust trägt er einen großen gelben Stern. Das erschütternde Bild dieses kleinen vornehmen älteren Herrn in seiner würdevollen Kleidung mit dem überdimensionierten Judenstern und diesem unendlich trostlosen, traurigen Blick ist immer wieder in Dokumentationen über Auschwitz zu sehen. Man wusste nie, wen dieses Bild zeigte. Aber die Ähnlichkeit ist offensichtlich und der Gesichtsscanner bestätigt die Vermutung. Das Foto von der Rampe in Auschwitz zeigt niemand anderen als Stephan Mautner.

Abb. 29: Aus Ungarn deportierte Juden in Auschwitz nach ihrer Ankunft, Sommer 1944; in der Bildmitte Stephan Mautner

EPILOG

Trotz des schrecklichen Todes von Else und Stephan Mautner hatten die Mautners vergleichsweise Glück. Außer Stephan und Else hatten alle den Holocaust überlebt, einige kamen sogar wieder.

Anna Mautner (1879–1961), die auf der Flucht vor den Nazis ihre Modeln zurücklassen musste, kehrte 1946 nach Grundlsee zurück. Mit dem „arisierten" Anwesen Archkogl 14 gab es allerdings ein Problem: Die Eigentümerin Klothilde Brücklmeier weigerte sich kategorisch, die Immobilie wieder zurückzugeben. Ihr Mann Eduard war als Widerstandskämpfer 1944 von den Nazis hingerichtet worden, seine Witwe betrachtete sich daher selbst als Opfer des Nationalsozialismus. Anna Mautner war fassungslos: „Damals war ich die rechtlose und geächtete Jüdin", argumentierte sie empört, „und sie die angesehene Gattin eines Legationsrates in Berlin, die in politischer Hinsicht gerade das Gegenteil von ‚politisch verfolgt' war."[539] Schließlich einigte man sich auf einen außergerichtlichen Vergleich, Anna erhielt die Immobilie zurück, Klothilde Brücklmeier konnte dafür das Land Oberösterreich in Regress nehmen.[540]

Die Rückerstattung der anderen Immobilien verlief dagegen vergleichsweise problemlos. Die Familie bekam die Liegenschaften zurückerstattet, mitsamt dem Inventar, so weit es noch vorhanden war. Auch das Haus in Wien wurde restituiert, dann aber von Anna Mautner verkauft. Sie richtete 1947 am Archkogl Nr. 62 erneut ihre Mautner-Druckerei ein, die sie aber 1954 aus wirtschaftlichen Gründen einstellen musste. Sie starb sieben Jahre später und wurde auf dem Friedhof der Gemeinde Grundlsee begraben. Ihr Grab wurde mittlerweile zum Familiengrab, auch Konrad und der kleine Franz, der 1912 mit einem Jahr gestorben war, sind 2010 von Pötzleinsdorf dorthin umgebettet worden.

Auch Matthias (1910–1991) kehrte nach Aussee zurück, von wo auch seine Frau Flora (1912–2007) stammte. Auch sie liegen im Familiengrab der Mautners in Grundlsee begraben. Lorenz (1914–1990) dagegen machte in den USA und Kanada als Arzt Karriere und starb in Toronto. Michael (1919–1997) blieb mit seiner Frau und seinen zwei Söhnen in London,[541] ebenso wie Anna Maria (1920–2010), die in England geheiratet hatte und nun den Nachnamen Wolsey trug.

Am 7. August 1980 erfolgte ein Akt der Wiedergutmachung: Die Gedenktafel für Konrad Mautner und die Kennzeichnung des Fußweges vom Grundlsee zum Toplitzsee als „Konrad-Mautner-Weg" wurde anlässlich Konrads 100. Geburtstag neu eingeweiht.[542]

Käthy Breuer kam nach dem Krieg immer wieder nach Österreich, um ihre Familie und ihre Schwester zu besuchen und um im Grundlsee zu baden. Zu einer endgültigen Rückkehr konnte sich aber nicht entschließen. Sie starb 1979 in Reading in England. Ihr ältester Sohn Georg (1907–1978), der zum tiefen Leid seiner Mutter bereits vor ihr starb, blieb mit seiner Familie in Vancouver. Sein jüngerer Bruder Franz (1909–2001) kehrte hingegen nach Österreich zurück, seine Tochter lebt mit ihrer Familie heute noch in der Nähe von Wien. Käthys jüngster Sohn Gustl (1915–1985), der gegen Kriegsende als Lieutenant Breuer der U.S. Army noch einmal in seine alte Heimat zurückgekehrt war,[543] verbrachte dagegen sein restliches Leben in New York, wo er auch starb.

Marie Kalbeck-Mautner kam im Jahr 1947 nach Österreich zurück, allerdings ohne ihre Tochter Marianne, die in England geheiratet hatte; auch Paul Kalbeck und ihr Sohn Florian (1920–1996) kehrten zum gleichen Zeitpunkt zurück. Sie zogen wieder in ihr Haus in der Starkfriedgasse 58 in Pötzleinsdorf, das Paula Wessely für sie gerettet hatte. Nachdem Paul Kalbeck 1949 gestorben war, lebte Marie bis zu ihrem Tod im Jahre 1972 in ihrem norwegischen Holzhaus in Gössl am Grundlsee, das ihr 1946 auf Betreiben ihres Neffen Georg Breuer, der nun als George H. Bryant für die britische Militärverwaltung tätig war, zurückgegeben worden war.[544]

Die Kinder von Else und Stephan Mautner blieben in ihrer neuen Heimat. Sie forderten die volkskundliche Sammlung ihres Vaters, die über 1.000 Einzelposten umfasste, zurück. Nach anfänglichem Widerstand wurde die Forderung erfüllt, eine kleine Trachtenkammer Stephan Mautners verblieb als Leihgabe in Bad Aussee.[545] Andreas (1901–1980), der älteste, der als einziger Enkel Isidor Mautners bereits Erfahrungen in dessen Unternehmen gesammelt hatte, lebte bis zu seinem Tod in New Jersey. Seine Schwester Elisabeth (1903–1993) siedelte sich im Bundesstaat New York an. Sie blieb ledig und kinderlos, starb 1993 und wurde im Familiengrab der Mautners auf dem Döblinger Friedhof beigesetzt. Karl Friedrich (1915–2002), der „Nachzügler", wurde dreifacher Vater und lebte bis zu seinem Tod mit seiner Familie in Washington D.C.

Stephan Mautners Landgut in Trattenbach wurde, nachdem sein Tod offiziell bestätigt worden war und es zunächst hieß, auch seine ganze Familie sei in Auschwitz ermordet worden, von der Gemeinde für herrenlos erklärt. Der Landbesitz wurde unter die umliegenden Bauern verteilt. Für das Haus selbst wurde den Nachkommen Stephan Mautners, eine Entschädigung gezahlt, heute befindet sich das Jagdhaus im Besitz eines Wiener Unternehmers, der die tragische Geschichte seines Vorbesitzers kennt und das halb verfallene Anwesen umfassend renoviert hat.

Das völlig verwahrloste Geymüller-Schlössel, dessen Eigentümer nun wieder die Österreichische Nationalbank geworden war, wurde 1948 einer der Drehorte des Filmes „Der Engel mit der Posaune". In dem Film ging es unter anderem um die brutale Enteignung jüdischer Häuser und Vermögen durch die Nazis. Hauptdarstellerin war – wer sonst – Paula Wessely.[546]

Aber das schwer beschädigte Schlössel konnte gerettet werden. Am 12. Dezember 1948 wurde das Anwesen an die Republik Österreich verkauft. Der Kaufpreis von 71.480 Schilling wurde von dem Ministerialrat im Bundeskanzleramt Dr. Franz Sobek übernommen, der dafür ein lebenslanges Nutzungsrecht erhielt. Zudem verpflichtete sich Franz Sobek, das Anwesen auf eigene Kosten wieder instand zu setzen. Die Kosten überstiegen dann allerdings seine finanziellen Möglichkeiten. Am 4. Dezember 1965 schloss er daher mit dem Unterrichtsministerium einen Vertrag, in dem er gegen eine Zahlung von 2,5 Millionen Schilling seine wertvolle Möbel- und Uhrensammlung der Republik Österreich übertrug und auf seine Rechte am Schlössel verzichtete. Die Sammlung wurde dem Museum für Angewandte Kunst (MAK) übertragen, das dort eine Dependance einrichtete, seitdem sind Schlössel und Park umfassend wiederhergerichtet worden und öffentlich zugänglich.[547]

Auch die Erinnerung an die Mautners wurde neu belebt. Am 6. Dezember 1993 wurde der Zugangsweg zum angrenzenden Pötzleinsdorfer Friedhof zum „Mautnerweg" ernannt, zugleich wurde an der Friedhofsmauer eine Gedenktafel an Konrad Mautner angebracht.[548]

Ansonsten erinnert nur noch ein von Ferdinand Schmutzer angefertigtes Porträt Isidor Mautners in der Eingangshalle des Geymüller-Schlössels daran: 50 Jahre lang residierte hier die mächtige Wiener Großindustriellenfamilie Mautner, die heute kaum noch jemand kennt.

ANHANG

Der Mautner-Konzern 1905–1919

Österreichische Textilwerke AG vormals Isaac Mautner & Sohn, Wien
Webereien: Náchod, Schumberg, Trattenbach, Grünwald, Tiefenbach, Engenthal, Gränzendorf
Spinnereien: Náchod, Prag-Smychov, Vigognespinnerei Friedland, Beteiligungen: Zwodau, Reichenberg
Eisenwerke Sandau, Steinkohlebergwerk Qualisch

Vereinigte Österreichische Textilindustrie AG, Wien	Gegründet 1912 Im Konzern seit 1916	Spinnereien in Böhmen: Brodetz, Tetschen, Prag-Smichov, in Niederösterreich: Günselsdorf, Neunkirchen, Pottenstein, Sollenau, in der Krain: Pragwald, Littai, Haidenschaft, im Küstenland: Görz, Monfalcone, Ronchi, Ajello
Pottendorfer Baumwollspinnerei und Zwirnerei AG, Pottendorf und Wien	Gegründet 1801 Im Konzern seit 1916	Spinnerei und Zwirnerei Pottendorf Weberei Rohrbach
Felixdorfer Weberei u. Appretur, Felixdorf und Wien	Gegründet 1869 Im Konzern seit 1917	Felixdorf 2 Spinnereien, je eine Weberei, Bleiche, Färberei, Appretur, Spinnerei Nadelburg
Pölser Papierfabrik Gesellschaft mbH, Pöls	Gegründet und im Konzern seit 1917	Papierfabrik Pöls, Steiermark
Baumwoll- und Leinenlieferungs-Gesellschaft Mautner & Co, Wien	Gegründet 1878	Konfektionsanstalt in Wien Niederlassungen in Prag, Budapest, Triest
Ungarische Textilindustrie AG, Rosenberg/ Budapest	Gegründet und im Konzern seit 1894	Spinnerei, Weberei, Färberei, Bleicherei, Appretur in Rosenberg Kaschau-Oderberger Bahn
Ungarisch-Amerikanische Northrop Webstuhl und Textilfabrik AG, Szent-Lörincz	Gegründet und im Konzern seit 1901	Spinnerei, Weberei in Rosenberg Maschinenfabrik in Rosenberg Weberei in Szent-Lörincz bei Budapest Rosenberger Zellulose- und Papierfabrik AG

Deutsche Textilwerke Mautner AG	Gegründet und im Konzern seit 1911	Spinnerei, Weberei, Färberei und Appretur in Langenbielau Baumwoll- und Papierspinnerei in Plauen Papierfabrik in Priebus
Friedrich Mattausch & Sohn AG für Textilindustrie, Franzensthal	Gegründet 1825 Im Konzern seit 1916	Spinnereien in Franzensthal, Bensen, (Friedrichsthal, Neuland, Scharfenstein)

Der Mautner-Konzern 1920–1930

Textilwerke Mautner AG, Prag-Smichov Baumwollwebereien: Náchod, Schumburg (Šumburk), Tiefenbach (Potočna), Engenthal (Jesenny), Gränzendorf (Hranična), Marienthal (Mariánské Údoli) (1926) Baumwollspinnereien: Náchod, Brodetz (Brodče), Grünwald (Mšeno), Tetschen (Dečin) Vigognespinnerei Friedland (Frydlant), Eisenwerke Sandau (Zandov), Steinkohlebergwerk Qualisch (Chvaleč) (1919)		
Vereinigte Österreichische Textilindustrie AG, Wien	Gegründet 1912 Im Konzern seit 1916 Seit 1930 in stiller Liquidation	Baumwollspinnereien in Neunkirchen (stillgelegt 1930), Günselsdorf (stillg. 1930), Sollenau (stillg. 1930), Baumwollweberei Trattenbach (1920–1930), Spinnerei und Weberei Ebensee (1920–1929)
Pottendorfer Baumwollspinnerei und Zwirnerei AG, Pottendorf und Wien	Gegründet 1801 Im Konzern seit 1916 1929 verschmolzen mit Felixdorfer AG	Spinnerei und Zwirnerei Pottendorf Weberei Rohrbach (bis 1929) Seit 1929 Spinnerei und Weberei Ebensee (gepachtet)
Felixdorfer Weberei u. Appretur, Felixdorf und Wien	Gegründet 1869 Im Konzern seit 1917 1929 verschmolzen mit Pottendorfer AG	Felixdorf 2 Spinnereien, je eine Weberei, Bleiche, Färberei, Appretur, Spinnerei Nadelburg (stillg. 1930), seit 1929 Spinnerei und Weberei Ebensee (gepachtet)
Pölser Papierfabrik Gesellschaft mbH, Pöls	Gegründet und im Konzern 1917–1921	Papierfabrik Pöls (verkauft 1921)
Wollwaren Verkaufs AG, Wien	Gegründet 1878	Näherei, Lager Wien
Rosenberger Textilwerke Mautner AG, Rosenberg/Ruzomberok	Gegründet und im Konzern seit 1894	Spinnerei, Weberei, Färberei, Bleicherei, Appretur, Webmaschinenfabrik in Rosenberg/Ruzomberok
Ungarische Textilwerke Mautner AG, Budapest	Gegründet und im Konzern seit 1894	Weberei in Szent-Lörincz bei Pest

Deutsche Textilwerke Mautner AG, Plauen	Gegrundet und im Konzern 1911 bis 1928	Spinnerei, Weberei und Färberei in Langenbielau Baumwoll- und Papierspinnerei in Plauen
Friedrich Mattausch & Sohn AG für Textilindustrie, Franzensthal/ Bensen	Gegründet 1825 Im Konzern seit 1916	Franzensthal (Františkov), Bensen (Benešov), (Friedrichsthal, Neuland, Scharfenstein)
Jugoslawische Textilwerke Mautner AG, Laibach (Ljubljana)	Gegründet 1886 Im Konzern seit 1916/1923	Pragwald (Prebold), Littai (Litija), Haidenschaft (Ajdovščina)
Mautner Textilwerke AG, Belgrad	Gegründet und im Konzern seit 1924	Belgrad
Vereenigde Textiel Maatschappijen Mautner N.V., Amsterdam	Gegründet und im Konzern seit 1923	Amsterdam
Aktiengesellschaft zu Trumau und Marienthal, Marienthal, Wien	Gegründet 1830 (Marienthal)/ 1839 (Trumau) Im Konzern 1925-1929	Baumwollspinnerei, Weberei, Bleiche, Appretur, Färberei, Druckerei Marienthal (1930 stillgelegt), Trumau (1930 stillgelegt)
Tuchfabrik Ujpest	Gegründet und im Konzern seit 1926	Budapest-Ujpest
S.A. Romana pentru Industra de Bumbac, Bukarest	Gegründet und im Konzern seit 1919 (?)	Bukarest

Anmerkungen

1 Hafer, Andreas; Hafer, Wolfgang: Hugo Meisl oder die Erfindung des modernen Fußballs, Göttingen 2007; inzwischen auch auf Tschechisch erschienen: Andreas a Wolfgang Hafer: Hugo Meisl aneb vynález moderniho fotbalu, Kostelec 2011.

2 Das Rote Wien im Waschsalon, Eingang Halteraugasse 7.

3 Im Wohnzimmer der Legende, Ballesterer 48, Dez./Jänner 2009/10, 24–28.

4 Vgl. *Die Presse*, 03.09.2010, ORF 20.10.2010.

5 Vgl. Markus, Georg: Das zweite Ende des Wunderteams, in: *Kurier*, 07.11.2010, 24; Presse- und Informationsdienst der Stadt Wien 11.11.2010: „Eignung als Gedenkstätte der Hugo-Meisl-Wohnung im Karl-Marx-Hof wird geprüft", ORF 11.11.2010, *Die Presse*, 19.11.2010.

6 Vgl. ORF, 27.03.2011; Krutzler, David: Meisl-Wohnung wird geräumt. Kein Museum für Fußballtrainer – Historiker enttäuscht, in: *Der Standard*, 29.03.2011, ebenso: Die Presse, 02.04. 2011, Ballesterer 10.04.2011.

7 Vgl. Krutzler, David: Eine neue Heimstatt für Hugo Meisls Nachlass, in: *Der Standard*, 21.10.2011, 12.

8 Musil, Robert: Der Mann ohne Eigenschaften, 32–33; von Robert Musil stammt auch die Bezeichnung Kakanien in Anspielung auf die Abkürzung k.k. (kaiserlich-königlich) für die Institutionen der österreichisch-ungarischen Monarchie.

9 Vgl. Gold, Hugo (Hg.): die Juden und Judengemeinden Böhmens in Vergangenheit und Gegenwart, Prag 1934.

10 Teller, M.: Sagen der Herrschaft Náchod in Böhmen: zum Theile nach historischen Originalen und zum Theile nach mündlicher Überlieferung in Versen, Prag 1839, 4.

11 Vgl. Gies McGuigan, Dorothy: Wilhelmine von Sagan. Zwischen Napoleon und Metternich, Wien; München 1994.

12 Bericht Ilse Scherzer, Enkelin von Karoline Meisl, geb. Mautner (geb. 1858 in Münchengrätz, gestorben 1932 in Wien), New York, 2006.

13 Státni oblastni archiv v Zámrsku, Blatt 22, Mautnerovy textilni sávody, akc. spol., Náchod.

14 Weis, Leopold (Hg): die Großindustrie Österreichs, Band IV, Wien 1898, 250.

15 Státni oblastni archiv v Zámrsku, Mautnerovy textilni savody, akc. Spol., Blatt 22, Tepna-Náchod.

16 Weis (Hg.) 1898, 250.

17 Ebda.

18 Ebda.

19 Weis 1898, 252.

20 Matis, Herbert: Österreichs Wirtschaft 1848–1913. Konjunkturelle Dynamik und gesellschaftlicher Wandel im Zeitalter Franz Josephs I., Berlin 1972, 157.

21 Das Schicksal der Familie Ephroussi wurde zum Gegenstand des Bestsellers von Edmund de Waal: Der Hase mit den Bernsteinaugen, München 2013; das Bankhaus Ephroussi gehörte in Wien aber eher zu den unbedeutenden Instituten. Victor Ephroussi belegte in der Liste der bestverdienenden Wiener nur den Platz 254; vgl. Sandgruber, Roman: Traumzeit für Millionäre. Die 929 reichsten Wienerinnen und Wiener im Jahr 1910, Wien 2013.

22 Rosner, Robert W.: Chemie in Österreich 1740–1914: Lehre, Forschung, Industrie, Wien 2004, 289.

23 ÖNB-ALEX, Staatsgrundgesetz von 21. December über die allgemeinen Rechte der Staatsbürger für die im Reichsrathe vertretenen Königreiche und Länder.

24 *Vaterländische Blätter für den Österreichischen Kaiserstaat*, Band 3, Wien 1810, 277.

25 Die Familienlegende besagt, dass Isidor Mautner als Bub mit einem von einem Hund gezogenen Handwägelchen nach Wien gereist sei und dort in kurzester Zeit ein Vermögen gemacht habe; vgl. Breuer, Katharina: G'schichten aus dem Elternhaus, Wien 1975, 2; tatsächlich dauerte es noch sechs Jahre, bis Isidor in Wien aktiv werden konnte.

26 Lehmann, protokollierte Firmen 1872, 652.

27 Vgl. Kos, Wolfgang, Gleis, Ralph: Experiment Metropole. 1873: Wien und die Weltausstellung, Wien 2014

28 Vgl. Lehmann, protokollierte Firmen 1874, 655.

29 Vgl. Prager Börsen-Courier, 06.10.1930, 337.

30 k.k. Handelsgericht Wien, Band XVIII, Pag 218, Abtheilung VIII, Eintrag 1. Jänner 1874.

31 Vgl. Weis (Hg.) 1898, 251; diese Jahreszahl wurde bisher ungeprüft in allen einschlägigen Darstellungen über Isaac und Isidor Mautner übernommen, obwohl der Bericht insgesamt recht fragwürdig ist. So wird auf Seite 250 auch behauptet, man habe die Baumwollweberei in Náchod eingeführt. Tatsächlich war dies aber Hermann S. Doctor im Jahr 1850, als Isaac Mautners Unternehmen noch ein Kleinbetrieb mit sechs Handwebern war.

32 Vgl. Stütz, Gerhard: Geschichte der Textilindustrie im Bezirk und Landkreis Gablonz a.N., Schwäbisch Gmünd 1977, 77; demzufolge wurde dort an der Stelle einer Schleifmühle 1846–48 von Florian Ullmann ein Fabrikgebäude errichtet, das 1857 an Ignaz Friedrich aus Polaun überging. 1866 wurde die Fabrik von der Firma Schick und Heller ersteigert und zwei Jahre später an die Gebrüder Perutz verpachtet.

33 Die Familie Perutz stammte aus Rakovitz in Zentralböhmen und wurde in Prag im Textilhandel erfolgreich. Aus der Familie gingen der Pionier des Farbfilms, der Chemiker Otto Perutz (1847–1922) hervor (Perutz Fotowerke, später AGFA) sowie der bedeutende Schriftsteller Leo Perutz (1901–1944).

34 Vgl. Stütz 1977, 77 f.

35 Johann von Liebieg (1802–1870), ein Pionier der böhmischen Industrialisierung mit Sitz in Reichenberg, betrieb Spinnereien in Reichenberg, Swarow, Haratitz (Haratice), Eisenbrod (Zelezny Brod) und Friedland (Frydlant), vgl. NDB 14 (1985), 493 f.; zudem sorgte er für einen Eisenbahnanschluss von Reichenberg nach Zittau in Sachsen, der ab 1859 das Gebiet für den Handel mit Deutschland öffnete.

36 Vgl. Stütz 1977, 23.

37 k.k. Handelsgericht Wien, Band XVIII, Pag 218, Abtheilung VIII, Eintrag 14. März 1876.

38 Stütz 1977, 77.

39 Stütz 1977, 78.

40 Stütz 1977, 77.

41 ÖBL, 164; Weis (Hg.) 1898, 252.

42 Beran, Lukás und Valcharová, Vladislava: Industriál Libereckého kraje, Praha 2007, 134.

43 Satzungen der Pensions-, Witwen- und Waisenkasse für die Arbeiter der Firma Isaac Mautner & Sohn in deren Fabriken in Náchod und Schumburg a. d. Desse vom 5. April 1894.

44 Vgl. Weis (Hg.) 1898, 232.

45 Vgl. Grundbuch Náchod für 1881, Kanzleiabteilung VI des k.k. Bezirksgerichts Náchod.

46 Weis (Hg.) 1898, 251.

47 Ebda.

48 Ebda.

49 ÖBL 164.

50 Hermann Doctor übergab sein Unternehmen 1892 an seine beiden Söhne Eduard und Moriz. Er war Ehrenbürger der Stadt Náchod, Eduard wurde 1912 geadelt, sein Name lautete nun: Edler von Hohenlangen; vgl. Gaugusch, Georg: Wer einmal war, Wien 2012, 407.

51 Prof. Pfohl's Wirtschaftskarten, Böhmen Textilindustrie, Wien 1916.

52 Weis, Leopold (Hg.): Die Groß-Industrie Österreichs IV, Wien 1908, 207–208.

53 Industrie Compass 1919, Band VI.

54 Gold 1934, 413.

55 Vgl. Mautner, Stephan: Trattenbach, 16; ebenso ÖStA 7.11.1927.

56 Vgl. Gold 1934, 413.

57 Otto Goldschmied war mit Isaac Mautners Tochter Adelheid verheiratet und Direktor der Náchoder Webereifabrik.

58 Vgl. Breuer 1975, 29–30.

59 Ebda.

60 Vgl. Todesanzeige *Prager Tagblatt* vom 23. Juli 1901, 18.

61 *Die Welt*, 14.04.1899, 7–8.

62 *Prager Tagblatt* vom 23.07.1901, 18.

63 *Neue Freie Presse* vom 23.07.1901,15.

64 Lehmann, Namenverzeichnis 1903, 778.

65 *Neue Freie Presse* vom 13.01.1907, 40; die nahezu gleiche Anzeige erschien auch im *Prager Tagblatt* vom 13.01.1907, hier aber mit korrekter Datierung.

66 Lehmann, protokollierte Firmen 1874, 655.

67 Vgl. Lehmann, Namenverzeichnis 1873; die Aussage bei Müller 2008,143, er habe „seiner Frau zuliebe den Wohnsitz von Náchod nach Wien" verlegt, kann also nicht stimmen, denn er wohnte bereits in Wien.

68 Breuer, Käthy 1975, 26.

69 Lehmann, Namenverzeichnis 1877–1887; das Gebäude, das heute dort steht, ist allerdings erst 1909 erbaut worden; laut Breuer, Käthy 1975, 26 wohnte die Familie Isidor Mautner am Rudolphsplatz 11. Da sie über diese Zeit aber selbst nur vom Hörensagen berichtet, ist anzunehmen, dass sie die Adresse des Handelsunternehmens, das sich zunächst am Rudolphsplatz befand, mit der Wohnadresse verwechselte. Im Zweifel sind die Angaben im Lehmann sicherlich zuverlässiger.

70 Todesanzeige *Neue Freie Presse* vom 19.02.1880.

71 Weis (Hg.) 1898, 251.

72 Lehmann, protokollierte Firmen 1893, 232; ÖStA 07.11.1927.

73 Zweig, Stefan: Die Welt von Gestern. Erinnerungen eines Europäers, Stockholm 1944, 20–21.

74 Holetin ist ein kleiner Ort mit damals etwa 700 Einwohnern ca. 60 Kilometer südlich von Königgrätz.

75 Lehmann, protokollierte Firmen 1879, 973; Consorten hafteten nur mit ihren Geldeinlagen, waren aber jeweils zur Unterschrift unter Verträge gemeinsam mit dem Hauptgesellschafter berechtigt.

76 Lehmann, Namenverzeichnis 1880, 597.

77 Weis (Hg.) 1898, 252.

78 Ebda.

79 Gold 1934, 412

80 Vgl. AT-OeStAundAdR HBbBuT BMfHuV Präs Auszeich an Mautner Isidor.

81 Lehmann, protokollierte Firmen 1882, 1117.

82 Lehmann, Namenverzeichnis 1881, 1018.

83 Vgl. Eschenbach, Gunilla: Imitatio im George-Kreis, Berlin 2011, 255.

84 Vgl. Lehmann, protokollierte Firmen 1893, 301; das ÖBL nennt zwar das Jahr 1895, das widerspricht aber den eindeutigen Angaben im Lehmann. Auch Käthy Breuers Aussage auf Seite 7 ihrer Erinnerungen, Benedict habe in Náchod eine eigene Spinnerei eröffnet, kann nicht verifiziert werden.

85   Lehmann, protokollierte Firmen 1882, 1117.

86   Breuer 1975, 7 und 8.

87   Die in allen biografischen Skizzen über Isidor Mautner zu lesende Aussage, die Partner hätten im Jahre 1895 das Unternehmen Isidor Mautner überlassen, widerspricht den eindeutigen Angaben im Lehmann. Tatsächlich findet sich erst für 1906 ein Hinweis auf eine solche Übernahme, vgl. auch ÖStA 1927. Ebenso wenig lässt sich die Aussage belegen, das Unternehmen sei 1881 gegründet worden. Der Lehmann nennt auch hier ein anderes Datum: den 1. April 1882.

88   Vgl. Lehmann, Namenverzeichnis 1908.

89   Vgl. Reuveni, Gideonund; Roemer, Nils: Longing, belonging, and the making of Jewish consumer culture, Leiden (NL) 2010, 74.

90   Lehmann, Namensverzeichnis 1891, 783.

91   Pöcher, Harald: Die Rüstungswirtschaft Ungarns, in: Mezey, Gyula; Strunz, Herbert: Führung von Einsatzkräften, Frankfurt a.M. 2011, 460; in Böhmen betrug 1869 der Anteil der in Land- und Forstwirtschaft Beschäftigten 54 %, 31 % der Arbeitnehmer waren in Industrie, Gewerbe und Bergbau beschäftigt, davon allein 53 % in der Textilindustrie; vgl. Brousek, Karl: Die Großindustrie Böhmens, München 1987, 47.

92   Industrieförderungsgesetz GA VIII: 1890, vgl. Schall, Gunter: Der österreichisch-ungarische Dualismus als Integrationskonzept, Hamburg 2001, 205, diese Fördermaßnahmen wurden in den Jahren 1899 und 1907 weiter verstärkt. Gemäß GA III: 1907 waren 57 % aller Subventionen explizit dem Textilsektor vorbehalten. Allerdings waren solche Barsubventionen auch im österreichischen Reichsteil durchaus üblich. So wurden bereits im Dezember 1873 80 Millionen Kronen bereitgestellt, die u. a. von Liebiegs Textilfirmen zugutekamen; vgl. Schall 2001, 217.

93   Vgl. NDB 13 (1983), 160.

94   Vgl. Staudacher: … meldet den Austritt aus dem mosaischen Glauben, Frankfurt am Main 2009, 342.

95   Ungarische Textilindustrie Actiengesellschaft in Rószahegy-Fonögyar. Geschichte ihrer Gründung und Entwicklung dargestellt anläßlich des 50-jähr. Geschäftsjubiläums ihres Begründers und Präsidenten, des Herrn Isidor Mautner. Leipzig 1917, 9 und 39; die Jahresangabe 1893 im Österreichischen Bibliographischen Lexikon (ÖBL), Bd. 6.(Lfg. 27, 1974), 164, der auch R. Müller und weitere Internetauftritte folgen, ist demzufolge falsch.

96   Lehmann Einwohnerverzeichnis 1892, 39.

97   Vgl. Lassotta, Arnold: Das Textilmuseum in Bocholt, Bocholt 2000 (2.), 63 ff.

98   Ungarische Textilindustrie 1917, 12; ebenso auch Offergeld, Wilhelm: Grundlagen und Ursachen der industriellen Entwicklung Ungarns, Jena 1914, 104: „… die Klage von Seiten der ungarischen Unternehmer über den Mangel an gelern-

ten Arbeitskräften sowie über die Schwierigkeit der Anlernung ist so allgemein, daß sie nicht durch einzelne Beispiele erwiesen muß. Besonders auffallend ist dies in der Textilindustrie. Es vergeht in der Regel eine lange Zeit, ehe das aus der umliegenden Gegend rekrutierte Arbeitsmaterial (sic!) durch – meist vom Ausland bezogene – Lehrkräfte angelernt ist."

99 Ungarische Textilindustrie 1917, 12.

100 Ungarische Textilindustrie 1917, 15; im Internet wird darüber spekuliert, ob es sich bei Julius Joleschs Ehefrau Gisela um jene Tante Jolesch handelt, der Friedrich Torberg 1975 ein literarisches Denkmal gesetzt hatte. Vor allem ein mit „Georg Markus" unterschriebener Internetbeitrag unter dem Namen Eva40 bemüht sich um eine Art Beweisführung, die allerdings in der wenig originellen Erkenntnis kulminiert, dass Julius Jolesch eben eine Frau namens Gisela hatte. Mehr wird sich auch nicht finden lassen, denn es ist hinlänglich bekannt, dass Torberg seine Anekdotensammlung aus vielen Quellen zusammenstellte.

101 Ungarische Textilindustrie 1917, 18.

102 Ungarische Textilindustrie 1917, 40.

103 Ungarische Textilindustrie 1917, 42.

104 Vgl. Schmidt-Bachem, Heinz: Aus Papier: eine Kultur- und Wirtschaftsgeschichte der Papier verarbeitenden Industrie in Deutschland, Berlin; Boston 2011, 631–637.

105 Vgl. Schmidt-Bachem, Heinz: Beiträge zur Industriegeschichte der Papier-Pappe- und Folienverarbeitung in Deutschland. Quellen, Recherchen, Dokumente, Materialien, Düren 2009, 343.

106 Ungarische Textilindustrie 1917, 45; Bericht über die dreizehnte ordentliche Generalversammlung der Textilwerke Mautner, Wien am 17. November 1920, 2.

107 Bericht über die zwölfte ordentliche Generalversammlung der Österreichischen Textilwerke AG vormals Isaac Mautner & Sohn, Wien am 4. April 1918, 1.

108 Vgl. Technisches Museum Wien, Beschreibung „Maschinenwebstuhl, um 1910".

109 AT-ÖStAundAdR HBbuT BMfHvV. Präs. Auszeich. an M. Mautner Isidor, 07.11.1927.

110 Ungarische Textilindustrie 1917, 30.

111 Ungarische Textilindustrie 1917, 28.

112 ÖBL Band 4 (Lfg. 19, 1968), 312 f.

113 Vgl. EVP-Fraktion im Europäischen Parlament: Die Wiedervereinigung Europas. Antiautoritärer Mut und politische Erneuerung, Straßburg 2009, 263.

114 Vgl. Hafer; Hafer, 20; Isidor Mautner war offenbar einer der wenigen jüdischen Großunternehmer, die ein solches der Karriere und dem Ego dienliches Angebot abgelehnt hatten.

115 Lehmann, Namenverzeichnis 1897, 705.

116 AT-ÖStAundAdR HBbuT BMfHvV. Präs. Auszeich. an Mautner Isidor, 1927.

117 Vgl. Handelsregister Wien, Eintrag für 1901.

118 Gleich in dreifacher Hinsicht unrichtig ist die Angabe in NDB 16 (1990), 452–453, Isidor Mautner habe 1905 „mit Hilfe der Bodencreditanstalt die ‚Vereinigte Österr. Textilindustrie AG', eine Holding aller ihm gehörenden Firmen, gegründet". Erstens wurde die Vereinigte Österreichische Textilindustrie nachweislich erst 1912 gegründet. Zweitens wurde sie keineswegs von Isidor Mautner gegründet, sondern von der Bodencreditanstalt. Und drittens brachte Isidor Mautner, wie noch gezeigt wird, keineswegs seine Unternehmen in die neue Aktiengesellschaft ein.

119 Vgl. Eigner, Peter: Rudolf Sieghart und die Allgemeine österreichische Boden-Credit-Anstalt. Ein Fallbeispiel zur österreichischen Bankenkrise der 1920er und 30er Jahre, in: Berhoff, Hartmut: Wirtschaft im Zeitalter der Extreme: Beiträge zur Unternehmensgeschichte Österreichs und Deutschlands, München 2010.

120 Vgl. *Neue Freie Presse*, 25.11.1909, 9–10.

121 Vgl. Eigner 2010, 21.

122 AT-ÖStAundAdR HBbuT BMfHvV. Präs. Auszeich. an Mautner Isidor, 1927.

123 Lehmann, protokollierte Firmen 1908 und 1911.

124 Vgl. Pollner, Martin: Historische Strukturen der Stadtgemeinde Bad Aussee und des Ausseer Landes, Graz 2005, 75; ebenso: *Prager Börsen-Courier*, 02.12.1930.

125 *Prager Börsen-Courier*, 02.12.1930; die Höhe der Beteiligungen ist notiert in der Liquidationsbilanz der Textilwerke Mautner AG vom 01.03.1919 in Státni oblastni archiv v Zámrsku, Blatt 22, Mautnerovy textilni sávody, akc. spol., Náchod.

126 Theodor von Liebieg war einer der ersten Autobesitzer weltweit und unternahm 1894 die erste bekannte Fernfahrt im Automobil von Reichenberg nach Gondorf an der Mosel, wo seine Mutter lebte. Der Maler Hugo Charlemont, Lehrer von Stephan Mautner, fertigte ein Gemälde von Liebieg im Auto an. Vgl. Ausstellung „Phänomen", Zittau 2013.

127 Pollner 2005, 75.

128 *Neue Freie Presse*, 26.11.1909.

129 ÖBL 1815-1950, 56. Lieferung 2003, 239.

130 Ebda.

131 *Wiener Zeitung*, 16.02.1912.

132 Vgl. Stadler, Gerhard A.: Das industrielle Erbe Niederösterreichs, Wien; Köln; Weimar 2008, 286.

133 Vgl. Wärndorfer, Laura: Meine einhundertzwanzig Jahre, unveröffentlichtes Manuskript o. J., 9.

134 *Wiener Zeitung*, 09.05.1912, 15.

135 Keinesfalls lässt sich diesem Bericht entnehmen, was das ÖBL Bd. 6 (Lfg. 27, 1974), 164 f. behauptet: „1912 gründete er (Isidor Mautner) die ‚Vereinigte Österreichische Textilindustrie AG', welche als eine Art Holdinggesellschaft auch formal noch selbständige Betriebe (...) umfasste (...). Gründer war eindeutig die Bodencreditanstalt."

136 Einen interessanten Hinweis liefert hierzu ein Beitrag im *Prager Börsen-Courier* vom 02.12.1930 anlässlich des Todes von Isidor Mautner. Dem Autor zufolge trugen Isidor Mautner und Rudolf Sieghart miteinander einen verbissenen Kampf um Macht und Einfluss aus, der schließlich mit dem Untergang beider Tycoons enden sollte. Demzufolge war die Gründung der Vereinigten Österreichischen Textilindustrie nur die erste Etappe dieses Machtkampfes. „Sein Leben war Kampf gegen das Bankkapital" schreibt der Autor und fährt fort, Mautner sei erfüllt gewesen „von der Furcht vor den industriefressenden Banken."

137 Vgl. Staudacher 2009, 343.

138 Vgl. Lehmann, Namenverzeichnis 1912, 697; es handelte sich um die Firma Kuffler & Reichel, Baumwollspinnerei in Brodetz, mit Sitz in der Maria-Theresien-Str. 34 in I Wien.

139 www.architektenlexikon.at Wien, Viktor Postelberg, Stand 19.02.14.

140 Vgl. Weis (Hg.) 1908, Band V, 254.

141 Vgl. Official report, ninth International Congress of Delegated Representatives of Master Cotton Spinners' and Manufacurers' Associations, held in Kurhaus, Scheveningen, June 9th, 10th and 11th, 1913.

142 Vgl. Grandner, Margarete: Kooperative Gewerkschaftspolitik in der Kriegswirtschaft. Die freien Gewerkschaften Österreichs im ersten Weltkrieg, Wien 1992, 125.

143 Vgl. Grandner 1992, 412.

144 Geschäftsbericht der Österreichischen Textilwerke AG vormals Isaac Mautner & Sohn 1916, 3.

145 Sächsisches Staatsarchiv Chemnitz (SAC), 31151undSign.62 Bd.2.

146 SAC, 31151 und Sign.62 Bd. 1.

147 SAC, 30241.

148 Amtsgericht Plauen, Grundbuch 1915 und 543.

149 SAC, 30241, 41; sein Nachfolger wurde der spätere Generaldirektor Fritz Hecht aus Breslau.

150 SAC, 30241, 36.

151 SAC, 30241, 37.

152 Amtsgericht Plauen, Grundbuch 1915 und 544.

153 Bericht über die elfte ordentliche Generalversammlung der Österreichischen Textilwerke AG vormals Isaac Mautner & Sohn am 28. April 1917, Wien 1917, 4.

154 Ebda.

155 *Prager Börsen-Courier*, 02.10.1930, 327.

156 Ebda; zur Umrechnung vgl. Eybl, Erik: Von der Eule zum Euro – Nicht nur eine österreichische Geldgeschichte, Wien 2005.

157 Lehmann, Einwohnerverzeichnis 1918, 900.

158 Wehdorn, Manfred: Baudenkmäler der Technik und Industrie in Österreich: Wien, Niederösterreich, Wien; Köln; Graz 1984, 226.

159 Mathis 1990, 332.

160 Mathis 1990, 107.

161 Bericht über die zwölfte Generalversammlung der Österreichischen Textilwerke AG vormals Isaac Mautner & Sohn, Wien, am 4. April 1918, 1.

162 Ebda.

163 SAC 31151und Sign.131.

164 Bericht über die achte Generalversammlung der Österreichischen Textilwerke AG vormals Isaac Mautner & Sohn, Wien, am 24. April 1914, 1.

165 Bericht über die zwölfte Generalversammlung der Österreichischen Textilwerke AG vormals Isaac Mautner & Sohn, Wien, am 4. April 1918, 1.

166 Vgl. Sandgruber, Roman: Ökonomie und Politik, Österreichische Wirtschaftsgeschichte vom Mittelalter bis zur Gegenwart, Wien 2005, 328; anhand des dort beschriebenen realen Wertverlustes der Kriegsanleihen lässt sich die Inflationsrate recht genau berechnen.

167 Bericht über die zwölfte Generalversammlung der Österreichischen Textilwerke AG vormals Isaac Mautner & Sohn, Wien, am 4. April 1918, 2.

168 Vgl. Wistrich, Robert: Aufstieg und Fall des Wiener Judentums, in: Weltuntergang. Jüdisches Leben und Sterben im Ersten Weltkrieg, Wien 2014, 34–44.

169 Hamann, Brigitte: Hitlers Wien, Wien 1996, 470.

170 Sandgruber 2013, 16.

171 Vgl. Sandgruber, 2013, 38–40; Theodor von Taussig war im Jahr 1910 nach Samuel Rothschild der Wiener mit dem höchsten Jahreseinkommen.

172 Vgl. Sandgruber 2013, 47.

173 Vgl. Sandgruber 2013, 154.

174 Marschik, Matthias: Vom Herrenspiel zum Männersport, Wien 1996, 28.

175 Marschik 1996, 29.

176 Vgl. Deutscher Alpenverein und Oesterreichischer Alpenverein: Ausgeschlossen. Jüdische Bergsportler und der Alpenverein, München; Innsbruck 2012.

177 Horak, Roman; Maderthaner, Wolfgang: Mehr als ein Spiel. Fußball und populare Kulturen im Wien der Moderne, Wien 1997, 60.

178 ÖStA Ehrung Isidor Mautner, Begründungsschreiben vom Dezember 1927.

179 Geschäftsbericht der Österreichischen Textilwerke AG vormals Isaac Mautner & Sohn 1918, 6.

180 So beispielsweise Offergeld, Wilhelm: Grundlagen und Ursachen der industriellen Entwicklung Ungarns, Jena 1914, 104.

181 Lehmann, Einwohnerverzeichnis 1908, 708.

182 *Wiener Zeitung*, 18.11.1914.

183 Vgl. Sandgruber 2013, 16, ihm zufolge verdienten 90 % der Bevölkerung der westlichen Reichshälfte im Jahr 1910 weniger als 1200 Kronen.

184 Aichelburg, Wladimir: 150 Jahre Künstlerhaus, Wien 2011, Verzeichnis der Freunde und Mitarbeiter des Künstlerhauses, Buchstabe M.

185 Aichelburg, Wladimir: Das Wiener Künstlerhaus 1861 bis 2001. Bd. 1: Die Künstlergenossenschaft und ihre Rivalen Secession und Hagenbund. Wien 2003.

186 *Wiener Zeitung*, 04.03.1911.

187 *Wiener Zeitung*, 17.04.1913.

188 *Wiener Zeitung*, 21.09.1916.

189 *Prager Tagblatt*, 19.09. und 20.09.1916.

190 Vgl. Stütz 1977, 81.

191 Josef Kriehuber (1800–1878) war ein Wiener Lithograph und Maler, einer der begehrtesten Biedermeier-Portraitisten.

192 Paula Wessely (1907–2000) kam über das Theater an der Josefstadt mit den Mautners in Kontakt und wurde zu einer engen Freundin der Familie. Im Zusammenhang mit der erzwungenen Emigration der Mautners nach 1938 nahm sie einige Kunstgegenstände und auch Immobilien der Mautners in Verwahrung. Das hinderte sie allerdings nicht, zur bestbezahlten und beliebtesten Filmschauspielerin des „Dritten Reiches" aufzusteigen. Dabei war sie auch an Propagandafilmen beteiligt, wie dem Film „Heimkehr" (1941), in dem sie eine Hauptrolle spielte. Nach dem Krieg setzte sie ihre Karriere fort, wurde Taufpatin von Maries Enkelin Antonia, war bis 1985 am Burgtheater tätig und starb hochgeehrt im Alter von 93 Jahren.

193 Julius Schnorr von Carolsfeld (1794–1872) besuchte die Kunstakademie in Wien und gilt als bedeutender Landschaftsmaler, der der Malerschule der Nazarener angehörte.

194 Leopold Kupelwieser (1796–1862, richtig mit einem p) war ein Wiener Maler, ebenfalls beeinflusst von den Nazarenern; er gehörte zum engen Freundeskreis Franz Schuberts, den er auch porträtierte.

195 Kalbeck-Mautner, Marie: Erinnerungen an die Mautner-Villa, Wien 1968, 16; ob es sich bei dem Komponisten Eisler um Hans Eisler handelt, der mit Bertold Brecht zusammengearbeitet und später die DDR-Hymne komponiert hatte, lässt sich nicht klären. Eine Verwandtschaft mit Else Eissler, der Ehefrau von Stephan Mautner, ist jedenfalls nicht nachweisbar.

196 Kalbeck-Mautner 1968, 16.

197 Vgl. Drennig, Alfred: Die I. Wiener Hochquellenwasserleitung. Festschrift herausgegeben vom Magistrat der Stadt Wien, Abt. 31 – Wasserwerke, aus Anlass der 100-Jahr-Feier am 24. Oktober 1973. Wien 1973.

198 Breuer 1975, 27.

199 Ebda.

200 Breuer 1975, 28–29.

201 Kalbeck-Mautner 1968, 53.

202 Zweig, Stefan: Die Welt von Gestern, Erinnerungen eines Europäers, Stockholm 1942, 59.

203 Vgl. Eisermann, Judith: Josef Kainz – zwischen Tradition und Moderne: der Weg eines epochalen Schauspielers, München 2010.

204 Brief von Marie Mautner vom 26.08.1911 an Max Burckhard, damals Direktor des Burgtheaters; Wienbibliothek, Handschriftensammlung, Teilnachlass Max Eugen Burckhard, IN 67635.

205 Kalbeck-Mautner, Marie: Kainz. Ein Brevier, Wien 1953.

206 Kalbeck-Mautner 1953, 53.

207 Vgl. Maurer, Lutz: An der schönen blauen Donau, in: Schönfellinger, Nora (Hg.): „Conrad Mautner, grosses Talent", Grundlsee 1999, 35.

208 Kalbeck-Mautner 1968, 16.

209 Textilwerke Mautner, Investitionsaufstellung für 1918 vom 01.03.1919; Státni oblastni archiv v Zámrsku, Blatt 22, Mautnerovy textilni sávody, akc. spol., Náchod.

210 Vgl. Zweig 1942, 63–69.

211 Müller, Reinhard: Marienthal, Innsbruck 2008, liefert auf den Seiten 145–148 eine lückenlose Aufzählung der Gäste aus dem kulturellen Bereich, wer es genau wissen will, sei auf diese Fleißarbeit verwiesen.

212 Zweig 1942, 419.

213 Vgl. www.Klassika.info/Komponisten/Strauss_R/Lied/TrV_237/04/index.html; ein Exemplar der Komposition befindet sich in der Österreichischen Nationalbibliothek.

214 Vgl. Breuer 1975, 32; Richard Strauss ließ sich zeitweise von den Nazis instrumentalisieren, ähnlich wie bei Paula Wessely ein irritierender Vorgang angesichts seiner Freundschaft mit Juden wie Hofmannsthal, Reinhardt und eben den Mautners; allerdings nimmt Stefan Zweig Richard Strauss ausdrücklich in Schutz, er habe seine Familie schützen müssen, da seine Schwiegertochter selbst Jüdin war, zudem hatte sich Strauss sehr standhaft für Stefan Zweig eingesetzt und letztlich deswegen 1934 seine Demission als Präsident der Reichsmusikkammer eingereicht.

215 Julius Bittner, Streichquartett II in Es dur, Frau Jenny Mautner gewidmet,1916.

216 Korngold folgte in den 1930er Jahren einem Angebot aus Hollywood, schrieb Filmmusik und versuchte nach 1945 vergeblich, wieder als ernstzunehmender Komponist anerkannt zu werden. Seine expressionistischen Kompositionen entsprachen nicht dem an der Zwölftonmusik Arnold Schönbergs orientierten Zeitgeist. Erst in letzter Zeit setzt eine zunehmende Wiederentdeckung dieses hochbegabten jüdischen Komponisten ein.

217 Vgl. Müller 2008, 146.

218 Vgl. Müller 2008, 147.

219 Vgl. Breuer 1975, 35.

220 Vgl. Breuer 1975 32; Müller 2008, 146 datiert das Ereignis irrtümlich zehn Jahre zu früh, offensichtlich eine Verwechslung mit der Verleihung des Literaturnobelpreises an Gerhard Hauptmann im Jahre 1912.

221 Vgl. Maurer 1999, 35.

222 Vgl. Heuer, Renate: Lexikon deutsch-jüdischer Autoren, Band 18, Berlin; New York 2010

223 Breuer 1975, 32.

224 ÖBL 1815–1950, Bd. 1 (Lfg.2, 1954), 111; auch Breuer 1975, 31 weist ausdrücklich auf diese Skulptur hin.

225 Das Gemälde hängt in der Oblastní Galerie v Libereci (Regionalgalerie in Reichenberg), es stammt aus dem Familienbesitz der Liebiegs. Im Jahr 2013 wurde es ausgestellt im Stadtmuseum Zittau anlässlich einer Ausstellung zum Thema Phänomen-Fahrzeuge.

226 Vgl. Musil, Robert: Der Mann ohne Eigenschaften, Wien 1932, 291.

227 Vgl. Dorotheum Wien, Kunstabteilung, 405 Kunstauktion, Versteigerung der Wohnungseinrichtung von Frau Jenny Mautner, Wien I, Löwelstraße 8, Auktion 17. Bis 18. November 1930.

228 Der Auktionskatalog des Dorotheums von 1930, 17 verzeichnet folgende Stücke: vier Salzstreuer, eine Pfeffermühle, ein Zuckerstreuer, ein Senftiegel, zwei Zahnstocherbehälter, zwei Flaschenuntersetzer, eine Karaffine, zwei Blumenvasen, zwei Fruchtkörbe, zwei Blumenjardinieren als Tischgarnitur, alles in Silber, teilweise mit Malachit und Korallen besetzt.

229 So auch bei Neuerscheinungen wie Peham, Helga: Die Saloniéren und die Salons in Wien. 200 Jahre Geschichte einer besonderen Institution, Graz 2013 oder Staudinger, Barbara: Salon Austria. Die großen Köpfe österreichisch-jüdischer Kultur. Wien 2013.

230 Kalbeck-Mautner 1968,16.

231 Breuer 1975, 28.

232 Breuer 1975, 30.

233 Ebda.

234 Kalbeck-Mautner 1968, 17.

235 Breuer 1975, 35.

236 Breuer 1975, 31.

237 Gemeint ist das damalige Wiener Pädagogium in der Hegelgasse 2.

238 Breuer 1975, 31.

239 Ebda.

240 Ebda.

241 Ebda.

242 Ebda.

243 Breuer 1975, 28.

244 Breuer 1975, 31.

245 Vgl. Seebauer, Renate: Frauen, die Schule machten, Wien 2007, 63.

246 Seebauer 2007, 62.

247 Breuer 1975, 33.

248 Breuer 1975, 34.

249 Müller 2008, 145.

250 Brief von Käthy Breuer vom 12.03.1968 in: Unser Währing, 3. Jg., H. 1 (1968), 14.

251 Marie Mautner fügte ihrem Brief vom 26.08.1911 an Max Burckhard ein Foto bei, das sie gemeinsam mit einem Bergführer auf einem Gletscher im Engadin zeigt; Wienbibliothek, Handschriftensammlung, Teilnachlass Max Eugen Burckhard, IN 67633.

252 Breuer 1975, 16.

253 Breuer 1975, 33.

254 Breuer 1975, 34.

255 Vgl. Maurer, Lutz: Wenn du nur schon bey mir wärest. Aus Tagebüchern und Briefen von Erzherzog Johann und Anna Pochl, Grundlsee 1997.

256 Vgl. Sandgruber 2013, 200.

257 Doderer, Heimito v.: Die Strudlhofstiege, Wien 1951, 63–67.

258 Vgl. Sandgruber 2013, 204 f.

259 Breuer 1975, 27.

260 Vgl. Mayrhuber, Alois: Künstler im Ausseer Land, Graz, Wien, Köln 1995 (3.), 132–137.

261 Mautner, Stephan: Trattenbach, Wien 1918,123.

262 Brief von Marie Mautner an Max Burckhard vom 26. August 1911; Wienbibliothek, Handschriftensammlung, Teilnachlass Max Eugen Burckhard, IN 67635.

263 Geramb, Viktor v.: Verewigte Gefährten. Ein Buch der Erinnerung, Graz, 1952, 60.

264 Brief an Bertha Veit 1904 über einen Besuch in Rosenberg, nach Maurer, 39.

265 Geramb 1952, 60.

266 So in Wikipedia oder im Österreichischen Musiklexikon Band 3, Wien 2004.

267 Laut Müller 2008, 143 fungierte Konrad Mautner als „Generaldirektor-Stellvertreter" im väterlichen Unternehmen"; abgesehen davon, dass in den zeitgenössischen Quellen der Begriff „Vizepräsident" üblich war, hatte Konrad in keinem einzigen Unternehmen diese Position inne. Vizepräsident war nur Stephan, niemals aber Konrad.

268 Vgl. Nora Schönfellinger (Hrsg.): Conrad Mautner, großes Talent, Altaussee 1993.

269 Vgl. Geramb 1952, 64.

270 Vgl. Kalbeck-Mautner 1968, 5.

271 Präger, Max und Schmitz, Siegfried: Jüdische Schwänke. Eine volkskundliche Studie, Wiesbaden 1964, 196; bei dem genannten Bankier handelt es sich ver-

mutlich um Rudolf Sieghart; auch Konrads Cousin Fritz Wärndorfer war mit seiner Frau zum Protestantismus übergetreten; der Übertritt zum Protestantismus signalisierte offenbar tatsächlich eine besondere Radikalität in der Abkehr von der jüdischen Herkunft.

272 Geramb 1952, 63.

273 Vgl. Pollner 2005, 79.

274 Stiefel, Dieter: Camillo Castiglioni oder die Metaphysik der Haifische, Wien 2013, 321 f.

275 Die Romanfigur Diotima in Robert Musils „Mann ohne Eigenschaften" ist Eugenie Schwarzwald nachgestaltet. Vgl. Streibel, Robert (Hg.): Eugenie Schwarzwald und ihr Kreis, Wien 1996.

276 Geramb 1952, 67.

277 Lüders, Christian: Teilnehmende Beobachtung, in: Bohnsack, R.; Marotzki, W.; Meuser, M. (Hg.): Hauptbegriffe Qualitativer Sozialforschung, Opladen 2003, 151–153; fünf Jahre später wurde diese Methode in der berühmten Studie „Die Arbeitslosen von Marienthal" angewandt, die sich mit den sozialen Folgen des Zusammenbruchs einer Textilfabrik beschäftigt, die einige Jahre auch Konrads Vater gehört hatte.

278 Pollner 2005, 73.

279 Pollner 2005, 74.

280 Auch im Vorwort von „Alte Lieder und Weisen aus dem Steyermärkischen Salzkammergute, Wien 1919, XVIII" beschreibt Konrad Mautner am Ende mit großer Emphase, dass „der Schreiber dieser Zeilen Sang und Tanz oft und oft bis in den lichten Morgen gehuldigt" habe. Das klingt nicht nach einem kranken Mann.

281 Zeitschrift für österreichische Volkskunde, XV. Jahrgang 1909, Wien, 161–169.

282 Mautner, Konrad: Unterhaltungen der Gößler Holzknechte, in: Zeitschrift für österreichische Volkskunde, XV. Jahrgang 1909, Wien, 161.

283 Mautner, Konrad 1909, 162.

284 Angesichts der zeitlichen Nähe von jüdischer Hochzeit auf Wunsch des Vaters und großzügiger Übernahme der Druckkosten durch den Vater ist der Verdacht nicht von der Hand zu weisen, dass es zwischen beiden Ereignissen einen Zusammenhang gab. Die Originalausgabe des Raspelwerks ist heute eine teuer gehandelte bibliographische Rarität. Im Jahr 1977 erschien ein von Hans Schneider in Tutzing herausgegebener Nachdruck, im Jahr 2005 ein weiterer Nachdruck, der vom Verein für Volkslied und Volksmusik e.V. in München herausgegeben wurde. Beide Nachdrucke sind allerdings vergriffen.

285 Einladung zur Subskription auf das im Verlage von Städelin & Lauenstein, Wien I, erscheinende farbige Büchlein: Steyerisches Raspelwerk, 2–3.

286 Brief Konrad Mautner vom 24.08.1911 an Max Burckhard; Wienbibliothek, Handschriftensammlung, Teilnachlass Max Eugen Burckhard, IN 67634.

287 Pollner 2005, 79.

288 Mautner, Konrad: „Alte Lieder und Weisen aus dem Steyermärkischen Salzkammergute, Wien 1919, IX.

289 Ebda.

290 Pollner, 2005, 79 erklärt die Tatsache, dass in dieser letzten Lieferung Konrad Mautners Name nicht genannt wird, dies sei wegen der NS-Herrschaft geschehen. Das ergibt allerdings keinen Sinn, denn 1935 hatten die Nazis in Österreich noch nichts zu bestimmen.

291 Vgl. Alpenpost 17/ 2010, 16/2011 und Nr 17 vom 18.08.2010.

292 Vgl. Breuer 1975,18.

293 Vgl. ebda.

294 ÖNB 342266; 14216560; Soldaten-Frühlings-Fest-Einladung-Bockkeller in Nußdorf, Plakat vom 02.06.1915, gestaltet von Stephan Mautner und Alexander Wilhelm Wolf.

295 Vgl. Kalbeck-Mautner 1968, 5.

296 Vgl. www.artnet.de; es handelt sich um die Pastellarbeit „Treppe in einem Landhaus", 35,5 x 35 cm aus dem Jahr 1904 und um die mit Wasserfarben und Bleistift ausgeführte Arbeit „Tiroler Stube mit abgelegten Kleidungsstücken über einem Stuhl" von 1904, Format 47 x 35 cm.

297 Mautner, Stephan: Bericht über eine kaufmännische Studienreise nach Ostasien, Wien 1899, 1.

298 Mautner, Stephan, 1899, 11.

299 Mautner, Stephan, 1899, 20.

300 Vgl. Mautner, Stephan, Farbige Stunden, Wien 1921.

301 Mautner, Stephan 1899, 20.

302 Bosnische Forstindustrie Eissler & Ortlieb AG in Wien und Zavidovic (heute Zavidovici); vgl. *Neue Freie Presse*, 29.07.1919, 15.

303 Die Adresse lautete bis 1922 Karl-Ludwig-Straße 89, danach Weimarer Straße 53; vgl. Lehmann, Namenverzeichnis 1923, 851.

304 Vgl. Hofmann, Thomas; Debéra, Ursula: Ausflüge in Vororte, Wien; Köln; Weimar 2004, 92; Fritz Wärndorfer wohnte zusammen mit der Familie seines Bruders August in der Karl-Ludwig-Straße 45/Weimarer Straße 59; auch die Eltern lebten in der gleichen Straße in der Nr. 35; vgl. Lehmann, Namenverzeichnis 1902, 1387.

305 k.k. Handelsgericht Wien, Band XVIII, Pag. 218, Abteilung VIII, Eintrag 27. April 1901.

306 Vgl. Geschäftsbericht 1917.

307 *Wiener Zeitung*, 13.01.1912.

308 *Wiener Zeitung*, 17.12.1913.

309 *Wiener Zeitung*, 07.05.1915.

310 *Wiener Zeitung*, 31.03.1916.

311 Es handelte sich um ein 1912 beschlossenes Preiskartell der Baumwollspinnereien, das auch eine Produktionsbeschränkung einschloss. Besitzer von 3,6 Mill.
Spindeln traten bei, die Eigentümer weiterer 180000 Spindeln verpflichteten sich
zur Kooperation. Vgl. Kartell-Rundschau 10 (1912), 862 ff.; nach: Resch, Andreas:
Industriekartelle in Österreich vor dem Ersten Weltkrieg. Organisationstendenzen und Wirtschaftsentwicklung von 1900 bis 1913, Berlin 2002, 137.

312 *Wiener Zeitung*, 25.08.1917.

313 Franziska Mautner starb am 04.11.1924 im Alter von 14 Jahren, sie wurde im
Familiengrab auf dem Döblinger Friedhof beerdigt; vgl. *Neue Freie Presse*,
07.11.1924, 23.

314 So geht aus einem Brief Marie Mautners hervor, dass Isidor Mautner 1911 seinen
Kuraufenthalt in Wiesbaden verbrachte; Marie Mautner, Brief vom 26.08.1911
an Max Burckhard; Wienbibliothek, Handschriftensammlung, Teilnachlass Max
Eugen Burckhard, IN 67633.

315 Mautner, Stephan: Trattenbach, Privatdruck Wien 1918; unter dem Titel „das
Haus an der Dürr" erschien das gleiche Buch im gleichen Jahr als Buchhandel-
sausgabe.

316 Mautner, Stephan, 1918, 16.

317 Industrie Compass Band VI, 1919.

318 Mautner, Stephan, 1918, 16.

319 Ebda.

320 Vgl. Mautner, Stephan 1918, 147.

321 k.k. Handelsgericht Wien, Band XVIII, Pag 218, Abtheilung VIII, Eintrag 18. Mai
1894.

322 Vgl. Geburtsmatrikel Náchod für 1897.

323 Mautner, Stephan 1918, 26–27.

324 Vgl. von Geramb 1950, 62.

325 Vgl. Sandgruber 2013, 443; Moritz Sobotka lag 1910 in der Liste der Wiener Ein-
kommensmillionäre auf Platz 497.

326 Mautner, Stephan 1918, 75.

327 Mautner, Stephan: Farbige Stunden, 2. Teil, Wien 1927, 55.

328 Für Müller, 2008, 149 f. reichten die einschlägigen literarischen Veröffentlichungen Stephan Mautners offensichtlich nicht aus, um dessen Bezeichnung als
Schriftsteller zu rechtfertigen. Er führt daher auch noch Mautners Kommissions-
bericht von 1899 für das Handelsministerium und sogar ein Stoffmusterbuch der
Guntramsdorfer Druckfabrik AG als Beleg seiner schriftstellerische Leistungen
auf. Ein irritierender Versuch, ein umfangreiches Oeuvre zu suggerieren. Noch
weniger lässt sich die Aussage in Lutz Maurer 1999, S. 46 nachvollziehen, Stephan
Mautner sei „nach dem Zusammenbruch des Textilimperiums ein erfolgreicher
Schriftsteller und Maler" geworden, Tatsache ist, dass Stephan Mautner nach

dem Zusammenbruch des Textilimperiums kein Wort mehr veröffentlicht hatte und die beiden einzigen Bilder, die Stephan Mautner jemals nachweisbar verkauft hatte, waren bereits 1904 gemalt worden.

329 Hugo Meisl. Unsere Zukunft, in: *Neues Wiener Sportblatt*, Nr. 19 vom 25.12.1918, 1; dazu: Hafer, Andreas; Hafer, Wolfgang: Bundeskapitän und „un des principaux journalistes sportifs", in: Marschik, Matthias und Müller, Rudolf: „Sind's froh, dass Sie zu Hause geblieben sind". Mediatisierung des Sports in Österreich, Göttingen 2010, 123.

330 Vgl. Roman Sandgruber, Geschichte Österreichs, Band VI, das 20. Jahrhundert, Wien 2003, 47.

331 Susanne Reppé: Der Karl-Marx-Hof, Wien 1993, 19; insgesamt waren es bis zum Jahr 1934 nicht weniger als 61.175 Wohneinheiten.

332 Zwischen 1918 und 1938 erhielten folgende Österreicher den Nobelpreis: Fritz Pregl 1923 (Chemie), Richard Zsigmondy 1925 (Chemie), Julius Wagner-Jauregg 1927 (Medizin), Karl Landsteiner 1930 (Medizin), Erwin Schrödinger 1933 (Physik), Otto Loewi 1936 (Medizin), Viktor Franz Hess 1936 (Physik), Richard Kuhn 1938 (Chemie).

333 Eine eindrucksvolle Schilderung dieses Elends liefert Joseph Roth in seinem Roman „Die Rebellion", Berlin 1924.

334 Sandgruber 2005, 354–55.

335 Ebda.

336 Schreiben der Vereinigten Österreichischen Textilwerke AG vormals Isaac Mautner & Sohn vom 29.04.1919; AT-OeStA AdR HBbBhT BMfHuV Allg Reihe Sekt IV 1919 18002.

337 „augenblicklich" wurde handschriftlich eingefügt, ursprünglich stand dort „derzeit".

338 d.ö. Staatsamt für soziale Verwaltung, Schreiben vom 20.05.1919, AT-OeStA/AdR HBbBhT BMfHuV Allg Reihe Sekt IV 1919 18002.

339 Laut Sandgruber 2013, 398 versteuerte Isidor Mautner im Jahr 1910 ein Einkommen von knapp 600.000 Kronen und lag damit in Wien an 64. Stelle. Im Jahr zuvor waren es sogar 770.000 Kronen gewesen. Angesichts der glänzenden Gewinne, die im Krieg erzielt wurden, dürften es um 1917 noch deutlich mehr gewesen sein.

340 Industrie-Compass 1919 Bd. II, 2496/1.

341 Vgl. J. B. Kinnen: Die Entwicklung der Banken in Österreich von 1919–1929, Wien 1979, 11.

342 13. Generalversammlung der Textilwerke Mautner AG 1920, 3.

343 Protokoll der außerordentlichen Generalversammlung der Textilwerke Mautner AG 1921, 5.

344 14. Generalversammlung der Textilwerke Mautner AG 1921, 7.

345 Der Beitrag über Isidor Mautner in der NDB ordnet Priewald der Steiermark zu, ein offenbar war dem Autor nicht bekannt, dass es sich bei Priewald und Prebold um denselben Ort handelt.

346 Kresal, France: Tekstilna industrija v Sloveniji, Ljubljana 1976, 56–57; die LKB war eine tschechische Gründung (1900) und blieb daher nach dem Krieg von den Restriktionen der Siegermächte unberührt. Dennoch gelang es der slowenischen Verwaltung, den Anteil der Tschechen an der Bank auf 20 Prozent zu drücken. Vgl. Kresal 1976, 56.

347 Vgl. Investitionsaufstellung Textilwerke Mautner AG vom 01.03.1919, Státni oblastni archiv v Zámrsku, Blatt 22, Mautnerovy textilni sávody, akc. spol., Náchod.; verkauft wurden auch die anderen Besitzungen in Österreich, nämlich die Realität Pottenstein im Wert von 126.024 Kronen an die Pottensteiner Baumwollspinnerei und die Liegenschaft Wien 18, Eduardgasse für 290.436,20 Kronen. Für Trattenbach wurden übrigens 452.357,49 Kronen erlöst.

348 Vgl. 15. Generalversammlung der Textilwerke Mautner AG 1922, 3.

349 Statuten der Textilwerke Mautner AG vom 14. Dezember 1923.

350 SAC 31151/Sign.62 Bd.2, 505.

351 *Die Wirtschaft*, Prag, 04.07.1925.

352 19. Generalversammlung der Textilwerke Mautner AG 1926, 3.

353 *Wiener Zeitung*, 22.05.1921, 8.

354 Stephan Mautner saß 1921 im Verwaltungsrat der Textilwerke Mautner AG, der Pottendorfer Baumwollspinnerei und Zwirnerei AG, der Steyrermühl Papierfabriks- und Verlagsgesellschaft, der Felixdorfer Weberei und Appretur AG und der Vita, Großeinkaufsstelle für industrielle Konsumanstalten Österreichs AG.

355 Kinnen, 13.

356 Kinnen, 35.

357 Kinnen, 51.

358 Vgl. *Die Stunde*, 28.07.1923, 3; bei weitem den höchsten Gewinn verzeichnete das Syndikat Hugo Stinnes/Camillo Castiglioni mit 412.000 Mill. Kronen.

359 *Wiener Zeitung*, Amtsblatt, 684 vom 02.08.1921.

360 Es handelt sich um Michael Engel, Großgrundbesitzer in Budapest, Aladar Fonagy, Generaldirektor der Ungarischen Holzbank AG a.D., Dr. Theodor Helvey, Großindustrieller in Budapest.

361 Vgl. Kinnen 23.

362 K. Ausch: Als die Banken fielen, Wien 1968, 25.

363 Reichspost, 06.06.1924.

364 Reichspost, 08.06.1924, 12.

365 Vgl. Sandgruber, 2005, 359.

366 Sigmund Bosel war 1918 mit 25 Jahren bereits Goldkronenmillionär, im Alter von 30 Jahren „Trillionär", drei Jahre später war das Vermögen weitgehend wie-

der verloren. 1942 wurde er nach Riga deportiert, und während des Transports vom SS Mann Alois Brunner brutal ermordet. Vgl. Sandgruber, 2005, 360.

367 Sandgruber, 2005, 362.

368 Sandgruber, 2005, 357.

369 Vgl. Kinnen, 65.

370 Vgl. Sandgruber 2005, 362.

371 Kinnen, 66.

372 Vgl. Stiefel 2013, 300; Schumpeter war zuvor Österreichischer Finanzminister gewesen. Er hatte selbst bei der Biedermann Bank sein gesamtes Vermögen verloren, ging anschließend an die Universität Bonn und lehrte ab 1932 in Harvard (USA).

373 Vgl. Stiefel 2013, 105–112.

374 Sandgruber 2013, 355.

375 *Neue Freie Presse*, 27.02.1926; der Bericht verweist allerdings darauf, dass Haas schwer krank war, sein Selbstmord war offenbar auch dadurch bedingt.

376 Ebda.

377 Vgl. Kinnen, 21.

378 Vgl. *Der Abend*, 30.07.1927, genannt werden die Gebr. Brünner AG, die Gaudenzdorfer Oel AG und die Mobilbank AG.

379 *Neue Freie Presse*, 23.08.1926, 8; Neues Wiener Tagblatt, 31.07.1928.

380 Industrie-Compass 1926/27, 1346.

381 Vgl. Müller 2008, 57.

382 Österreichische Textilwerke AG, vormals Isaac Mautner & Sohn, Investitionsaufstellung 1918, Státni oblastni archiv v Zámrsku, Blatt 22, Mautnerovy textilni sávody, akc. spol., Náchod.

383 Vgl. Müller 2008, 83.

384 Vgl. Sandgruber 2013, 235; Müller 2008, 89.

385 Vgl. *Prager Börsen Courier*, 02.12.1930, 338. Demnach soll Mautner tagelang vergeblich um einen Kredit gebettelt haben und war dann gezwungen, seinen ganzen Aktienbesitz zu opfern, um die Fabrik kaufen zu können. So kann es aber nicht gewesen sein, dagegen spricht alleine schon die Zusammensetzung der Gesellschafter.

386 Laut *Freier Neuer Presse*, 13.09.1925, 21, die sich wiederum auf einen Bericht der *Reichenberger Zeitung* bezieht, hatte Isidor Mautner den „gesamten Aktienbesitz" der Fabrik erworben. Das ist allerdings eine sehr ungenaue Aussage, denn es sind auch Vertreter der Vereinigten Österreichischen Textilindustrie und der Bodencreditanstalt als Gesellschafter eingetragen. Ebenso ungenau ist die Aussage bei Müller 2008, 141, im Juni habe „die mächtige Vereinigte Österreichische Textil-Industrie Mautner Aktiengesellschaft von Isidor Mautner und dessen Sohn Stephan" die Textilfabrik Marienthal übernommen. Weder Isidor noch

Stephan Mautner hatten die Machtbefugnisse, um im Namen dieser Firma zu handeln. Davon abgesehen lautete der richtige Name des Unternehmens „Vereinigte Österreichische Textilindustrie AG" (ohne „Mautner"). Nicht stimmen kann auch die Aussage bei Mathis 1987, 317, das Eigentum an Trumau-Marienthal sei bereits 1926 an ein Konsortium mit italienischer Beteiligung übergegangen. 1927 sind immer noch Isidor und Stephan Mautner im Handelsregister als Gesellschafter eingetragen, während die Vertreter der italienischen Textilgruppe erst 1930 im Handelsregister auftauchen.

387 Lehmann, protokollierte Firmen 1928, 26.

388 Lehmann, protokollierte Firmen 1928, 250.

389 Eintrag ins Handelsregister Wien, Pag. 17 vom 30.08.1927, WStLA/ M.Abt. 119, A10/1: 4953/1927.

390 *Neue Freie Presse*, 13.09.1925, 21; der Ort liegt etwa dreißig Kilometer von Náchod entfernt.

391 Müller 2008, 150.

392 Ebda.

393 Eintrag ins Handelsregister Wien, Pag. 18 vom 30. August 1927, WStLA/ M.Abt. 119, A10/1: 4953/1927.

394 Müller 2008, 141–152.

395 Der Beitrag im *Prager Börsen-Courier*, 02.12.1930, 338 spricht von 38 Millionen tschechischen Kronen.

396 *Reichspost*, 26.08.1928.

397 Vgl. Müller 2008, 151.

398 *Prager Börsen-Courier*, 02.12.1930, 338.

399 Sandgruber 2003, 388.

400 Vgl. Müller 2008, 150–152.

401 Vgl. Müller 2008, 152.

402 Jahoda, Marie; Lazarsfeld, Paul F.; Zeisl, Hans: Die Arbeitslosen von Marienthal. Ein soziographischer Versuch mit einem Anhang zur Geschichte der Soziographie. Leipzig 1933; die Studie wurde in zahlreiche Sprachen übersetzt, vgl. Müller 2008, 277–279.

403 *Neue Freie Presse*, 02.04.1924, 11.

404 Vgl. Heinkel, Ernst: Stürmisches Leben, Oberaching 1953, 49–66; Ernst Heinkel entdeckte die Bedeutung der Aerodynamik für die Verbesserung der Flugeigenschaften und ließ auf eigene Kosten das erste Düsenflugzeug der Welt konstruieren.

405 Vgl. Dieter Stiefel: Camillo Castiglioni oder die Metaphysik der Haifische, Wien 2012, 32–36. Ernst Heinkel schenkte Camillo Castiglioni seine Biographie „ein stürmisches Leben" mit der Widmung „Meinem alten Chef vom Jahre 1914/1918 u. jetzigen treuen Freund ‚Camillo' mit den herzlichsten Wünschen, 26. Oktober 1956"; Faksimile Stiefel 2013, 32.

406 Kraus, Karl: *Die Fackel*, Nr. 632, Oktober 1923, 159.

407 Vgl. Huerner-Strobele, Christiane; Schuster, Käthy: Das Theater in der Josef-stadt. Eine Reise durch die Geschichte eines der ältesten Theater Europas, Wien 2011, 25. Demzufolge soll Castiglione gesagt haben: „Ich höre, Sie suchen ein Theater in Wien. Bitte sagen Sie mir welches, ich möchte es Ihnen schaffen."

408 Stiefel 2013, 64.

409 Pollner 2010, 24.

410 So beispielsweise Huemer-Strobele; Schuster 2011, 25.

411 Heide, Angela: „ …auf Betreiben des Prof. Max Reinhardt." Die Wiener Schau-spielhaus AG von ihrer Gründung bis 1954, in: Gerald M. Bauer; Birgit Peter: Das Theater in der Josefstadt. Kultur, Politik, Ideologie für Eliten? Wien 2010, 64.

412 Kalbeck-Mautner 1968, 16.

413 Vgl. Engelmann, Isa: Reichenberg und seine jüdischen Bürger, Berlin 2012.

414 Kalbeck-Mautner 1968, 17.

415 Heide 2010, 66.

416 Vgl. Heide, 2010, 71–73; bereits seit 1933 ist die Gesellschaft in Lehmann – proto-kollierte Firmen nicht mehr verzeichnet.

417 ÖTM, Teilnachlass Max Reinhardt, 28/604/9; zit. nach Heide 2010, 71.

418 *Neue Freie Presse*, 31.10.1926.

419 *Neue Freie Presse*, 21.07.1926, 9–10.

420 *Der Abend*, 30.07.1928.

421 Vgl. Bericht *Reichspost*, 26.08.1928.

422 *Wiener Allgemeine Zeitung*, 07.08.1928.

423 *Neue Freie Presse*, 08.03.1930.

424 Aktennotiz Präs. Rahl, Bundesministerium für Handel und Verkehr v. 21.12.1927; AT-ÖStA/AdR HBbuT BMfHvV. Präs. Auszeich. an M. Mautner Isidor, 1927.

425 Ebda.

426 Geschäftsbericht der Deutschen Textilwerke Mautner 1926, Breslau 1927.

427 Geschäftsbericht der Deutschen Textilwerke Mautner 1927, Breslau 1928.

428 SAC 31151/ Sign. 131, Bilanzprüfung 1929.

429 Geschäftsbericht der Plauener Baumwollspinnerei vom 15. Juli 1930.

430 *Neue Freie Presse*, 07.10.1929.

431 Sandgruber, 2005, 388.

432 Worliczek , Adalbert: Sanierung der Mautner A.-G., in Der deutsche Volkswirt, 14.11.1930, 107–109.

433 Ludwig Wagner 1930 im Bericht „die Arbeitslosen von Marienthal", zit. n. Müller 2008, 15.

434 Graf Wilczek war Sohn Johann Nepomuk Wilczeks, des Entdeckers des Franz-Jo-sephs-Landes, Ehrenbürger Wiens, der die Burg Kreuzenstein in der Nähe Wiens

für seine Sammlungen errichten ließ. In der Liste der reichsten Wiener nahm er 1910 Platz 20 ein; vgl. Sandgruber 2013, 461.

435 Richard Nepomuk Coudenhove (1894–1972) war Schriftsteller und Politiker, Begründer der Paneuropa-Bewegung; vgl. Müller 2008, 147.

436 Richard Schoeller (1871–1950) war Universalerbe der Großindustriellen- und Bankiersfamilie von Schoeller; vgl. Sandgruber 2013, 435, Platz 34 in der Liste der reichsten Wiener. Er saß gemeinsam mit Isidor Mautner und Theodor von Liebieg im Verwaltungsrat der Bodencreditanstalt.

437 Max Wertheimer war ein Wiener Unternehmer, nicht zu verwechseln mit dem berühmten Psychologen und Erfinder der Gestalt-Theorie gleichen Namens.

438 Franz Schneiderhan (1863–1938) war Generaldirektor der österreichischen Bundestheater.

439 Dr. Max Grunwald (1871–1953) war ab 1913 in Wien für den Leopoldstädter Tempel tätig, später Wiener Oberrabbiner. 1926 verfasste er eine Geschichte der Wiener Juden bis 1914.

440 Dr. med. Eugen Stiaßny, geb. 1872 in Horitz (Horice) in Böhmen, war 1910 aus dem Judentum ausgetreten; vgl. Staudacher 2009, 593.

441 *Neue Freie Presse*, 16.04.1930, 6.

442 Vgl. Sandgruber 328; Hugo Mensdorff-Pouilly-Dietrichsteins (1858–1920) war 1910 die Nummer 262 in der Liste der reichsten Wiener.

443 Vgl. Sandgruber 2013, 328.

444 Vgl. agso.uni-graz.at/marienthal/biographien/hartenau_johanna; Stand 10.01. 2014.

445 *Prager Tagblatt*, 15.04.1930, 3.

446 Achter Bericht des amtsführenden Stadtrates für Kultur und Wissenschaft über die gemäß dem Gemeinderatsbeschluss vom 29. April 1999 erfolgte Übereignung von Kunst- und Kulturgegenständen aus den Sammlungen der Museen der Stadt Wien sowie der Wienbibliothek im Rathaus, Wien 2008, 101.

447 Vgl. Dorotheum Wien, Kunstabteilung, 405. Kunstauktion, Versteigerung der Wohnungseinrichtung der Frau Jenny Mautner, Wien I, Löwelstraße 8, Auktion 17. bis 18. November 1930.

448 Vgl. Achter Bericht 2008, 102.

449 Wolsey-Mautner, Anna: Erinnerungen an meine Eltern, in: Nora Schönfellinger (Hrsg.): Conrad Mautner, großes Talent, Grundlsee 1999, 21.

450 Vgl. Reischauer, Martina: Lebendiges Erbe: der Mautner-Handdruck, in: Nora Schönfellinger (Hrsg.): Conrad Mautner, großes Talent, Grundlsee 1999. 134 f.

451 24. Generalversammlung der Textilwerke Mautner AG, 12. Feber 1932, 4.

452 Vgl. Rede des Abgeordneten Ernst Seidel im Parlament der Tschechoslowakischen Republik vom 4. Februar 1932, der zufolge in der Textilindustrie mehr als die Hälfte der Betriebe stillgelegt wurden und „die deutschen Gebiete der Tsche-

choslowakei eine einzige Hungerzone" seien. Poslanecká Snemovna Parlamentu Ceske Republiky, NS RCS 1929–1935, Ctvrtek 4. Února 1932, 167. schúze.

453 Vgl. Wixforth, Harald: Die Expansion der Dresdner Bank in Europa, München 2006, 91–92.

454 Vgl. Wixforth, 109; Korrespondenz zwischen Jaroslav Preiss und Stephan Mautner vom 12. und 21.08.1938; AČNB, Fond ŽB, VIII-1-I/544.

455 Ing. Bogen Milos Linhart/ Mag. Viktor Vlach, kauza Tepna aneb Co si zbouráme, Náchod 2013; www. bohemiaorientalis.cz.

456 Ebda.

457 Eine anschauliche Darstellung der Ereignisse liefert Elias Canetti in seiner Autobiografie „Die Fackel im Ohr"; vgl. Canetti, Elias: Die Fackel im Ohr, München; Wien 1980, 274 f.; diese Beobachtungen dienten ihm als Grundlage für sein sozialphilosophisches Werk „Masse und Macht".

458 Vgl. Goldinger, W.; Binder, D.A.: Geschichte der Republik Österreich 1918–1938, Wien 1992, 132.

459 Vgl. Hafer; Hafer 2007, 293–296.

460 Zuckmeyer, Carl: Als wär's ein Stück von mir, Frankfurt 1966, 84.

461 Bericht Elizabeth Baum-Breuer, 26.12.2013.

462 Vgl. Troller, Georg Stefan: Das fidele Grab an der Donau. Mein Wien 1918–1938, Düsseldorf; Zürich 2004, 253.

463 BHA der ÖNB, RB-Akten „Verl. Isidor Mautner": Tgb. Nr. 1403/1938, Schreiben von Dr. Georg Breuer an die DRB, Hauptstelle Wien, 17.12.1938, zit. n. Weidinger, Leonhard: Dossier zur Geschichte des Geymüllerschlössels 1929–1965, Wien 2006, 5, Anm. 24.

464 Jenny Mautners Nichte Eveline hatte den Großindustriellen Oskar von Wahl geheiratet. Anna, die Ehefrau Konrad Mautners, war Evelines Schwester, Vera Evelines erste Tochter, also Annas Nichte. Vera war in erster Ehe mit Franz Xaver Graf von Wimpffen (1899–1972) verheiratet, der Palais in Wien, Budapest und Venedig besaß. 1910 nahm er in der Liste der reichsten Wiener den Platz 887 ein; vgl. Sandgruber 2013; vgl. www.pesterlloyd.net/html/1232zwackpeter.html.

465 Breuer 1975, Anm. 27.

466 Wolsey-Mautner, Anna: Erinnerungen an meine Eltern, 22–23, in: Schönfellinger, Nora (Hrsg): Conrad Mautner, großes Talent, Grundlsee 1999.

467 Vgl. Achter Bericht 2008, 122; am 14. Dezember machte Anna Mautner Ausgaben über 1.300 RM für ihren „bereits ausgewanderten Sohn Lorenz Mautner" geltend.

468 Achter Bericht 2008, 110.

469 Achter Bericht 2008, 105 f.

470 Achter Bericht 2008, 110.

471 Vgl. Weidinger 2006, 5; Der Wert des Schlössels betrug demzufolge im Jahr 1931 139.000 Schilling.

472 Vgl. Weidinger, 7.

473 Vgl. Weidinger 8.

474 Vgl. Weidinger, 11.

475 Weidinger, 12.

476 Weidinger 14.

477 Weidinger 17.

478 Wolsey-Mautner 1999, 22; Achter Bericht 2008, 111.

479 Wolsey-Mautner 1999, 22.

480 Wolsey-Mautner 1999, 22, Achter Bericht 2008, 112.

481 Information Elizabeth Baum-Breuer, 14.01.14; Harold Hartley wurde 1928 geadelt für seine Forschungen im Bereich der physikalischen Chemie; ab 1930 war er in der Wirtschaft tätig und Vorsitzender der britischen Brennstoffkommission. Nach 1945 wurde er Vorstand der britischen Flugverkehrslinien BEA und BOAC und war Präsident zahlreicher wissenschaftlicher Gesellschaften, vgl. www.wilhelmexner.org/preistraeger, Stand 14.02.14.

482 Information Antonia Kalbeck vom 24.02.2014.

483 Eine eindrucksvolle Schilderung hierzu findet sich bei Zuckmayer 1966, 93–111.

484 Vgl. Venus, Theodor; Wenck, Alexandra-Ellen: Die Entziehung jüdischen Vermögens im Rahmen der Aktion Gildemeester, Wien 2004, 97 f.

485 Vgl. Venus; Wenck, 2004, 259 f.

486 Vgl. Venus; Wenck, 2004, 103 f.

487 Vgl. Venus; Wenck 2004, 266.

488 Vgl. Rosenkranz, Herbert: Verfolgung und Selbstbehauptung. Die Juden in Österreich 1938–1945, Wien 1978, 86.

489 Rosenkranz 1978, 87.

490 Das Bundesarchiv, Gedenkbuch: Opfer der Verfolgung der Juden unter der Nationalsozialistischen Gewaltherrschaft in Deutschland, Koblenz 2006.

491 Angaben nach: Walk, Joseph (Hg.): Das Sonderrecht für Juden im NS-Staat. Eine Sammlung der gesetzlichen Maßnahmen und Richtlinien – Inhalt und Bedeutung, Heidelberg; Karlsruhe 1981.

492 Vgl. Venus; Wenck 2004, 122–126.

493 Venus; Wenck 2004, 169.

494 Venus; Wenck 2004, 419.

495 Vgl. Staudacher 2009, 343; Kuffler emigrierte 1939 mit seiner Familie nach Südamerika, vgl. Venus; Wenck 127, Anm. 288.

496 Ein weiterer leitender Mitarbeiter war Hermann Fürnberg, der 1939 vergeblich versuchte, bei der italienischen Regierung für eine jüdische Kolonie in Abessinien zu werben und sich dann über Rom nach Lissabon absetzte; vgl. Venus; Wenck, 128 (Anm. 294) und 415.

497 Vgl. Venus; Wenck 2004, 172.

498 Vgl. Rosenkranz 1978, 124.

499 Venus; Wenck 2004, 167.

500 Venus; Wenck 408 ff.

501 Vgl. Schreiben Dr. Georg Breuer an den Leiter der Zentralstelle für jüdische Aus-
wanderer, Hauptsturmführer Eichmann, Wien, den 10.03.1939, RGVA, 500-1-692,
62 ff., zit. n. Venus; Wenck 449 (Anm. 948).

502 Vgl. Pirker, Peter: Subversion deutscher Herrschaft. Der britische Kriegsgeheim-
dienst SOE und Österreich, Wien 2012; lediglich bei den um ihre Autonomie
kämpfenden Kärntner Slowenen konnten ansatzweise Widerstandsstrukturen
aufgebaut werden.

503 Pirker 2012, 451 f.; ebenso Kalss, Helmut: Widerstand im Salzkammergut. Neue
Aspekte, Diss. Graz 2013.

504 Vgl. Kuller Christiane: Bürokratie und Verbrechen. Antisemitische Finanzpolitik
und Verwaltungspraxis im nationalsozialistischen Deutschland. Das Reichsfi-
nanzministerium im Nationalsozialismus, Band 1, München 2013.

505 Achter Bericht 2008, 116.

506 Achter Bericht 2008, 100.

507 Achter Bericht 2008, 119.

508 Ebda.

509 Pollner 2005, 91.

510 Vgl. Pollner 2005, 91.

511 Pollner 2005, 91 f.

512 Ebda.

513 EZ 384 KG Grundlsee, BG Bad Aussee, Siehe Mitteilung des OFP Oberdonau vom
5. Juni 1944, in FLD 15482, Stephan Mautner, AdR); zit. n. Lillie, 2003 750.

514 Alpenpost Nr. 16, 04.08.2011, 7.

515 Elfte Verordnung zum Reichsbürgergesetz vom 25. November 1941: § 3 (1) Das
Vermögen des Juden, der die deutsche Staatsangehörigkeit auf Grund dieser
Verordnung verliert, verfällt mit dem Verlust der Staatsangehörigkeit dem Reich.

516 FLD 15842, Stephan Mautner, Teilakt Paul & Marie Kalbeck, AdR, zit. n. Lillie 2003,
750.

517 VUGESTA-Journalbuch, Bd. 6, lfg. Nr. 3463, Marie Kalbeck-Mautner; Bd. 7, lfd. Nr.
4513, Paul Kalbeck, beide VVSt, AdR, zit. n. Lillie 2003, 750.

518 EZ 8, KG Alsergrund, zit. n. Lillie 2003 750.

519 Finanzdirektion Linz, Zl. 69/5 VR 46 an Capt. G. H. Bryant, Allied Commission for
Austria.

520 Vgl. Lillie 2003, 750; Mautner, Stephan: Trattenbach, 95.

521 Sicherstellungsbescheid des Landeshauptmannes in Niederdonau GZ LA VI/
3-61-V-1940 vom 15. Januar 1940, zit. n. Lillie 2003, 752.

522 Schreiben Stephan Mautners an die VVSt vom 5. Dezember 1938, in: VA 7327, Stephan Mautner, VVSt, AdR, zit. n. Lillie 2003, 750.

523 Ausfuhrformular Zl. 8623/ 38, 8866/ 38, 6131/ 39, Stephan Mautner, Zl. 8624/ 38, Therese Mautner, alle: Ausfuhrmaterialien, BDA, zit. n. Lillie 2003, 751.

524 Unbezeichnete Liste, fol. 19, Pos. 8623 und 8866, Anlage zu Ausfuhrformular Zl. 7830/ 38, Karoline Popper, Ausfuhrmaterialien, BDA, zit. n. Lillie 2003, 751; es handelte sich unter anderem um ein Aquarell und ein Ölportrait von Pettenkofen, ein Ölporträt von Lenbach, drei Aquarelle von R. von Alt, zwei Zeichnungen von W. Busch, eine Miniatur von Waldmüller, zwei Zeichnungen von Schwind, eine Landschaft von Kriehuber und ein Aquarell von Ranftl.

525 Achter Bericht 2008, 117.

526 Müller 2008, 142.

527 Lendvai, Paul: Es war ein strahlender Sonntag, *FAZ*, 19.03.2014, 12.

528 Schreiben F. Meruth an Lutz Maurer vom 17.08.2011, Privatarchiv Lutz Maurer, Grundlsee.

529 Information Pamela Tapolcai, 28.04.2014

530 Beschluss des Landesgerichts für Zivilrechtssachen Wien vom 14. bzw. 26. August 1947 (GZ 48 T 2995/46 und GZ 48 T 2996/46), vgl. Achter Bericht 122.

531 Ebda.

532 Auskunft Werner Renz, Fritz-Bauer-Institut, Frankfurt am Main, 17.02.2014.

533 Vgl. Fritjof Meyer: Der Engel von Budapest, in: *Der Spiegel*, 23.07.2001

534 Information Pamela Tapolcai, 28.04.2014.

535 Kalbeck-Mautner, Marie 1968, 17; Achter Bericht 2008, 122; Müller 2008, 143 zufolge wurde dagegen die gesamte Familie nach Auschwitz verschleppt. Mülller hat diesen Irrtum mittlerweile nach einem empörten Anruf der Mautner-Enkelin Elizabeth Baum-Breuer auf seiner Internetseite über Stephan Mautner korrigiert.

536 Bestätigt wird dies durch das Dokumentationsarchiv des österreichischen Widerstandes, Wien, wo in der „Liste von ermordeten österreichischen Juden" unter Stephan Mautner vermerkt ist: „Transport von Ungarn ins Lager."

537 Lendvai 2014, 12.

538 Burckhard, Nina: Rückblende. NS-Prozesse und die mediale Repräsentation der Vergangenheit in Belgien und den Niederlanden, Münster 2009, 212.

539 Zit. n. Ellmauer, Daniela, John, Michael und Thumser, Regine; „Arisierungen", beschlagnahmte Vermögen, Rückstellungen und Entschädigungen in Oberösterreich, Wien 2004, 434.

540 Vgl. Ellmauer u. a. 2004, 432–434.

541 Maurer 1999, 25.

542 Vgl. Pollner 2005, 95.

543 Vgl. Orth, Elisabeth: An meine Gegend. Bad Aussee 1995, 36 f.

544 Finanzdirektion Linz Zl. 69/5 II VR 46 vom 26.08.1946 an Capt. G.H. Bryant, Allied
     Commission for Austria.
545 Vgl. Pollner 2005, 94.
546 Pollner 2005, 93.
547 Weidinger 22.
548 Ebda.

Quellenverzeichnis

Archive

Deutsches Bundesarchiv, Koblenz.
Dokumentationsarchiv des österreichischen Widerstandes, Wien.
Fritz Bauer Institut, Frankfurt am Main.
Hamburgisches Welt-Wirtschafts-Archiv.
National Archives and Records Administration, Records of the Property Control
     Branch of the U.S. Allied Commission for Austria (USACA) Section, 1945–1950,
     Washington D.C. 2010.
Katastrální úřad pro Liberecký kraj, Katastrální pracoviště Jablonec nad Nisou
     (Grundbücher des Kreises Gablonz).
Österreichische Nationalbibliothek, Handschriftensammlung, Wien.
Österreichisches Staatsarchiv (ÖStA), Wien.
Österreichisches Theatermuseum, Teilnachlass Max Reinhardt, Wien.
Sächsisches Staatsarchiv Chemnitz (SAC).
Státni oblastni archiv v Zámrsku (Regionalarchiv Zamrsk, Firmenakten Mautner).
Wienbibliothek im Rathaus, Handschriftensammlung.
Wiener Stadt- und Landesarchiv, Wien (WStLA).
Yad Vashem, zentrale Datenbank der Namen der Holocaustopfer, Jerusalem.

Unbezeichnete Publikationen

Achter Bericht des amtsführenden Stadtrates für Kultur und Wissenschaft über die
     gemäß dem Gemeinderatsbeschluss vom 29. April 1999 erfolgte Übereignung von
     Kunst- und Kulturgegenständen aus den Sammlungen der Museen der Stadt Wien
     sowie der Wienbibliothek im Rathaus, Wien 2008 („Achter Bericht").
Compass, Finanzjahrbuch, Industriejahrbuch, 1919, 1926.
Das Bundesarchiv: Gedenkbuch. Opfer der Verfolgung der Juden unter der National-
     sozialistischen Gewaltherrschaft in Deutschland, Koblenz 2006.
Deutscher Alpenverein und Oesterreichischer Alpenverein: Ausgeschlossen. Jüdische
     Bergsportler und der Alpenverein, München-Innsbruck 2012.

Dorotheum Wien, Kunstabteilung: 405. Kunstauktion, Versteigerung der Wohnungseinrichtung von Frau Jenny Mautner, Wien I, Löwelstraße 8, Auktion 17. bis 18. November 1930.

EVP-Fraktion im Europäischen Parlament: Die Wiedervereinigung Europas. Antiautoritärer Mut und politische Erneuerung, Straßburg 2009.

Fritz Bauer Institut: Auschwitz-Prozess 4 Ks 2/63, Frankfurt am Main-Gent-Köln 2004.

Geschäftsberichte der Österreichischen Textilwerke Aktiengesellschaft vormals Isaac Mautner & Sohn 1906 bis 1919, Wien.

Geschäftsberichte der Textilwerke Mautner Aktiengesellschaft 1920 bis 1932, Prag.

Geschäftsberichte der Deutschen Textilwerke Mautner Aktiengesellschaft, Plauen (1915–1917), Breslau (1918-1929).

Israelitische Gemeinde Náchod: Geburtsmatrikel, Heiratsmatrikel, Sterbematrikel 1782–1890.

Lehmann – protokollierte Firmen, Namensverzeichnis, Häuserverzeichnis 1873–1933.

Neue Deutsche Bibliographie (NDD).

Österreichisches Bibliographisches Lexikon (ÖBL).

Official report, ninth International Congress of Delegated Representatives of Master Cotton Spinners' and Manufacurers' Associations, held in Kurhaus, Scheveningen, June 9th, 10th and 11th, 1913.

Ungarische Textilindustrie Actiengesellschaft in Rószahegy-Fonögyar. Geschichte ihrer Gründung und Entwicklung dargestellt anläßlich des 50-jährigen Geschäftsjubiläums ihres Begründers und Präsidenten, des Herrn Isidor Mautner. Leipzig 1917.

Literaturverzeichnis

Aichelburg, Wladimir: 150 Jahre Künstlerhaus, Wien 2011.

Aichelburg, Wladimir: Das Wiener Künstlerhaus 1861 bis 2001. Bd. 1: Die Künstlergenossenschaft und ihre Rivalen Secession und Hagenbund. Wien 2003.

Anderl, Gabriele; Rupnow, Dirk: Die Zentralstelle für Jüdische Auswanderung als Beraubungsinstitution, Wien; München 2004.

Ausch, Karl: Als die Banken fielen: Zur Soziologie der politischen Korruption, Wien 1968.

Beer, Elisabeth; Ederer, Brigitte: Industriepolitik der österreichischen Banken, in: Wirtschaft und Gesellschaft 3/1987, 353–370.

Beran, Lukás; Vladislava Valcharová: Industriál Libereckého kraje, Praha 2007.

Breuer, Käthy: G'schichten aus dem Elternhaus, Manuskript, Wien 1975, veröffentlicht unter dem Titel Jugenderinnerungen der Schwester Konrad Mautners, kommentiert von Gerlinde Haid, in: Gunter Dimt (Hg.): Volkskunde. Erforscht – gelehrt – angewandt. Festschrift für Franz C. Lipp zum 85. Geburtstag, Linz 1996, 25–36.

Brousek, Karl: Die Großindustrie Böhmens, München 1987.

Brusatti, Alois (Hg): die Habsburger Monarchie 1848–1918, Band 1: Die wirtschaftliche Entwicklung, Wien 1973.

Burckhard, Nina: Rückblende. NS-Prozesse und die mediale Repräsentation der Vergangenheit in Belgien und den Niederlanden, Münster 2009.

Butschek, Felix: Österreichische Wirtschaftsgeschichte, Wien 2011.

Canetti, Elias: Die Fackel im Ohr, München; Wien 1980.

Csendes, Peter; Opöö, Ferdinand (Hg.): Wien. Geschichte einer Stadt von 1790 bis zur Gegenwart, Wien; Köln; Weimar 2006.

de Waal, Edmund: Der Hase mit den Bernsteinaugen, München 2013.

Doderer, Heimito von: Die Strudlhofstiege, Wien 1951.

Drennig, Alfred: Die I. Wiener Hochquellenwasserleitung. Festschrift herausgegeben vom Magistrat der Stadt Wien, Abt. 31 – Wasserwerke, aus Anlass der 100-Jahr-Feier am 24. Oktober 1973, Wien 1973.

Eigner, Peter: Rudolf Sieghart und die Allgemeine österreichische Boden-Credit-Anstalt. Ein Fallbeispiel zur österreichischen Bankenkrise der 1920er und 30er Jahre, in: Berhoff, Hartmut (Hg.): Wirtschaft im Zeitalter der Extreme: Beiträge zur Unternehmensgeschichte Österreichs und Deutschlands, München 2010, 206–225.

Eisermann, Judith: Josef Kainz – zwischen Tradition und Moderne: der Weg eines epochalen Schauspielers, München 2010.

Ellmauer, Daniela; John, Michael; Thumser, Regine: „Arisierungen", beschlagnahmte Vermögen, Rückstellungen und Entschädigungen in Oberösterreich, Wien 2004.

Engelmann, Isa: Reichenberg und seine jüdischen Bürger, Berlin 2012.

Eschenbach, Gunilla: Imitatio im George-Kreis, Berlin 2011.

Eybl, Erik: Von der Eule zum Euro – Nicht nur eine österreichische Geldgeschichte, Wien 2005.

Gaugusch, Georg: Wer einmal war A-K, das jüdische Großbürgertum Wiens 1800–1938, Wien 2012.

Geramb, Viktor von: Verewigte Gefährten. Ein Buch der Erinnerung, Graz, 1952.

Gies McGuigan, Dorothy: Wilhelmine von Sagan. Zwischen Napoleon und Metternich, Wien; München 1994.

Gold, Hugo (Hg.): Die Juden und Judengemeinden Böhmens in Vergangenheit und Gegenwart, Prag 1934.

Goldinger, Waldemar und Binder, Dieter A.: Geschichte der Republik Österreich 1918–1938, München 1992.

Grandner, Margarete: Kooperative Gewerkschaftspolitik in der Kriegswirtschaft. Die freien Gewerkschaften Österreichs im ersten Weltkrieg, Wien 1992.

Gruntzel, Joseph: die österreichische Baumwollindustrie, in: die Gross-Industrie Österreichs, IV, Wien 1898, 193–203.

Hafer, Andreas; Hafer, Wolfgang: Hugo Meisl oder die Erfindung des modernen Fußballs. Göttingen 2007.

Hafer, Andreas; Hafer, Wolfgang: Bundeskapitän und „un des principaux journalistes sportifs", in: Marschik, Matthias; Müller, Rudolf (Hg.): „Sind's froh, dass Sie zu Hause geblieben sind". Mediatisierung des Sports in Österreich, Göttingen 2010, 199–208.

Hamann, Brigitte: Hitlers Wien, Wien 1996.

Heide, Angela: Die Besitz und Finanzverhältnisse des Theaters in der Josefstadt von 1924 bis 1945, Wien 2011.

Heide, Angela: „… auf Betreiben des Prof. Max Reinhardt". Die Wiener Schauspielhaus AG von ihrer Gründung bis 1954, in: Bauer, Gerald M.; Peter, Birgit: Das Theater in der Josefstadt. Kultur, Politik, Ideologie für Eliten?, Wien 2010.

Heinkel, Ernst: Stürmisches Leben, Stuttgart 1953.

Henke, Klaus-Dietmar (Hg): Die Dresdner Bank im Dritten Reich, München 2006.

Heuer, Renate: Lexikon deutsch-jüdischer Autoren, Berlin, New York 2010.

Hofmann, Thomas; Debéra, Ursula: Wiener Landpartien. Ausflüge in Vororte: Vom Biedermeier bis zum Roten Wien, Wien, Köln, Weimar 2004

Horak, Roman; Maderthaner, Wolfgang: Mehr als ein Spiel. Fußball und populare Kulturen im Wien der Moderne, Wien 1997.

Huemer-Strobele, Christiane; Schuster, Käthe: Das Theater in der Josefstadt. Eine Reise durch die Geschichte eines der ältesten Theater Europas, Wien 2011.

Kalss, Helmut: Widerstand im Salzkammergut. Neue Aspekte, Diss. Graz 2013.

Kinnen, René: Die Entwicklung der Banken in Österreich 1919 bis 1929, Diplomarbeit Wien 1979.

Kos, Wolfgang; Gleis, Ralph: Experiment Metropole. 1873: Wien und die Weltausstellung, Wien 2014.

Kresal, France: Tekstilna industrija v Sloveniji, Ljubljana 1976.

Kuffler, Artur: Zur Geschichte der Baumwoll-Industrie, in: Die Gross-Industrie Österreichs, I, Wien 1908.

Lasotta, Arnold: Das Textilmuseum in Bocholt, Bocholt 2000.

Lendvai, Paul: Es war ein strahlender Sonntag, in: FAZ, 19. März 2014, 12.

Lillie, Sophie: Was einmal war – Handbuch der enteigneten Kunstsammlungen, Wien 2003.

Lüders, Christian: Teilnehmende Beobachtung, in: Bohnsack, R.; Marotzki, W.; Meuser, M. (Hg.): Hauptbegriffe qualitative Sozialforschung, Opladen 2003, 151–153.

Marschik, Matthias: Vom Herrenspiel zum Männersport, Wien 1996.

Marschik, Matthias; Müller, Rudolf (Hg.): „Sind's froh, dass Sie zu Hause geblieben sind". Mediatisierung des Sports in Österreich, Göttingen 2010

Mathis, Franz: Big Business in Österreich. Teil 1: Österreichische Großunternehmen in Kurzdarstellungen, Wien 1987.

Mathis, Franz: Big Business in Österreich. Teil 2: Wachstum und Eigentumsstruktur der österreichischen Großunternehmen im 19. und 20. Jahrhundert. Analyse und Interpretation. Wien; München 1990.

Matis, Herbert; Bachinger, Karl: Österreich in der Entwicklung, in: Alois Brusatti (Hg): die wirtschaftliche Entwicklung (die Habsburger Monarchie 1848–1918, Wien 1973, 201 ff.

Matis, Herbert: Österreichs Wirtschaft 1848–1913. Konjunkturelle Dynamik und gesellschaftlicher Wandel im Zeitalter Franz Josephs I., Berlin 1972.

Maurer, Lutz: Wenn du nur schon bey mir wärest. Aus Tagebüchern und Briefen von Erzherzog Johann und Anna Pochl, Grundlsee 1997.

Maurer, Lutz: An der schönen blauen Donau, in: Nora Schönfellinger (Hg.): „Conrad Mautner, grosses Talent", Grundlsee 1999, 27–48.

Maurer, Lutz: Konrads Heimkehr, in: Alpenpost N3. 16/ 2010.

Mautner, Konrad: Unterhaltungen der Gößler Holzknechte, in: Zeitschrift für österreichische Volkskunde, XV. Jahrgang 1909, Wien, 161–169.

Mautner, Konrad: Das steyrische Raspelbuch, Wien 1910.

Mautner, Konrad: Alte Lieder und Weisen aus dem steyermärkischen Salzkammergut, Wien 1919.

Mautner, Konrad: Lob- und Ehrenspruch von der großen Nutzbarkeit des Edlen und uralten Stahl- und Eisen-Bergwercks-Kleinods in den berühmten Mark Eisenärzt des Landes Steyr, 1919.

Mautner, Stephan: Bericht über eine kaufmännische Studienreise nach Ostasien, Wien 1899.

Mautner, Stephan: Trattenbach, Wien 1918 (Privatdruck, im Buchhandel in einer Auflage von 120 Stück erschienen unter dem Titel „Das Haus an der Dürr", Wien 1918).

Mautner, Stephan: Farbige Stunden, Leipzig-Wien 1921.

Mautner, Stephan: Farbige Stunden, 2. Teil, Wien 1927.

Kalbeck-Mautner, Marie: Kainz. Ein Brevier, Wien 1953.

Kalbeck-Mautner, Marie: Erinnerungen an die Mautner-Villa, in: Unser Währing. Vierteljahresschrift des Vereins zur Erhaltung und Förderung des Währinger Heimatmuseums, 3. Jg., 2. Heft, Wien 1968, 14–18.

Mayrhuber, Alois: Künstler im Ausseer Land, Graz; Wien; Köln 1995 (3.).

Meisl, Hugo: Unsere Zukunft, in: Neues Wiener Sportblatt Nr. 19, 25.12.1918, 1–3.

Melichar, Peter; Langthaler, Ernst; Eminger, Stefan (Hg.): Niederösterreich im 20. Jahrhundert. Band 2: Wirtschaft, Wien 2008.

Mezey, Gyula; Strunz, Herbert: Führung von Einsatzkräften, Frankfurt a.M. 2011.

Milchram, Gerhard: Erfolg und Wohltätigkeit. Netzwerke des jüdischen Großbürgertums, in: Kos, Wolfgang; Gleis, Ralph: Experiment Metropole. 1873: Wien und die Weltausstellung, Wien 2014, 214-221.

Morgenbrod, Birgit: Wiener Großbürgertum im Ersten Weltkrieg. Die Geschichte der „Österreichischen Politischen Gesellschaft 1916–1918", Wien 1994.

Mosser, Alois: Die Industrieaktiengesellschaft in Österreich 1880–1913, Wien 1980.

Musil, Robert: Der Mann ohne Eigenschaften, Wien 1932.

Niederacher, Sonja: Eigentum und Geschlecht. Jüdische Unternehmerfamilien in Wien, Wien 2012.

Oberhummer, Ernst: Die Baumwollindustrie Österreich-Ungarns, Wien 1917.

Offergeld, Wilhelm: Grundlagen und Ursachen der industriellen Entwicklung Ungarns, Jena 1914.

Orth, Elisabeth: An meine Gegend. Elisabeth Orth über das Ausseer Land. Bad Aussee 1995.

Osterloh, Jörg: Nationalsozialistische Judenverfolgung im Reichsgau Sudetenland 1938–1945, München 2006.

Peham, Helga: Die Saloniéren und die Salons in Wien. 200 Jahre Geschichte einer besonderen Institution, Graz 2013.

Pfohl, Ernst: Prof. Pfohl's Wirtschaftskarten, Böhmen Textilindustrie, Wien 1916.

Pöcher, Harald: Die Rüstungswirtschaft Ungarns, in: Mezey, Gyula; Strunz, Herbert: Führung von Einsatzkräften, Frankfurt a. M. 2011.

Pollner, Martin: Historische Strukturen der Stadtgemeinde Bad Aussee und des Ausseerlandes, Graz 2005.

Pollner, Martin: Camillo Castiglioni, in: Alpenpost 16/ 2010.

Präger, Max; Schmitz, Siegfried: Jüdische Schwänke. Eine volkskundliche Studie, Wiesbaden 1964.

Reppé, Susanne: Der Karl-Marx-Hof, Wien 1993.

Resch, Andreas: Industriekartelle in Österreich vor dem Ersten Weltkrieg. Organisationstendenzen und Wirtschaftsentwicklung von 1900 bis 1913, Berlin 2002.

Reuveni, Gideon; Roemer, Nils: Longing, belonging, and the making of Jewish consumer culture, Leiden (NL) 2010.

Rosner, Robert W.: Chemie in Österreich, 1740–1914: Lehre, Forschung, Industrie, Wien 2004.

Roth, Joseph: Die Rebellion, Berlin 1924.

Sandgruber, Roman: Ökonomie und Politik, Österreichische Wirtschaftsgeschichte vom Mittelalter bis zur Gegenwart, Wien 2005.

Sandgruber, Roman: Traumzeit für Millionare. Die 929 reichsten Wienerinnen und Wiener im Jahr 1910, Wien 2013.

Schall, Gunter: Der österreichisch-ungarische Dualismus als Integrationskonzept, Hamburg 2001.

Scheffer, Egon: Das Bankwesen in Österreich, Wien 1925.

Schmidt-Bachem, Heinz: Beiträge zur Industriegeschichte der Papier-, Pappe- und Folienverarbeitung in Deutschland. Quellen, Recherchen, Dokumente, Materialien, Düren 2009.

Schmidt-Bachem, Heinz: Aus Papier. Eine Kultur- und Wirtschaftsgeschichte der Papier verarbeitenden Industrie in Deutschland, Berlin; Boston 2011.

Schwarz, Arnold: Die Lage der österreichischen Baumwollspinnerei, Wien 1913.

Seebauer, Renate: Frauen, die Schule machten, Wien 2007.

Stadler, Gerhard A.: Das industrielle Erbe Niederösterreichs: Geschichte, Technik, Architektur, Wien; Köln; Weimar 2006.

Staudacher, Anna: „... meldet den Austritt aus dem mosaischen Glauben": 18.000 Austritte aus dem Judentum in Wien, 1868–1914: Namen-Quellen-Daten, Frankfurt a.M., 2009.

Staudacher, Anna: Jüdisch-protestantische Konvertiten in Wien 1782–1914, Frankfurt a.M., 2004.

Staudinger, Barbara: Salon Austria. Die großen Köpfe österreichisch-jüdischer Kultur. Wien 2013.

Stiefel, Dieter: Camillo Castiglioni oder die Metaphysik der Haifische, Wien; Köln: Weimar 2013.

Streibel, Robert (Hg.): Eugenie Schwarzwald und ihr Kreis, Wien 1996.

Stütz, Gerhard: Geschichte der Textilindustrie im Bezirk und Landkreis Gablonz a. d. Neiße, Schwäbisch Gmünd 1977.

Teller, M.: Sagen der Herrschaft Náchod in Böhmen: zum Theile nach historischen Originalen, und zum Theile nach mündlicher Überlieferung in Versen, Prag 1839.

Torberg, Friedrich: Tante Jolesch, Wien 1975.

Troller, Georg Stefan: Das fidele Grab an der Donau. Mein Wien 1918–1938, Düsseldorf; Zürich 2004.

Venus, Theodor; Wenck, Alexandra-Ellen: Die Entziehung jüdischen Vermögens im Rahmen der Aktion Gildemeester, Eine empirische Studie über Organisation, Form und Wandel von „Arisierung" und jüdischer Auswanderung in Österreich 1938–1941, Wien 2004.

Wärndorfer, Laura: Meine einhundertzwanzig Jahre. Unveröffentlichtes Manuskript o.J. (vermutlich 1984).

Walzer, Tina: Alles Millionäre und Hausierer! Eine sozialgeschichtliche Betrachtung der Wiener Juden im 19. Jahrhundert, in: DAVID, Heft Nr. 46, September 2000.

Wehdorn, Manfred: Baudenkmäler der Technik und Industrie in Österreich: Wien, Niederösterreich, Wien; Köln; Graz 1984.

Weidinger, Leonhard: Dossier zur Geschichte des Geymüllerschlössels 1929–1965, Wien 2006.

Wolsey-Mautner, Anna: Erinnerungen an meine Eltern, in: Nora Schönfellinger (Hg): Conrad Mautner, großes Talent, Grundlsee 1999, 11–26.

Worliczek, Adalbert: Sanierung der Mautner-A.-G. in: Der deutsche Volkswirt, 14.11.1930, 107–109.

Weis, Leopold (Hg.): Die Grossindustrie Österreichs, Wien 1898, Bd. I–IV.

Weis, Leopold (Hg.): Die Grossindustrie Österreichs, Wien 1908, Bd. I–VI.

Weissensteiner, Friedrich: Der ungeliebte Staat. Österreich zwischen 1918 und 1938, Wien 1990.

Wistrich, Robert: Aufstieg und Fall des Wiener Judentums, in: Weltuntergang. Jüdisches Leben und Sterben im Ersten Weltkrieg, Wien 2014, 34–44.

Wixforth, Harald: Die Expansion der Dresdner Bank in Europa, München 2006.

Wlaschek, Rudolf: Juden in Böhmen. Beiträge zur Geschichte des europäischen Judentums im 19. Jahrhundert, München 1997.

Wurzbach, Dr. Conrad von: Biographisches Lexikon des Kaiserthums Österreich, Wien 1887.

Zuckmeyer, Carl: Als wär's ein Stück von mir, Frankfurt a.M. 1966.

Zweig, Stefan: Die Welt von Gestern, Erinnerungen eines Europäers, Stockholm 1944.

Abbildungsnachweise

Abb. 1: Weis, Leopold (Hg.): Die Grossindustrie Österreichs, Wien 1800, Sonderdruck 250; Privatarchiv des Autors. • Abb. 2: wie Abb. 1; 251; Privatarchiv des Autors. • Abb. 3: Ungarische Textilindustrie Actiengesellschaft in Rószahegy-Fonögyar. Geschichte ihrer Gründung und Entwicklung dargestellt anläßlich des 50-jährigen Geschäftsjubiläums ihres Begründers und Präsidenten, des Herrn Isidor Mautner. Leipzig 1917, 2; Privatarchiv des Autors. • Abb. 4: Privatarchiv Elizabeth Baum-Breuer, Hinterbrühl (A). • Abb. 5 Privatarchiv des Autors. • Abb. 6: Ungarische Textilindustrie wie Abb. 3; 4–5; Privatarchiv des Autors. • Abb. 7: Ungarische Textilindustrie wie Abb. 3; 34; Privatarchiv des Autors. • Abb. 8: Ungarische Textilindustrie wie Abb. 3; 44; Privatarchiv des Autors. • Abb. 9: eigenes Foto des Autors. • Abb. 10: Privatarchiv Elizabeth Baum-Breuer, Hinterbrühl (A). • Abb. 11: Fotograf A. Bernhard; in: Marie Kalbeck: Kainz, ein Brevier, Wien 1953; Privatarchiv Lutz Maurer, Grundlsee (A). • Abb. 12: eigenes Foto des Autors. • Abb. 13: Privatarchiv des Autors. • Abb. 14: Österreichische Nationalbibliothek, Fotograf Ferdinand Schmutzer; ÖNB, Bildarchiv und Grafiksammlung (POR), LSCH 0379-D. • Abb. 15: Privatarchiv des Autors. • Abb. 16: Privatarchiv Pamela Tapolcai, Berg (CH). • Abb. 17: Privatarchiv Pamela Tapolcai, Berg (CH). • Abb. 18: Privatarchiv Pamela Tapolcai, Berg (CH). • Abb. 19: Privatarchiv des Autors. • Abb. 20: wie Abb. 1; 252; Privatarchiv des Autors. • Abb. 21: Stephan Mautner: Trattenbach 1918, Frontispiz, Privatarchiv des Autors. • Abb. 22: Stephan Mautner: Trattenbach 1918, 79, Privatarchiv des Autors. • Abb. 23: Stephan Mautner: Farbige Stunden 1921, 47, Privatarchiv Lutz Maurer, Grundlsee (A). • Abb. 24: Stephan Mautner: Trattenbach 1918, 58, Privatarchiv des Autors. • Abb. 25: Privatarchiv des Autors. • Abb. 26: Privatarchiv Elizabeth Baum-Breuer, Hinterbrühl (A). • Abb. 27: eigenes Foto des Autors. • Abb. 28: Archival Signature 4522, Album Number FA268/43 (Auschwitz-Album, Bild 66), Yad Vashem, Jerusalem. • Abb. 29: eigene Grafik des Autors. • Abb. 30: eigene Grafik des Autors.

Ortsregister

Personenregister

Impressum

Umschlag vorn: Familie Isidor Mautner, Wien 1887,
Privatarchiv Pamela Tapolcai, Berg (CH).

Die Deutsche Nationalbibliothek verzeichnet diese Publikation in der
Deutschen Nationalbibliografie; detaillierte Daten sind im Internet über
https://portal.dnb.de/ abrufbar.

© 2014 Hentrich & Hentrich Verlag Berlin
Inh. Dr. Nora Pester
Wilhelmstraße 118, 10963 Berlin
info@hentrichhentrich.de
http://www.hentrichhentrich.de

Lektorat: Richard Henschel
Gestaltung: Michaela Weber
Druck: Winterwork, Borsdorf

1. Auflage 2014
Alle Rechte vorbehalten
Printed in Germany
ISBN 978-3-95565-061-2